Coś pożyczonego

Emily Giffin

Coś pożyczonego

tłumaczenie Anna Gralak

Wydawnictwo Otwarte
Kraków 2009

Tytuł oryginału: *Something Borrowed*

Copyright © 2004 by **Emily Giffin**. All rights reserved

Copyright © for the translation by **Anna Gralak**

Pierwsze wydanie w języku polskim:
Wydawnictwo Otwarte, Kraków 2007

Projekt okładki: **Przemysław Dębowski, www.octavo.pl**

Adaptacja okładki na potrzeby wydania: **Adam Stach**

Fotografia na pierwszej stronie okładki:
© **iStockphoto.com / Steven von Niederhausern**

Opieka redakcyjna: **Katarzyna Wydra, Arletta Kacprzak**

Opracowanie typograficzne książki: **Daniel Malak**

Adiustacja: **Katarzyna Szklanny / KS & zespół**

Korekta: **Barbara Gąsiorowska / KS & zespół,
Paulina Lenar / KS & zespół**

Łamanie: **Mariusz Warchoł / KS & zespół**

ISBN 978-83-7515-085-8

www.otwarte.eu

Zamówienia: Dział Handlowy, ul. Kościuszki 37, 30-105 Kraków
Bezpłatna infolinia: 0800-130-082
Zapraszamy do księgarni internetowej Wydawnictwa Znak,
w której można kupić książki Wydawnictwa Otwartego: www.znak.com.pl

Dla mojej matki z wyrazami miłości

ROZDZIAŁ 1

Po raz pierwszy pomyślałam o moich trzydziestych urodzinach, kiedy byłam w piątej klasie podstawówki. Razem z moją najlepszą przyjaciółką Darcy natknęłyśmy się na uniwersalny kalendarz umieszczony na końcu książki telefonicznej, w którym można było znaleźć każdą przyszłą datę i dzięki tej małej siateczce sprawdzić, jaki wtedy będzie dzień tygodnia. Wyszukałyśmy zatem dni naszych urodzin w następnym roku – moje wypadały w maju, a jej we wrześniu. Mnie trafiła się środa, zwykły dzień tygodnia. Jej – piątek. Małe zwycięstwo, ale za to bardzo typowe. Darcy zawsze była szczęściarą. Szybciej się opalała, jej włosy łatwiej się układały i nie potrzebowała aparatu ortodontycznego. Lepiej wychodził jej księżycowy krok, a także gwiazdy i salta (których ja nie umiałam wcale). Miała lepszą kolekcję naklejek. Więcej kapselków z Michaelem Jacksonem. Sweterki Forenzy w kolorze turkusowym, czerwonym o r a z brzoskwiniowym (moja mama nie pozwoliła mi na żaden – powiedziała, że są zbyt modne i drogie). A także parę dżinsów Guess za pięćdziesiąt dolarów, z zamkami na kostkach (reakcja mojej mamy była identyczna jak w przypadku sweterków Forenzy). Darcy nosiła po dwa kolczyki w każdym uchu i miała rodzeństwo – nawet jeśli był to tylko brat, znajdowała się w lepszej sytuacji niż ja, jedynaczka.

Za to ja byłam o kilka miesięcy starsza i pod tym względem nigdy nie mogła mi dorównać. Właśnie wtedy postanowiłam sprawdzić, w jakim dniu tygodnia wypadną moje trzydzieste urodziny – w roku tak odległym, że wydawał się datą z filmu *science fiction*. Okazało się, że będzie to niedziela, co oznaczało, że w sobotni wieczór wraz z moim cudownym mężem wynajmiemy jakąś odpowiedzialną opiekunkę dla dwójki (ewentualnie trójki) naszych dzieci, zjemy kolację w modnej francuskiej restauracji z lnianymi serwetkami i zabawimy tam aż do północy, więc tak naprawdę będziemy świętować w dniu moich urodzin. Właśnie wygram pewną dużą sprawę – w jakiś sposób udowodnię, że niewinny człowiek ma czyste sumienie. A mój mąż wzniesie za mnie toast: „Za Rachel, moją piękną żonę, matkę moich dzieci i najlepszą adwokatkę w stanie Indiana". Podzieliłam się tym marzeniem z Darcy i wtedy odkryłyśmy, że jej trzydzieste urodziny wypadną w poniedziałek. Co za porażka! Patrzyłam, jak zaciska usta, trawiąc tę informację.

– Wiesz co, Rachel, kogo obchodzi, w jaki dzień wypadną nasze trzydzieste urodziny? – powiedziała, wzruszając gładkimi oliwkowymi ramionami. – Wtedy będziemy już stare. W takim wieku urodziny nie mają żadnego znaczenia.

Pomyślałam o moich rodzicach, którzy mieli wtedy po trzydzieści kilka lat, oraz o ich obojętnym podejściu do własnych urodzin. Niedawno tato podarował mamie z tej okazji toster, gdyż stary zepsuł się tydzień wcześniej. Nowy opiekał cztery kromki zamiast dwóch. Był to raczej kiepski prezent, jednak moja mama wydawała się całkiem zadowolona z nowego urządzenia. Nie dostrzegłam u niej ani odrobiny rozczarowania, które poczułam, kiedy mój bożonarodzeniowy prezent nie sprostał oczekiwaniom. Zatem Darcy prawdopodobnie miała rację. W wieku trzydziestu lat takie wydarzenia jak urodziny przestają mieć wielkie znaczenie.

Po raz drugi pomyślałam o moich trzydziestych urodzinach w ostatniej klasie liceum, kiedy razem z Darcy zaczęłyśmy oglądać serial *Trzydziestolatki*. Nie był to nasz faworyt – wolałyśmy wesołe sitcomy w stylu *Who's the Boss?* czy *Dzieciaki, kłopoty i my* – lecz mimo to oglądałyśmy go. W *Trzydziestolatkach* nie podobały mi się bardzo marudne postacie i przygnębiające sytuacje, w które bohaterki same się pakowały. Uważałam, że powinny wreszcie dorosnąć, stawić czoło rzeczywistości. Przestać dumać nad istotą życia i zacząć robić listy zakupów. To było w czasach, kiedy młodzieńcze lata wlekły się niemiłosiernie i myślałam, że zanim dobiję do trzydziestki, miną całe wieki.

Potem stuknęła mi dwudziestka. I kolejne lata rzeczywiście wydawały się całą wiecznością. Kiedy słuchałam, jak nieco starsi znajomi opłakują koniec swojej młodości, byłam zadowolona z siebie i cieszyłam się, że sama nie znalazłam się jeszcze w tej niebezpiecznej strefie. Miałam mnóstwo czasu. Aż do mniej więcej dwudziestego siódmego roku życia, kiedy już dawno przestano pytać mnie o dowód i kiedy zaskoczyło mnie nagłe przyspieszenie czasu (nasuwające na myśl coroczny monolog mojej matki wygłaszany podczas wyciągania bożonarodzeniowych dekoracji) oraz towarzyszące mu zmarszczki i pojedyncze siwe włosy. W wieku dwudziestu dziewięciu lat ogarnęło mnie prawdziwe przerażenie i zdałam sobie sprawę, że pod wieloma względami mogę już uchodzić za trzydziestolatkę. Choć niezupełnie. Nadal mogłam mówić, że mam dwadzieścia kilka lat. Nadal miałam coś wspólnego z ludźmi kończącymi *college*.

Myślę, że trzydziestka jest tylko liczbą, a człowiek ma tyle lat, na ile się czuje, i tak dalej. Uważam również, że w ogólnym rozrachunku trzydziestolatki nadal są młode. Tylko nie aż t a k. Na przykład mają za sobą najodpowiedniejsze i najlepsze lata na rodzenie dzieci. Jest już zbyt późno, żeby, powiedzmy, rozpocząć treningi z myślą o medalu olimpijskim. Nawet biorąc pod uwagę najbardziej optymistyczny scenariusz przewidujący śmierć ze starości, należy uznać, że pokonały mniej więcej jedną trzecią drogi do linii mety. Zatem siedząc na wyścielanej rdzawoczerwonej kanapie w ciemnym barze na Upper West Side podczas urodzinowego przyjęcia niespodzianki zorganizowanego przez Darcy, która nadal jest moją najlepszą przyjaciółką, nie mogę pozbyć się uczucia niepokoju.

Jutro nadejdzie niedziela, o której po raz pierwszy rozmyślałam w piątej klasie podstawówki, bawiąc się książką telefoniczną. Po dzisiejszym wieczorze przestanę być dwudziestolatką i ten rozdział zamknie się na zawsze. To uczucie przypomina emocje sylwestrowego wieczoru, w którym rozpoczyna się odliczanie, i nie jestem pewna, czy powinnam chwycić aparat, czy po prostu cieszyć się chwilą. Zazwyczaj chwytam aparat, a potem tego żałuję, bo zdjęcie nie wychodzi. Czuję się wtedy strasznie zawiedziona i myślę sobie, że wieczór byłby bardziej zabawny, gdyby nie był aż tak ważny i gdybym nie musiała analizować tego, czego dokonałam i dokąd zmierzam.

Podobnie jak wieczór sylwestrowy, dzisiejsza noc jest zarówno początkiem, jak i końcem. Nie lubię początków i końców. Wolałabym wiecznie dryfować gdzieś pośrodku. Najgorsze w tym konkretnym końcu (mojej młodości) i początku (wieku średniego) jest to, że po raz pierwszy w życiu nie mam pojęcia, dokąd zmierzam. Moje pragnienia są proste: praca, którą lubię, i facet, którego kocham. A w przeddzień trzydziestych urodzin jestem zmuszona przyznać, że pod tymi względami przegrywam zero do dwóch.

Po pierwsze, jestem prawniczką w wielkiej nowojorskiej kancelarii. To wystarczy, żeby stwierdzić, że znajduję się w żałosnym położeniu. Codzienność prawniczki zupełnie nie przypomina życia Ally McBeal z serialu, dzięki któremu wydziały prawa przeżyły prawdziwe oblężenie w latach dziewięćdziesiątych. Pracuję w koszmarnych godzinach dla podłego, cierpiącego na wieczne zatwardzenie partnera, przeważnie wykonując nużące zadania, a nienawiść do własnej pracy zaczyna mnie wykańczać. Nauczyłam się zatem mantry pracownika kancelarii prawniczej: „Nienawidzę tej pracy i wkrótce ją rzucę". Kiedy tylko spłacę wszystkie kredyty. Kiedy tylko zgarnę przyszłoroczną premię. Kiedy tylko znajdę jakieś inne zajęcie, które pozwoli mi płacić czynsz. Albo kogoś, kto będzie go płacił za mnie.

I tu pojawia się druga sprawa: jestem samotna w mieście zamieszkanym przez miliony ludzi. Mam mnóstwo przyjaciół, czego dowodzi solidna frekwencja na dzisiejszej imprezie. Przyjaciół, z którymi można pojeździć na łyżworolkach, spędzić lato w Hamptons, spotkać się w czwartek po pracy i wypić drinka, dwa lub trzy. I mam Darcy, najlepszą przyjaciółkę z rodzinnych stron, o której w zasadzie można powiedzieć to samo. Jednak każdy wie, że przyjaciele to nie wszystko, chociaż często twierdzę, że właśnie dzięki nim udaje mi się zachować twarz wśród licznych zamężnych i zaręczonych koleżanek. Nie planowałam samotnego życia po trzydziestce – nawet tuż po trzydziestce. W tym wieku chciałam już mieć męża. Planowałam wziąć ślub w wieku dwudziestu kilku lat. Nauczyłam się jednak, że nie można tak po prostu stworzyć sobie harmonogramu własnego życia i czekać na jego realizację. Zatem tkwię u progu nowej dekady ze świadomością, że samotność czyni moją trzydziestkę żałosną, a trzydziestka sprawia, że czuję się jeszcze bardziej samotna.

Sytuacja wydaje się tym bardziej ponura, że moja najstarsza stażem i najlepsza przyjaciółka ma wspaniałą pracę w branży PR i niedawno się zaręczyła. Darcy nadal jest szczęściarą. Właśnie słucham, jak opowiada jakąś historię uczestnikom imprezy, wśród których jest jej narzeczony. Dex i Darcy stanowią doskonałą parę: oboje szczupli i wysocy, mają podobne ciemne włosy i zielone oczy. Należą do najpiękniejszych ludzi w Nowym Jorku. Przypominają zadbaną parę zamawiającą śliczną porcelanę i kryształy na szóstym piętrze Bloomingdale's. Nienawidzisz ich pewności siebie, ale nie potrafisz oderwać od nich wzroku, gdy na tym samym piętrze szukasz jakiegoś niezbyt drogiego prezentu na kolejne wesele, na które zaproszono cię bez osoby towarzyszącej. Wytężasz wzrok, żeby dojrzeć jej pierścionek, i od razu żałujesz, że to zrobiłaś. Przyłapuje cię na tym i rzuca ci pogardliwe spojrzenie. Żałujesz, że poszłaś do Bloomingdale's w tenisówkach. Pewnie myśli, że nie potrafisz nawet wybrać odpowiedniego obuwia. Kupujesz wazon Waterforda i czym prędzej stamtąd uciekasz.

– Więc morał z tej historii jest taki: jeśli prosisz o brazylijską depilację bikini, dokładnie uściślij, o co ci chodzi. Powiedz, żeby zostawili chociaż mały paseczek, bo w przeciwnym razie skończysz łysa jak dziesięciolatka! – Darcy kończy swoją sprośną opowieść i wszyscy się śmieją. Wszyscy z wyjątkiem Deksa, który kręci głową, jak gdyby chciał powiedzieć: niezłe ziółko z tej mojej narzeczonej.

– Dobra. Zaraz wracam – mówi nagle Darcy. – Tequila dla wszystkich!

Kiedy się oddala i idzie w stronę baru, przypominam sobie wszystkie urodziny, które razem świętowałyśmy, życiowe przełomy, przez które razem przechodziłyśmy – ja zawsze pierwsza. Pierwsza zrobiłam prawo jazdy, wcześniej niż ona mogłam legalnie kupić alkohol. Bycie starszą – choć tylko o kilka miesięcy – było kiedyś czymś dobrym. Ale teraz los się odwrócił. Darcy spędzi dodatkowe lato jako dwudziestoparolatka – zaleta urodzenia się jesienią. Nie żeby dla niej miało to aż takie znaczenie: dla kobiety zaręczonej albo mężatki trzydzieste urodziny są czymś zupełnie innym niż dla singla.

Darcy właśnie pochyla się nad barem, flirtując z młodym, początkującym aktorem / barmanem. Już zdążyła mi powiedzieć, że gdyby była sama, „poszłaby z nim na całość".

Jak gdyby Darcy kiedykolwiek mogła być sama. Pewnego razu w liceum powiedziała: „Ja nie zrywam, ja wymieniam". Dotrzymała słowa i zawsze to ona rzucała. Kiedy byłyśmy nastolatkami, w *college*'u i każdym dniu naszego dwudziestoparoletniego życia, nieustannie była z kimś związana. Często kręciło się koło niej kilku pełnych nadziei chłopaków naraz.

Dociera do mnie, że to ja mogłabym umówić się z barmanem. Nie mam absolutnie żadnych zobowiązań – od prawie dwóch miesięcy nie byłam nawet na randce. Jednak to chyba mało odpowiednie dla kogoś w moim wieku. Przygody na jedną noc są dobre dla dwudziestoparolatek. Chociaż nie mogę powiedzieć, żebym kiedykolwiek sprawdziła to osobiście. Kroczyłam ścieżką porządnej, świętoszkowatej dziewczyny i nigdy z niej nie zbaczałam. W szkole miałam same piątki, poszłam do *college*'u i ukończyłam go z wyróżnieniem, przystąpiłam do testu kwalifikacyjnego w dziedzinie prawa, dostałam się bez problemu na studia prawnicze, a zaraz potem trafiłam do dużej kancelarii. Nie jeździłam z plecakiem po Europie, nie oddawałam się żadnym szaleństwom ani nie prowadziłam niezdrowego, rozwiązłego trybu życia. Żadnych tajemnic. Żadnych intryg. A teraz jest już na to za późno. Szaleństwa tego typu mogłyby jedynie bardziej oddalić mnie od celu: znalezienia męża, ustatkowania się, urodzenia dzieci i zbudowania szczęśliwego domu z trawnikiem, garażem i tosterem, który opieka cztery kromki naraz.

Zatem przyszłość budzi we mnie pewne obawy oraz pewien żal za przeszłością. Powtarzam sobie, że zastanowię się nad tym jutro. Teraz będę się dobrze bawić. Zdyscyplinowana osoba jest w stanie podjąć taką decyzję. A ja jestem nadzwyczaj zdyscyplinowana – należałam do tych dzieci, które odrabiają lekcje w piątek po południu, zaraz po szkole, i jestem kobietą (ponieważ od jutra nie zostanie we mnie nawet odrobinka dziewczyny), która co wieczór używa nici dentystycznej i każdego ranka ściele łóżko.

Darcy wraca z tequilą, lecz Dex odmawia, więc moja przyjaciółka nalega, żebym wypiła dwie. Wieczór niepostrzeżenie nabiera rozmytego charakteru towarzyszącego przejściu ze stanu podchmielenia w alkoholowe upojenie, wraz z którym traci się poczucie czasu i rzeczywistości. Wygląda na to, że Darcy już osiągnęła ten stan, ponieważ właśnie tańczy na barze. Kołysze się i wiruje w czerwonej sukience bez pleców, w butach na ośmiocentymetrowych obcasach.

– Skupia na sobie całą uwagę podczas twojej imprezy – szepcze Hillary, moja najbliższa przyjaciółka z pracy. – Jest bezwstydna.

– Tak. To było do przewidzenia. – Śmieję się.

Darcy wydaje z siebie okrzyk, klaszcze nad głową i przywołuje mnie gestem dłoni, z powłóczystym spojrzeniem, które przemówiłoby do każdego faceta czującego słabość do dziewczyn w akcji.

– Rachel! Rachel! No chodź!

Oczywiście wie, że się do niej nie przyłączę. Nigdy nie tańczyłam na barze. Nie miałabym pojęcia, co można tam robić – chyba tylko spaść. Kręcę głową i uśmiecham się, grzecznie odmawiając. Wszyscy czekamy na jej kolejny ruch – okazuje się nim kręcenie biodrami w rytm muzyki, wolne wygięcie w tył i ponowne wyrzucenie ciała w górę, podczas którego jej długie włosy wirują wokół. Ten zwinny manewr przypomina mi doskonałą imitację Tawny Kitaen z wideoklipu Whitesnake *Here I Go Again*, w którym, robiąc szpagaty, turlała się po masce bmw swojego ojca ku uciesze nastoletnich chłopaków z sąsiedztwa. Zerkam na Deksa, który w takich chwilach nigdy nie potrafi się zdecydować, czy powinien okazać zachwyt czy zdenerwowanie. To, że facet ma cierpliwość, to mało powiedziane. Pod tym względem jesteśmy do siebie podobni.

– Sto lat, Rachel! – krzyczy Darcy. – Wznieśmy toast za Rachel!

I wszyscy wznoszą, nie odrywając od niej oczu.

Chwilę później Dex ściąga ją z baru, przewiesza sobie przez ramię i zgrabnym ruchem stawia obok mnie na podłodze. Najwidoczniej już to kiedyś robił.

– Dobra – oznajmia. – Zabieram naszą małą organizatorkę imprezy do domu.

Darcy chwyta stojącego na barze drinka i tupie nogą.

– Nie jesteś moim szefem, Dex! Prawda, Rachel? – Ogłaszając swoją niezależność, potyka się i wylewa martini na but Deksa.

– Jesteś pijana, Darcy. – Dex krzywi się. – Tylko ciebie to wszystko bawi.

– Dobra, dobra. Idę... Zresztą i tak jest mi trochę niedobrze – stwierdza, wyglądając tak, jakby miała mdłości.

– Nic ci nie będzie?

– Nie. Nie przejmuj się – odgrywa rolę dzielnej chorej dziewczynki.

Dziękuję jej za przyjęcie, mówię, że to była prawdziwa niespodzianka – co jest oczywiście kłamstwem, ponieważ wiedziałam, że Darcy wykorzysta moje urodziny, aby kupić sobie nową sukienkę, zrobić wielką imprezę i zaprosić tyle samo własnych przyjaciół co moich. Mimo to jest mi miło, że zorganizowała to przyjęcie, i bardzo mnie to cieszy. Darcy należy do tego rodzaju przyjaciół, dzięki którym każde wydarzenie wydaje się szczególne. Mocno mnie obejmuje i zapewnia, że dla mnie zrobiłaby wszystko, bo cóż by beze mnie poczęła – bez swojej pierwszej druhny i siostry, której nigdy nie miała. Trajkocze jak najęta, jak zawsze, kiedy za dużo wypije.

– Wszystkiego najlepszego, Rachel.

Dex przerywa jej:

– Pogadamy jutro. – Całuje mnie w policzek.

– Dzięki, Dex – mówię. – Dobranoc.

Patrzę, jak delikatnie wypycha ją na zewnątrz i przytrzymuje za łokieć, kiedy Darcy omal nie przewraca się na progu. Och, mieć takiego opiekuna, myślę. Móc pić bez opamiętania i wiedzieć, że jest ktoś, kto później bezpiecznie odprowadzi cię do domu.

Po jakimś czasie Dex znowu pojawia się w barze.

– Darcy zgubiła torebkę. Myśli, że zostawiła ją tutaj. Taka mała, srebrna – mówi. – Widziałaś ją może?

– Zgubiła swoją nową torebkę od Chanel? – Kręcę głową ze śmiechem, bo gubienie rzeczy to specjalność Darcy. Zazwyczaj pilnuję ich za nią, ale w dzień własnych urodzin zrobiłam sobie wolne. Mimo to pomagam Deksowi szukać torebki i w końcu dostrzegam ją pod barowym krzesłem.

Kiedy Dex rusza w kierunku wyjścia, Marcus, jeden z jego drużbów, przekonuje go, żeby został.

– No, stary. Posiedź jeszcze chwilę.

Zatem Dex dzwoni do Darcy, która bełkotliwym głosem daje mu pozwolenie, żeby zabawił się bez niej. Chociaż pewnie uważa, że to niemożliwe.

Powoli moi przyjaciele się wykruszają, po raz ostatni życząc mi sto lat. Ja i Dex zostajemy najdłużej, przebijając nawet Marcusa. Siedzimy przy barze i rozmawiamy z aktorem / barmanem, który ma tatuaż z napisem „Amy". Starzejąca się prawniczka nie wzbudza w nim żadnego zainteresowania. Kiedy postanawiamy, że czas się zbierać, jest już po drugiej. Noc bardziej przypomina lato niż środek wiosny i ciepłe powietrze przepełnia mnie nagłą nadzieją: to będzie lato, podczas którego poznam mojego faceta.

Dex zatrzymuje dla mnie taksówkę, ale kiedy samochód hamuje, pyta:

– Co powiesz na jeszcze jedną rundkę? Wypijemy po drinku?

– Jasne – zgadzam się. – Czemu nie?

Obydwoje wsiadamy do taksówki, a Dex mówi kierowcy, żeby po prostu jechał, ponieważ musi się zastanowić dokąd. W końcu lądujemy w Alphabet City, w barze na rogu Siódmej i Alei B, o trafnej nazwie 7B.

To niezbyt przyjemne miejsce – brudne i zadymione. Mimo to podoba mi się – nie jest wymuskane i nie można go nazwać speluną, która stara się być fajna, ponieważ nie jest elegancka.

Dex wskazuje jeden z boksów.

– Usiądź. Zaraz do ciebie wrócę. – Po chwili się odwraca. – Co ci zamówić?

Mówię, że napiję się tego co on, a potem siadam i czekam na niego w boksie. Patrzę, jak mówi coś do dziewczyny za barem ubranej w szerokie spodnie koloru khaki i bezrękawnik z napisem „Upadły Anioł". Barmanka uśmiecha się i kręci głową. W tle płyną dźwięki *Omaha*. To jedna z tych piosenek, które wydają się zarazem melancholijne i wesołe.

Chwilę później Dex siada naprzeciwko mnie, podsuwając mi piwo.

– Newcastle. – Uśmiecha się, a wokół jego oczu pojawiają się zmarszczki. – Smakuje ci?

Kiwam głową i też się uśmiecham.

Kątem oka widzę, że Upadły Anioł obrócił się na barowym krześle i bacznie obserwuje Deksa, chłonąc jego wyrzeźbione rysy, falujące włosy i pełne usta. Pewnego razu Darcy skarżyła się na to, że Dex przyciąga więcej spojrzeń niż ona. Jednak w przeciwieństwie do swojego żeńskiego odpowiednika Dex zdaje się nie zauważać zainteresowania, jakie wzbudza. Teraz Upadły Anioł spogląda w moją stronę, zastanawiając się zapewne, co Dex robi z tak przeciętną kobietą. Mam nadzieję, że uznała nas za parę. Dzisiaj wieczorem nikt nie musi wiedzieć, że jestem tylko gościem na jego weselnym przyjęciu.

Rozmawiamy z Deksem o pracy, o wakacjach w Hamptons, które zaczynają się w przyszłym tygodniu, i o wielu innych rzeczach. Nie poruszamy jednak tematu Darcy ani ich ślubu zaplanowanego na wrzesień.

Po dopiciu piwa podchodzimy do szafy grającej i napychamy ją jednodolarowymi banknotami, szukając dobrych piosenek. Dwa razy wybieram *Thunder Road*, bo to mój ulubiony kawałek. Mówię mu o tym.

– W moim rankingu też króluje Springsteen. Widziałaś go kiedyś na koncercie?

– Tak. Dwa razy. Podczas tras *Born in the USA* i *Tunnel of Love*.

Nie dodaję, że byłam tam razem z Darcy, kiedy chodziłyśmy do liceum. Zaciągnęłam ją, chociaż o wiele bardziej lubiła takie zespoły jak Poison i Bon Jovi. Postanawiam to jednak przemilczeć. W przeciwnym razie przypomniałby sobie, że musi do niej wracać, a ja nie chcę być sama w ostatnich chwilach mojego dwudziestoparoletniego życia. Rzecz jasna, wolałabym być z własnym chłopakiem, ale lepszy Dex niż nic.

W 7B przyjmują ostatnie zamówienia. Kupujemy jeszcze po piwie i wracamy do naszego boksu. Chwilę później znowu siedzimy w taksówce, jadąc na północ Pierwszą Aleją.

– Będą dwa przystanki – Dex informuje kierowcę, ponieważ mieszkamy po przeciwnych stronach Central Parku. Dex trzyma torebkę Darcy od Chanel, która w jego wielkich dłoniach wydaje się mała i nie na miejscu. Zerkam na srebrną tarczę jego roleksa, prezentu od Darcy. Dochodzi czwarta nad ranem.

Siedzimy w milczeniu, podczas gdy taksówka przemierza dziesięć lub piętnaście przecznic. Każde z nas patrzy przez okno po swojej stronie, ale w pewnej chwili samochód podskakuje na jakimś wyboju i ląduję pośrodku tylnego siedzenia, muskając kolanem nogę Deksa. Wtedy, nie wiedzieć czemu, Dex zaczyna mnie całować. A może to ja całuję jego. Jakimś cudem się całujemy. Mój umysł wypełnia pustka i wsłuchuję się w miękki dźwięk naszych ust, które znowu się spotykają, bez końca. W którejś chwili Dex stuka w plastikową przegrodę i między jednym pocałunkiem a drugim mówi kierowcy, że ostatecznie będzie tylko jeden przystanek.

Docieramy na róg Siedemdziesiątej Trzeciej i Trzeciej, niedaleko mojego mieszkania. Dex wręcza kierowcy dwudziestkę i nie czeka na resztę. Wysiadamy z taksówki, całujemy się chwilę na chodniku, a potem na oczach José, mojego dozorcy. Całujemy się, jadąc windą. Przywieram plecami do ściany i dotykam głowy Deksa. Zaskakuje mnie miękkość jego włosów.

Gmeram kluczykiem w zamku, przekręcając go w złą stronę, podczas gdy Dex obejmuje mnie w talii, a jego usta muskają mój kark i policzek. Wreszcie drzwi stają otworem i całujemy się na środku mojego mieszkania, stojąc prosto i nie opierając się o nic z wyjątkiem siebie samych. Potykając się, podchodzimy do mojego łóżka zaścielonego ze szpitalną precyzją.

– Jesteś pijana? – Jego głos jest tylko szeptem w ciemności.

– Nie – kłamię. Zawsze się zaprzecza, kiedy jest się pijanym. I chociaż jestem pijana, przez jedną trzeźwą chwilę rozważam, czego brakowało w moim dwudziestoparoletnim życiu i co mam nadzieję odnaleźć jako trzydziestolatka. Dociera do mnie, że w tę doniosłą urodzinową noc mogę mieć jedno i drugie. Dex może stać się moją tajemnicą, ostatnią szansą na mroczny rozdział w życiu dwudziestoparolatki, a oprócz tego może stanowić swego rodzaju preludium – obietnicę przyjścia kogoś takiego jak on. Myślę również o Darcy, ale szybko o niej zapominam, owładnięta siłą większą niż nasza przyjaźń i moje sumienie. Dex kładzie się na mnie. Zamykam oczy, otwieram je i zamykam znowu.

A potem dzieje się coś niewiarygodnego: uprawiam seks z narzeczonym mojej najlepszej przyjaciółki.

ROZDZIAŁ 2

Budzi mnie sygnał telefonu i przez moment leżę zdezorientowana, rozglądając się po własnym mieszkaniu. Po chwili
na mojej sekretarce rozlega się piskliwy głos Darcy, który namawia mnie, żebym odebrała, odebrała, k o n i e c z n i e odebrała. Nagle przypomina mi się zbrodnia. Za szybko siadam na
łóżku i całe mieszkanie wiruje. Obok dostrzegam plecy Dextera, umięśnione i lekko usiane piegami. Mocno szturcham je
palcem.

Przewraca się na drugą stronę i spogląda na mnie.

– Chryste! Która godzina?

Moje radio z budzikiem wskazuje piętnaście po siódmej.
Od dwóch godzin jestem trzydziestolatką. Poprawka: od godziny. Urodziłam się w innej strefie czasowej.

Dex szybko wstaje i zbiera swoje ubranie porozrzucane
po obydwu stronach łóżka. Automatyczna sekretarka wydaje
z siebie podwójny sygnał i rozłącza się z Darcy. Ona dzwoni
jednak jeszcze raz, rozwodząc się nad tym, że Dex nie wrócił
do domu. Sekretarka znowu przerywa jej w pół zdania. Darcy
telefonuje po raz trzeci, jęcząc:

– Obudź się i zadzwoń do mnie! P o t r z e b u j ę cię!

Zaczynam wstawać z łóżka, lecz po chwili zdaję sobie sprawę, że jestem naga. Siadam z powrotem i zasłaniam się poduszką.

– O matko. Co my teraz zrobimy? – mówię ochrypłym i drżącym głosem. – Powinnam odebrać? Powiedzieć jej, że przenocowałeś u mnie?

– Nie! Nie podnoś słuchawki. Daj mi chwilę pomyśleć. – Siada w samych bokserkach i pociera brodę, którą pokrywa cień zarostu.

Ogarnia mnie chore, otrzeźwiające przerażenie. Zaczynam płakać. Choć to nigdy w niczym nie pomaga.

– Słuchaj, Rachel, nie płacz – uspokaja mnie Dex. – Wszystko będzie dobrze.

Wkłada dżinsy i koszulę. Wsuwa koszulę w spodnie i zapina guziki ze zręcznością przywodzącą na myśl zwyczajny poranek. Następnie sprawdza wiadomości na komórce.

– Choleeera. Dwanaście nieodebranych połączeń – stwierdza rzeczowo. Tylko jego oczy zdradzają niepokój.

Kiedy jest już ubrany, ponownie siada na brzegu łóżka i kryje twarz w dłoniach. Słyszę, jak ciężko oddycha przez nos. Wdech i wydech. Wdech i wydech. Po chwili patrzy na mnie zupełnie opanowany.

– Dobra. Zrobimy tak. Rachel, spójrz na mnie.

Postępuję zgodnie z jego poleceniem, nadal kurczowo ściskając poduszkę.

– Będzie dobrze. Posłuchaj tylko – prosi, jak gdyby zwracał się do klienta w sali konferencyjnej.

– Słucham – mówię.

– Powiem jej, że byłem na mieście do piątej, a potem zjadłem z Marcusem śniadanie. Nic się nie wyda.

– A co ja jej powiem? – pytam. Kłamanie nigdy nie było moją mocną stroną.

– Że po prostu wyszłaś z imprezy i poszłaś do domu… Że nie jesteś pewna, czy kiedy wychodziłaś, nadal byłem w barze, ale wydaje ci się, że zostałem z Marcusem. Pamiętaj, żeby powiedzieć: „wydaje mi się", nie bądź zbyt precyzyjna. I to wszystko, co wiesz, dobra? – Wskazuje mój telefon. – A teraz do niej oddzwoń... Przekręcę do Marcusa, gdy tylko stąd wyjdę. Zrozumiałaś?

Kiwam głową, a kiedy Dex wstaje, do oczu znowu napływają mi łzy.

– I uspokój się – mówi zdecydowanie, ale nie złośliwie. Po chwili jest już przy drzwiach. Jedną dłoń kładzie na klamce, a drugą przeczesuje swoje ciemne włosy, wystarczająco długie, by wyglądały naprawdę seksownie.

– A co będzie, jeśli już rozmawiała z Marcusem? – pytam, gdy Dex przekracza próg. Potem mówię do siebie: – Ale jesteśmy popieprzeni.

Odwraca się, spogląda na mnie z korytarza. Przez chwilę myślę, że jest zły, że nawrzeszczy na mnie i każe mi wziąć się w garść. Powie, że to nie jest sprawa życia i śmierci. On jednak odzywa się łagodnym tonem.

– Nie jesteśmy popieprzeni, Rach. Nic się nie wyda. Po prostu powiedz jej to, co mówiłem... Rachel?

– Tak?

– Naprawdę mi przykro.

– Mnie też.

Kierujemy te słowa do siebie czy do Darcy?

Zaraz po wyjściu Deksa sięgam po słuchawkę. Nadal kręci mi się w głowie. Mija kilka minut, ale wreszcie zbieram się na odwagę i dzwonię do Darcy.

– Ten drań nie wrócił na noc do domu! – Jest zupełnie rozhisteryzowana. – Lepiej, żeby leżał w szpitalnym łóżku!... Myślisz, że mnie zdradził?

Już mam powiedzieć, że nie, że pewnie po prostu jest z Marcusem, postanawiam jednak tego nie robić. Czy coś takiego nie wydałoby się zbyt oczywiste? Czy powiedziałabym to, gdybym o niczym nie wiedziała? Nie potrafię racjonalnie myśleć. Dudni mi w głowie i w sercu, a pokój od czasu do czasu wiruje.

– Jestem pewna, że cię nie zdradził.

– S k ą d masz tę pewność? – Wydmuchuje nos.

– Bo on by ci tego nie zrobił, Darcy. – Nie mogę uwierzyć we własne słowa, w to, jak łatwo mi przychodzą.

– W takim razie gdzie on się, do cholery, podziewa?! Bary zamykają o czwartej albo piątej. A teraz jest pieprzona siódma trzydzieści!

– Nie wiem… Ale jestem pewna, że istnieje jakieś logiczne wytłumaczenie.

Bo istotnie, istnieje.

Pyta, o której poszłam do domu, czy Dex został dłużej i z kim – zadaje dokładnie te pytania, na które zostałam przygotowana. Odpowiadam według instrukcji. Sugeruję, że powinna zadzwonić do Marcusa.

– Już to zrobiłam – mówi. – Ten półgłówek nie odebrał cholernej komórki.

Tak. Jest dla nas nadzieja.

Słyszę sygnał oczekującego połączenia i Darcy znika z linii, a po chwili odzywa się znowu, mówiąc mi, że to Dex i że zadzwoni do mnie, gdy tylko będzie mogła.

Wstaję i chwiejnym krokiem idę do łazienki. Spoglądam w lustro. Na mojej twarzy widnieją czerwone plamy. Wokół oczu widać pozostałości mascary i czarnej kredki. Czuję pieczenie po nocy przespanej w szkłach kontaktowych. Wyjmuję je szybko, a po chwili zginam się wpół nad sedesem. Ostatni raz wymiotowałam po piciu w *college*'u, a i to zdarzyło się tylko raz, ponieważ uczę się na własnych błędach. Większość dzieciaków z *college*'u mówi: „Już nigdy więcej tego nie zrobię", i w najbliższy weekend historia się powtarza. Ale ja trzymam się podjętych decyzji. Właśnie taka jestem. Z tego błędu też wyciągnę jakąś naukę. Oby tylko uszło mi to na sucho, proszę w myślach.

Biorę prysznic, zmywam dym z włosów i skóry, a telefon leży na zlewie, czekając na zapewnienie Darcy, że wszystko jest w porządku. Jednak mijają godziny, a ona nie dzwoni. Około południa zaczynają napływać telefoniczne życzenia urodzinowe. Moi rodzice odśpiewują coroczną serenadę i tradycyjnie pytają: „Zgadnij, gdzie byliśmy trzydzieści lat temu?". Jakoś udaje mi się trzymać fason i przyłączam się do gry, choć nie jest łatwo.

Dochodzi trzecia, Darcy nadal milczy, a mnie ciągle jest niedobrze. Głośno opróżniam szklankę wody, łykam dwa apapy i zastanawiam się nad tym, czy nie zafundować sobie jajek na bekonie, którymi leczy się Darcy, kiedy ma kaca. Wiem jednak, że nic nie zabije bólu oczekiwania, rozmyślania o tym, co się dzieje, czy Dex wpadł, czy oboje wpadliśmy.

Czy ktoś nas widział w 7B? W taksówce? Na ulicy? Ktoś oprócz José, którego praca polega na tym, żeby o niczym nie wiedzieć? Co stało się w ich mieszkaniu na Upper West Side? Czy Dex dostał szału i do wszystkiego się przyznał? Czy Darcy pakuje teraz walizki? Czy kochają się przez cały dzień, ponieważ on próbuje oczyścić swoje sumienie? A może nadal się kłócą, bez końca krążąc wokół tych samych oskarżeń i zaprzeczeń?

Widocznie strach tłumi wszelkie pozostałe emocje – dławiący wstyd i wyrzuty sumienia – ponieważ, co dosyć dziwne, zdradzenie najlepszej przyjaciółki wcale nie wzbudza we mnie poczucia winy. Nawet gdy na podłodze znajduję zużytą prezerwatywę. Jedyne poczucie winy, jakie mogę z siebie wykrzesać, wynika z braku poczucia winy. Ale żałować za grzechy będę później – gdy tylko się dowiem, że jestem bezpieczna. Och, proszę cię, Boże. Nigdy wcześniej nie zrobiłam czegoś podobnego. Proszę, pozwól, żeby ten jeden raz uszło mi to na sucho. Poświęcę wszelkie przyszłe szczęście. Wszelkie szanse na poznanie męża, modlę się.

Przypominam sobie wszystkie układy, jakie próbowałam z Nim zawrzeć, kiedy chodziłam do szkoły: Proszę, spraw, żebym z tego testu z matmy dostała co najmniej czwórkę. Proszę, zrobię wszystko – będę pracować w jadłodajni dla ubogich w każdą sobotę, a nie tylko raz w miesiącu. To były czasy. I pomyśleć, że kiedyś trója symbolizowała rozpad mojego uporządkowanego świata. W jaki sposób, kiedykolwiek, nawet przelotnie, mogłam zatęsknić za mroczną stroną życia? Jak mogłam popełnić tak ogromną i absolutnie niewybaczalną pomyłkę, która jest w stanie zmienić całe moje życie?

W końcu nie mogę już dłużej wytrzymać. Dzwonię do Darcy na komórkę, ale od razu odzywa się poczta głosowa. Wystukuję ich domowy numer z nadzieją, że to ona podniesie słuchawkę. Zamiast tego odbiera Dex. Czuję się nieswojo.

– Cześć, Dex. Tu Rachel – mówię, starając się, aby mój głos brzmiał normalnie.

No wiesz, pierwsza druhna na twoim zbliżającym się weselu – kobieta, z którą zeszłej nocy uprawiałeś seks.

– Cześć, Rachel – odpowiada zwyczajnym tonem. – Dobrze się bawiłaś wczoraj wieczorem?

Przez chwilę myślę, że mówi o nas, i jego cholerna beztroska napawa mnie prawdziwym przerażeniem. Jednak zaraz w tle słyszę głos Darcy, która domaga się przekazania słuchawki, i dociera do mnie, że Dex mówi o wczorajszej imprezie.

– O tak, bawiłam się świetnie: wspaniałe przyjęcie. – Przygryzam usta.

Darcy wyrywa mu słuchawkę. Jej głos brzmi radośnie, zatem całkowicie doszła do siebie.

– Cześć, przepraszam, że zapomniałam do ciebie oddzwonić. Wiesz, przez jakąś chwilę rozgrywał się tu prawdziwy dramat.

– Ale teraz jest wszystko w porządku? Wszystko dobrze między tobą a Deksem? – Wymawiam jego imię z pewnym trudem. Jak gdyby w jakiś sposób mogło mnie zdradzić.

– Uhm, tak, poczekaj chwilkę.

Słyszę, że zamyka drzwi. Zawsze przenosi się do sypialni, kiedy rozmawia przez telefon. Wyobrażam sobie ich łóżko z baldachimem, które pomagałam wybrać Darcy u Charlesa P. Rogersa. Wkrótce będzie ich małżeńskim łożem.

– O tak, teraz jest już w porządku. Dex był po prostu z Marcusem. Do późna siedzieli w barze, a potem poszli do jakiejś taniej restauracji na śniadanie. Ale wiesz, oczywiście nadal zgrywam wściekłą. Powiedziałam mu, że to kompletnie żałosne, aby będąc trzydziestoczteroletnim zaręczonym mężczyzną, przez całą noc włóczyć się poza domem. To żałosne, nie sądzisz?

– Tak, chyba tak. Ale dosyć nieszkodliwe. – Głośno przełykam ślinę. Tak, t o byłoby dosyć nieszkodliwe, myślę. – No cóż, cieszę się, że doszliście do porozumienia.

– Tak. Chyba już mi przeszło. Ale mimo wszystko... mógł zadzwonić. Wiesz, nie ze mną takie numery.

– Wiem – potakuję, po czym odważnie dodaję: – Mówiłam, że cię nie zdradza.

– No tak... Wyobrażałam go sobie z jakąś roznegliżowaną cizią ze Scores albo kimś w tym rodzaju. Wszystko przez moją zbyt bujną wyobraźnię.

Czy właśnie tym była ubiegła noc? Wiem, że nie jestem żadną cizią, ale czy przypadkiem świadomie nie postanowił przespać się z kimś przed ślubem? Na pewno nie. Przecież nie wybrałby do tego pierwszej druhny Darcy.

– Mniejsza z tym. Jak podobała ci się impreza? Jestem okropną przyjaciółką – upijam się i wcześnie idę do domu. O cholera! Przecież dzisiaj są twoje prawdziwe urodziny. Sto lat! Boże, jestem straszna, Rach!

Tak, to ty jesteś tą złą przyjaciółką.

– Och, było wspaniale. Świetnie się bawiłam. Dziękuję, że to wszystko zorganizowałaś – zupełnie mnie zaskoczyłaś... było naprawdę super...

Rozlega się odgłos otwieranych drzwi i Dex mówi coś o tym, że się spóźnią.

– Muszę lecieć, Rachel. Idziemy do kina. Pójdziesz z nami?

– Yyy, nie, dzięki.

– W porządku. Ale nadal jesteśmy umówione na kolację, prawda? W Rain o ósmej?

Zupełnie zapomniałam, że mam się spotkać z Deksem, Darcy i Hillary na małej urodzinowej kolacji. Za nic w świecie nie będę mogła spojrzeć dziś wieczorem w twarz Deksa i Darcy – a już z pewnością nie wtedy, gdy będą razem. Mówię jej, że nie jestem pewna, czy dam radę, że naprawdę mam kaca. Pomimo że skończyłam pić o drugiej, dodaję, zanim przypominam sobie, że kłamcy zawsze podają zbyt wiele nieistotnych szczegółów.

Darcy niczego nie zauważa.

– Może później poczujesz się lepiej… Zadzwonię do ciebie po wyjściu z kina.

Odkładam słuchawkę, myśląc, że poszło mi zdecydowanie zbyt gładko. Jednak zamiast poczucia ulgi ogarniają mnie niejasne niezadowolenie i żal. Żałuję, że sama nie idę teraz do kina. Nie z Deksem, oczywiście. Po prostu z kimś. Jak szybko zapominam o mojej umowie z Bogiem. Znowu chcę męża. Albo przynajmniej chłopaka.

Siadam na kanapie z dłońmi splecionymi na kolanach i rozmyślam o tym, co zrobiłam Darcy. Czekam na chwilę, w której ogarnie mnie poczucie winy. Nie ogarnia. Może dlatego że mam usprawiedliwienie w postaci alkoholu? Byłam pijana, głucha na głos rozsądku. Myślę o zajęciach z prawa karnego na pierwszym roku. „Stan intoksykacji, podobnie jak choroba psychiczna, niepełnoletność czy przymus stanowi w obliczu prawa usprawiedliwienie, argument obrony, dzięki któremu oskarżony nie ponosi winy za dopuszczenie się czynu, który w przeciwnym wypadku zostałby uznany za przestępstwo". Cholera. Tam chodziło tylko o intoksykację w b r e w w o l i. Cóż, Darcy zmusiła mnie do wypicia tequili. Jednak nacisk ze strony rówieśników nie stanowi intoksykacji w b r e w w o l i.

Mimo wszystko jest to okoliczność łagodząca, którą może uwzględnić ława przysięgłych.

Jasne, obwiń ofiarę. Co się ze mną dzieje?

Może po prostu jestem złym człowiekiem. Może jedyny powód, dla którego byłam dobra aż do tej chwili, ma mniej wspólnego z zasadami moralnymi, a więcej ze strachem przed wpadką. Stosuję się do zasad, ponieważ nie lubię ryzykować. W szkole średniej nie podkradałam z innymi dzieciakami towaru w spożywczaku Biała Kura po części dlatego, że wiedziałam, że to złe, ale przede wszystkim ze względu na pewność, że mnie przyłapią. Z tego samego powodu nigdy nie ściągałam na egzaminach. Nawet teraz nie zabieram z pracy materiałów biurowych, bo wydaje mi się, że firmowe kamery przyłapią na gorącym uczynku właśnie mnie. Zatem jeśli do bycia dobrą motywuje mnie coś takiego, to czy naprawdę należy mi się uznanie? Czy rzeczywiście jestem dobrym człowiekiem? A może tylko tchórzliwą pesymistką?

Dobra, może i jestem złym człowiekiem. Nie widzę innego racjonalnego wytłumaczenia dla mojego braku poczucia winy. Czy uwzięłam się na Darcy? Czy zeszłej nocy kierowała mną zazdrość? Czy mam jej za złe to idealne życie, to, jak łatwo jej wszystko przychodzi? A może podświadomie, w stanie alkoholowego upojenia, odegrałam się na niej za doznane w przeszłości krzywdy. Darcy nie zawsze była idealną przyjaciółką. Bynajmniej. Zaczynam moją historię przed ławą przysięgłych od przywołania Ethana z podstawówki. Jestem na dobrej drodze… Panowie i panie zasiadający w ławie przysięgłych, poznajcie historię Ethana Ainsleya…

Darcy Rhone i ja byłyśmy najlepszymi przyjaciółkami już w dzieciństwie. Połączyła nas geografia – siła, która dla dziecka z podstawówki przewyższa wszystkie inne. Zamieszkałyśmy przy tej samej uliczce w Naperville w stanie Indiana latem tysiąc dziewięćset siedemdziesiątego szóstego roku, w samą porę, abyśmy obie mogły wziąć udział w paradzie upamiętniającej dwusetną rocznicę powstania tego miasteczka. Maszerowałyśmy ramię w ramię, uderzając w identyczne czerwono-biało-niebieskie bębenki, które ojciec Darcy kupił dla nas w Kmart. Pamiętam, jak Darcy przechyliła się w moją stronę i powiedziała:

– Udawajmy, że jesteśmy siostrami.

Ta propozycja sprawiła, że moje ciało pokryło się gęsią skórką – s i o s t r a! I w mgnieniu oka właśnie tym się dla mnie stała. Nocowałyśmy u siebie w każdy piątek i sobotę podczas roku szkolnego, a latem prawie codziennie. Chłonęłyśmy szczegóły z życia naszych rodzin, które poznajesz tylko wtedy, gdy twoja przyjaciółka mieszka po sąsiedzku. Wiedziałam na przykład, że mama Darcy składa ręczniki w zgrabną potrójną kostkę, oglądając *Młodych i niespokojnych*, że tata Darcy prenumeruje „Playboya", że na śniadanie pozwalano jej jadać niezdrowe produkty, a takie słowa jak „gówno" czy „cholera" nie były niczym szczególnym. Jestem pewna, że Darcy również miała liczne spostrzeżenia na temat mojego domu, chociaż trudno powiedzieć, które cechy własnego życia są najbardziej unikalne. Dzieliłyśmy się wszystkim: ubraniami, zabawkami, podwórkiem, a nawet miłością do piosenkarza Andy'ego Gibba i jednorożców.

W piątej klasie podstawówki odkryłyśmy chłopców. I tu przypomina mi się Ethan, moja pierwsza prawdziwa miłość. Darcy, podobnie jak pozostałe dziewczyny z naszej klasy, kochała się w Dougu Jacksonie. Rozumiałam, na czym polegał jego urok. Miał jasne włosy, które kojarzyły się z Bo Duke'em. Podobało nam się, jak wranglery opinały mu tyłek, a z lewej tylnej kieszeni wystawał czarny grzebień. Doceniałyśmy jego przewagę w grze w piłkę na uwięzi – to, jak beztrosko i bez wysiłku wybijał ją poza zasięg przeciwników, posyłając w górę pod ostrym kątem.

W tym czasie ja kochałam Ethana. Uwielbiałam jego niesforne włosy i policzki, które rumieniły się podczas przerw i nadawały mu wygląd postaci z obrazu Renoira. Zachwycał mnie sposób, w jaki obracał swój miękki ołówek między pełnymi wargami, pozostawiając obok gumki symetryczne małe ślady po ugryzieniach za każdym razem, kiedy koncentrował się szczególnie mocno. Przepadałam za jego entuzjazmem i radością, gdy grał z dziewczynami w cztery kwadraty (był jedynym chłopakiem, który kiedykolwiek się do nas przyłączył – pozostali obstawali przy piłce na uwięzi albo futbolu). I bardzo podobało mi się to, że zawsze był miły dla najmniej popularnego chłopca w klasie, Johnniego Redmonda, który okropnie się jąkał i miał niefortunną fryzurę na pazia.

Darcy była zdumiona, jeśli nie wręcz zirytowana, moimi upodobaniami, zupełnie jak nasza dobra przyjaciółka Annalise Giles, która zamieszkała na tej samej uliczce dwa lata później niż my (to opóźnienie i fakt, że Annalise miała już siostrę, oznaczały, że nigdy nie będzie w stanie nam dorównać i zdobyć pełnego statusu najlepszej przyjaciółki). Darcy i Annalise lubiły Ethana, ale nie t a k, i upierały się, że Doug jest znacznie ładniejszy i fajniejszy – kiedy wybierasz chłopaka lub mężczyznę, te dwa atrybuty wróżą problemy, o czym ja wiedziałam nawet w wieku dziesięciu lat.

Wszystkie zakładałyśmy, że to Darcy zdobędzie główną nagrodę w postaci Douga. Nie tylko dlatego że była bardziej odważna niż inne dziewczęta i w stołówce albo na boisku szła dumnym krokiem prosto do niego, lecz również dlatego że była najładniejszą dziewczyną w klasie. Z wysokimi kośćmi policzkowymi, wielkimi oczami umiejscowionymi w odpowiedniej odległości i maleńkim noskiem miała twarz, którą otacza się czcią w każdym wieku, nawet jeśli piątoklasiści nie są w stanie powiedzieć, co dokładnie decyduje o jej urodzie. Nie sądzę, żebym w wieku dwunastu lat w ogóle wiedziała, czym są kości policzkowe i inne kości twarzy, ale wiedziałam, że Darcy jest śliczna, i zazdrościłam jej wyglądu. Podobnie jak Annalise, która otwarcie mówiła o tym Darcy przy każdej okazji, co mnie wydawało się zupełnie zbyteczne. Darcy i tak wiedziała, że jest ładna, i moim zdaniem nie potrzebowała codziennych potwierdzeń tego faktu.

Zatem w tamtym roku, w Halloween, ja, Annalise i Darcy spotkałyśmy się w pokoju Annalise, żeby przygotować prowizoryczne przebrania Cyganek – Darcy uparła się, że dzięki temu zyskamy świetny pretekst do zrobienia sobie mocnego makijażu. Przyglądając się parze kolczyków z kryształu górskiego, które właśnie zakupiła w Claire's, spojrzała w lustro i powiedziała:

– Wiesz co, Rachel? Chyba masz rację.

– W jakiej sprawie? – zapytałam, czując przypływ zadowolenia i zastanawiając się, którą z naszych wcześniejszych dyskusji ma na myśli.

Włożyła kolczyk i spojrzała na mnie. Nigdy nie zapomnę tego uśmieszku na jej twarzy – ledwie dostrzegalnego cienia triumfalnego grymasu.

– Masz rację co do Ethana. Chyba mi też zacznie się podobać.

– Jak to „zacznie ci się podobać"?

– Doug Jackson już mnie znudził. Teraz podoba mi się Ethan. Lubię jego dołeczki.

– Ma tylko jeden – warknęłam.

– Cóż, w takim razie podoba mi się jego d o ł e c z e k.

Spojrzałam na Annalise w poszukiwaniu wsparcia, słów, które oznaczałyby, że nie można tak po prostu p o s t a n o-w i ć, że ktoś ci się podoba. Jednak ona oczywiście milczała i nakładała rubinową szminkę, marszcząc się przed ręcznym lusterkiem.

– Nie mogę w to uwierzyć, Darcy!

– O co ci chodzi? – zdenerwowała się. – Annalise nie wściekała się, kiedy podobał mi się Doug. Dzieliłyśmy się nim ze wszystkimi dziewczynami w klasie przez długie miesiące. Prawda, Annalise?

– Nawet dłużej. Zaczął mi się podobać latem. Pamiętasz? Na basenie – potakiwała jej Annalise, która jak zawsze nie ogarniała całej sytuacji.

Rzuciłam jej wściekle spojrzenie, pod którym ze wstydem spuściła wzrok na podłogę.

To było coś innego. Tu chodziło o Douga. On należał do sfery publicznej. A Ethan był wyłącznie mój.

Tamtego wieczoru nie powiedziałam nic więcej, ale halloweenowe zabawy okazały się jedną wielką porażką. Następnego dnia w szkole Darcy przesłała Ethanowi liścik, pytając, czy podobam mu się ja, ona czy żadna z nas. Obok każdej opcji narysowała mały kwadracik i poinstruowała go, żeby zaznaczył którąś z odpowiedzi. Musiał wybrać Darcy, bo kiedy nadeszła przerwa, byli już parą. To znaczy ogłosili, że ze sobą „chodzą", lecz tak naprawdę nigdy nie spędzali ze sobą czasu, jeśli nie liczyć kilku wieczornych rozmów telefonicznych, które często były zaplanowane z góry, aby Annalise mogła ich słuchać i chichotać z boku. Ja odmówiłam uczestniczenia w tych spotkaniach i rozmawiania na temat przelotnego romansu Darcy.

Dla mnie nie liczyło się to, że Darcy i Ethan nigdy się nie całowali ani że to wszystko działo się w piątej klasie podstawówki i że „zerwali" ze sobą po dwóch tygodniach, kiedy Darcy przestała interesować się Ethanem i doszła do wniosku, że znowu podoba jej się Doug Jackson. Nie obchodziło mnie również to, że – jak powiedziała mi na pocieszenie mama – naśladownictwo jest najszczerszą formą pochlebstwa. Liczyło się tylko to, że Darcy ukradła mi Ethana. Być może postąpiła tak dlatego, że naprawdę zmieniła zdanie na jego temat (właśnie tak to sobie tłumaczyłam, by przestać ją nienawidzić). Jednak najprawdopodobniej zabrała go tylko po to, aby pokazać mi, że może to zrobić.

Zatem, panie i panowie zasiadający w ławie przysięgłych, Darcy Rhone sama się o to prosiła. Kto pod kim dołki kopie, sam w nie wpada. Może spotkała ją zasłużona kara.

Wyobrażam sobie twarze sędziów przysięgłych. Nie wyglądają na przekonanych. Mężczyźni sprawiają wrażenie zdezorientowanych, jak gdyby w ogóle nie wiedzieli, o co mi chodzi. Przecież to oczywiste, że chłopaka zdobywa najładniejsza dziewczyna. Właśnie t a k powinien funkcjonować świat. Starsza kobieta w praktycznej sukience zaciska usta. Gorszy ją samo porównanie: narzeczony i miłość z piątej klasy podstawówki! Dobry Boże! Bardzo zadbana, niemal piękna kobieta w kanarkowym kostiumie od Chanel już zdążyła zidentyfikować się z Darcy. Żaden argument nie jest w stanie nakłonić jej do zmiany zdania lub usprawiedliwienia mojej winy.

Jedyną osobą z ławy przysięgłych, która zdaje się poruszona moją opowieścią o Ethanie, jest dziewczyna z lekką nadwagą i krótko przyciętymi włosami koloru jednodniowej kawy. Siedzi zgarbiona w kącie i od czasu do czasu popycha okulary w kierunku nasady nosa. Odwołuję się do jej empatii i poczucia sprawiedliwości. W głębi duszy cieszy się z tego, co zrobiłam. Być może ona również ma taką przyjaciółkę jak Darcy, która zawsze dostaje to, czego chce.

Wracam myślami do czasów liceum, kiedy Darcy nieprzerwanie zdobywała każdego chłopaka, którego zapragnęła. Widzę, jak całuje Blaine'a Connera obok naszych szafek, i przypominam sobie zawiść wzbierającą we mnie, gdy nie mając chłopaka, musiałam być świadkiem ich bezwstydnego migdalenia się. Blaine przeniósł się do Indiany z Columbus w Ohio jesienią w przedostatniej klasie i natychmiast zabłysnął wszędzie poza szkolną ławą. Chociaż nie należał do geniuszy, był gwiazdą wśród łapaczy drużyny futbolowej, rozgrywającym drużyny koszykówki, a wiosną oczywiście miotaczem. Dzięki urodzie Kena dziewczyny go uwielbiały. Doug

Jackson, część druga. W Columbus miał jednak dziewczynę o imieniu Cassandra i twierdził, że jest jej oddany w „stu dziesięciu procentach" (typowe dla osiłków wyrażenie, które będąc matematycznie niemożliwym, zawsze mnie wkurzało). Może i był, dopóki po obejrzeniu jego popisów na boisku podczas meczu z Central do gry nie włączyła się Darcy. Wtedy postanowiła, że musi go mieć. Następnego dnia zaprosiła go na *Nędzników*. Pewnie myślicie, że takiego osiłka jak Blaine, który udziela się na trzech boiskach, nie interesują musicale, lecz on ochoczo zgodził się jej towarzyszyć. Po przedstawieniu, w salonie domu Darcy, Blaine zostawił na jej szyi wielką malinkę. A nazajutrz pewna Cassandra z Columbus w Ohio została puszczona w trąbę.

Pamiętam, jak rozmawiałam z Annalise o cudownym życiu Darcy. Często o niej dyskutowałyśmy i nieraz zastanawiałam się, jak często one plotkują o mnie. Annalise twierdziła, że w przypadku Darcy nie chodzi jedynie o ładną twarz i idealne ciało – liczą się również jej pewność siebie i urok. Co do uroku mam wątpliwości, lecz patrząc wstecz, zgadzam się z Annalise w kwestii pewności siebie. Darcy zachowywała się tak, jak gdyby już w liceum patrzyła na wszystko z perspektywy trzydziestolatki. Rozumiała, że tak naprawdę to wszystko nie ma znaczenia, że żyje się tylko raz i że równie dobrze można iść na całość. Nigdy nie była zawstydzona ani speszona. Ucieleśniała to, o czym się mówi, wspominając czasy szkoły średniej: „Gdybym była wtedy taka doświadczona jak teraz!".

Jednak jeśli chodzi o Darcy i jej randki, muszę przyznać jedno: nigdy nie zaniedbywała nas z powodu faceta. Zawsze na pierwszym miejscu stawiała przyjaciółki – co w przypadku dziewczyny w liceum jest wręcz niebywałe. Czasami w odstawkę szedł chłopak, lecz przeważnie po prostu zabierała nas ze sobą. We czwórkę siedzieliśmy w rzędzie w kinie: podbój miesiąca, potem Darcy, a następnie Annalise i ja. I Darcy zawsze kierowała szeptane komentarze w naszą stronę. Była arogancka i niezależna, w przeciwieństwie do większości licealistek, które pozwalają, aby zawładnęły nimi uczucia do jakiegoś chłopaka. Wtedy myślałam, że ona po prostu nie kocha ich wystarczająco mocno. Jednak możliwe, że Darcy chciała po prostu sprawować kontrolę, i będąc tą mniej zakochaną, osiągała swój cel. Bez względu na to, czy rzeczywiście mniej się przejmowała, czy tylko udawała, każdego ze swoich chłopaków trzymała na smyczy nawet po zerwaniu. Weźmy na przykład Blaine'a. Mieszka teraz w Iowa wraz z żoną, trójką dzieci i parą czekoladowych labradorów, a co roku przesyła Darcy życzenia urodzinowe. To się nazywa władza.

Do dziś Darcy tęsknie wspomina wspaniałe czasy liceum. Wzdrygam się za każdym razem, kiedy o nich mówi. Jasne, ja też mam kilka miłych wspomnień z tamtego okresu, cieszyłam się wszak umiarkowaną popularnością – przyjemna, dodatkowa korzyść z bycia najlepszą przyjaciółką Darcy. Uwielbiałam chodzić z Annalise na mecze, malować twarz na pomarańczowo i niebiesko, owijać się prześcieradłami na odkrytych trybunach i machać do Darcy, która dopingowała drużynę z boiska. Uwielbiałam nasze sobotnie wieczorne wycieczki do Kolonialnej Lodziarni, gdzie zawsze zamawiałyśmy to samo – jeden deser lodowy, kawałek szarlotki i murzynka z podwójną czekoladą – a potem wszystkim się dzieliłyśmy. I uwielbiałam swojego pierwszego chłopaka Brandona Beamera, który zaprosił mnie na randkę w ostatniej klasie liceum. Brandon również przestrzegał zasad i stanowił katolicką wersję mnie samej. Nie pił, nie brał narkotyków i już sama rozmowa na temat seksu wzbudzała w nim poczucie winy. Darcy straciła cnotę w drugiej klasie z Carlosem, który przyjechał z Hiszpanii na wymianę, i zawsze namawiała mnie, żeby skusić Brandona.

– Chwyć jego penis w odpowiedni sposób i gwarantuję, że to załatwi sprawę.

Mnie jednak w zupełności uszczęśliwiały długie pieszczo-ty w rodzinnym kombi Brandona i nigdy nie musiałam się martwić o bezpieczny seks ani jazdę po alkoholu. Zatem nawet jeśli moje wspomnienia nie są cudowne, przeżyłam przynajmniej kilka dobrych chwil.

Było jednak mnóstwo koszmarnych dni: kiedy włosy nie chciały się ułożyć, wyskakiwały pryszcze, a na klasowych zdjęciach wychodziłam jak czarownica. Nigdy nie miałam odpowiednich ubrań, nie miałam z kim iść na dyskotekę, nie mogłam pozbyć się dziecięcych krągłości, wyrzucano mnie ze szkolnych drużyn sportowych albo przegrywałam w wyborach na klasowego skarbnika. Czasami ogarniały mnie też przytłaczający smutek i złość, które pojawiały się bez zapowiedzi (a raczej raz w miesiącu) i najwidoczniej znajdowały się zupełnie poza moją kontrolą. Naprawdę typowe problemy młodości. Banalne, bo przytrafiają się każdemu. To znaczy każdemu oprócz Darcy, która przepłynęła przez te burzliwe cztery lata, nie doświadczywszy goryczy odtrącenia ani smaku nastoletniej brzydoty. Jasne, że uwielbiała liceum – ponieważ liceum uwielbiało ją.

Zdaje się, że wiele dziewcząt z takimi wspomnieniami z młodości dosyć kiepsko radzi sobie w późniejszym życiu. Dziesięć lat później, na zjeździe absolwentów, pojawiają się dziesięć kilo cięższe, rozwiedzione i rozpamiętują minione dni chwały. Jednak w przypadku Darcy źródło tej chwały wcale nie wyschło. Nie było żadnych porażek i katastrof. W rzeczywistości jej życie staje się coraz słodsze. Pewnego razu, wbrew swoim zwyczajom, moja matka powiedziała, że Darcy trzyma świat za jaja. Był to – i nadal jest – niezwykle trafny opis. Darcy zawsze dostaje to, czego chce. Łącznie z Deksem, jej wymarzonym narzeczonym.

Zostawiam Darcy wiadomość na komórce, która podczas filmu z pewnością będzie wyłączona. Mówię, że jestem za bardzo zmęczona, żeby wybrać się na kolację. Już samo wymiganie się od tego spotkania sprawia, że mdłości odrobinę ustępują. Za to nagle robię się bardzo głodna. Odnajduję mój zbiór jadłospisów i dzwonię, żeby zamówić hamburgera z cheddarem i frytkami. Wygląda na to, że do Dnia Niepodległości nie uda mi się zrzucić trzech kilogramów. Czekając na dostawę, przypominam sobie, jak wiele lat temu bawiłam się z Darcy książką telefoniczną i jak zastanawiałyśmy się wtedy, co nas czeka w przyszłości, w wieku trzydziestu lat.

I oto jestem, bez wspaniałego męża, odpowiedzialnej opiekunki do dziecka i dwójki pociech. Zamiast tego urodziny, które miały być przełomowe, na zawsze splamił skandal... No dobra. Nie ma sensu tego rozpamiętywać. Energicznym ruchem wciskam klawisz ponownego wybierania i dodaję do zamówienia dużego *shake*'a. Widzę, jak moja sojuszniczka z rogu ławy przysięgłych puszcza mi oczko. Uważa, że *shake* to świetny pomysł. Czyż w dzień własnych urodzin nie możemy sobie pozwolić na chwilę słabości?

ROZDZIAŁ 3

Kiedy budzę się nazajutrz, po beztrosce dziewczyny sączącej mlecznego *shake*'a nie ma już śladu. Beztroska ustąpiła miejsca poczuciu winy i trzydziestu latom postępowania według zasad. Nie potrafię już dłużej racjonalizować tego, co zrobiłam. Dopuściłam się trudnego do opisania czynu przeciwko przyjaciółce, pogwałciłam naczelną zasadę kobiecej solidarności. Nie ma usprawiedliwienia.

Zatem przechodzę do planu B: będę udawać, że nic się nie stało. Moje wykroczenie było tak poważne, że nie mam innego wyjścia, jak tylko zwyczajnie pragnąć zapomnieć o całej sprawie. I próbuję tego dokonać, angażując się w zwykłe czynności i zwracając się ku poniedziałkowo-porannej rutynie.

Biorę prysznic, suszę włosy, wkładam najwygodniejszy czarny kostium i buty na płaskim obcasie, jadę metrem do Grand Central, kupuję kawę w Starbucks, w kiosku nabywam „New York Timesa", a następnie ruchomymi schodami i windą wjeżdżam do mojej kancelarii w budynku MetLife. Każda część tej rutyny to kolejny krok, który oddala mnie od Deksa i Incydentu.

Docieram do pracy dwadzieścia po ósmej, bardzo wcześnie jak na standardy kancelarii prawniczej. Na korytarzach panuje cisza. Nawet sekretarki jeszcze nie przyszły. Sącząc kawę, otwieram gazetę na dziale *Metro* i wtedy zauważam czerwone światełko, które miga na telefonie, sygnalizując pozostawioną wiadomość – zwykle jest to ostrzeżenie, że czeka mnie więcej pracy. Jakiś palantowaty współpracownik musiał zadzwonić akurat w ten weekend, kiedy wyjątkowo zapomniałam odsłuchać wiadomości. Stawiam na Lesa, dominującą męską postać w moim życiu i największego dupka na sześciu piętrach naszej kancelarii. Wprowadzam hasło, czekam...

„Masz jedną nową wiadomość od zewnętrznego rozmówcy. Otrzymana dzisiaj o siódmej czterdzieści", informuje mnie głos z taśmy. Nie cierpię tej automatycznej kobiety. Zawsze przynosi złe wiadomości i niezmiennie obwieszcza je radosnym tonem. Powinni dostosować to nagranie do realiów kancelarii prawniczych i sprawić, żeby głos był bardziej ponury: „Oho! – w tle pobrzmiewa złowieszcza melodia z filmu *Szczęki* – masz cztery nowe wiadomości...".

Co znowu?, myślę, wciskając przycisk telefonu.

„Cześć, Rachel... To ja... Dex... Chciałem zadzwonić do ciebie wczoraj i porozmawiać o sobotniej nocy, ale... po prostu nie potrafiłem. Chyba powinniśmy o tym pogadać, nie sądzisz? Zadzwoń do mnie, kiedy znajdziesz wolną chwilę. Będę w biurze przez cały dzień".

Serce na chwilę zamiera mi w piersi. Dlaczego nie może zastosować jakiejś starej dobrej techniki unikania i po prostu to zignorować, nigdy więcej nie wracać do tematu? Taki był mój plan. Nic dziwnego, że nienawidzę tej pracy. Jestem adwokatem, który nie znosi konfrontacji. Biorę pióro i stukam nim o krawędź biurka. W myślach słyszę głos mojej matki, która mówi, żebym przestała hałasować. Odkładam pióro i wlepiam wzrok w migające światełko. Automatyczna kobieta domaga się podjęcia decyzji o dalszym losie wiadomości – muszę odsłuchać ją jeszcze raz, zapisać albo usunąć.

O czym on chce rozmawiać? Co tu jest do powiedzenia? Odsłuchuję wiadomość jeszcze raz, spodziewając się, że odpowiedzi pojawią się wraz z dźwiękiem jego głosu, z jego intonacją. Ale on niczym się nie zdradza. Odsłuchuję jeszcze raz i znowu, aż w końcu jego słowa robią się równie zniekształcone jak te, które zmieniają się w ustach pod wpływem wielokrotnego powtarzania. „Chleb, chleb, chleb, chleb" – to było moje ulubione. Powtarzałam je w nieskończoność, aż w końcu odnosiłam wrażenie, że wybrałam zupełnie nieodpowiednie słowo na opisanie tej gąbczastej substancji, którą zamierzałam zjeść na śniadanie.

Wysłuchuję wiadomości Deksa po raz ostatni i usuwam ją. Jego głos brzmi zdecydowanie inaczej. Nie jest to aż tak dziwne, ponieważ pod pewnym względem Dex jest inny. Obydwoje jesteśmy. Nawet jeśli spróbuję wymazać z pamięci to, co się stało, nawet jeśli po tym krótkim i niezręcznym telefonie Dex porzuci temat Incydentu, już na zawsze pozostaniemy na swoich listach – tych, które posiada każdy człowiek – zapisanych w sekretnym kołonotatniku lub zapamiętanych gdzieś na peryferiach umysłu. Krótkich lub długich. Uporządkowanych według jakości, ważności lub chronologicznie. Zaopatrzonych w obydwa imiona i nazwisko albo jedynie w opis wyglądu: „zabójcze bicepsy".

Dex pozostanie na mojej liście już na dobre. Nagle niechcący myślę o nas w łóżku. W tych krótkich chwilach był po prostu Deksem – oddzielonym od Darcy. Kimś, kim nie był już od bardzo dawna. Kimś, kim przestał być w dniu, kiedy ich ze sobą poznałam.

Poznałam Deksa na pierwszym roku prawa na Uniwersytecie Nowego Jorku. W przeciwieństwie do większości studentów prawa, którzy trafiają tam prosto po *college*'u, nie wiedząc, co innego mogliby zrobić ze swoimi wspaniałymi ocenami,

Dex Thaler był starszy i miał prawdziwe życiowe doświadczenie. Pracował jako analityk w Goldman Sachs, co przebijało moje letnie staże od godziny dziewiątej do piątej i prace w biurze sprowadzające się do wypełniania formularzy i odbierania telefonów. Był pewny siebie, odprężony i tak przystojny, że trudno było oderwać od niego wzrok. Miałam pewność, że zostanie Dougiem Jacksonem i Blaine'em Connerem wydziału prawa. I rzeczywiście, zamieszanie wokół Dextera zaczęło się już w pierwszym tygodniu zajęć: dziewczyny spekulowały na temat jego stanu cywilnego, zauważając brak obrączki na serdecznym palcu, lub martwiły się, że jak na heteroseksualistę jest za dobrze ubrany i zbyt przystojny.

Ja jednak od razu go skreśliłam, przekonując samą siebie, że jego zewnętrzna doskonałość jest nudna. Było to zresztą szczęśliwe rozwiązanie, ponieważ wiedziałam również, że Dex nie należy do mojej ligi. (Nie cierpię tego określenia i założenia, że ludzie wybierają sobie partnerów, opierając się głównie na wyglądzie, choć jeśli się rozejrzeć, trudno zaprzeczyć tej zasadzie – partnerzy generalnie dzielą ten sam poziom atrakcyjności, a jeśli jest inaczej, od razu rzucają się w oczy). Zresztą nie po to zaciągałam kredyt na studia w wysokości trzydziestu tysięcy dolarów rocznie, żeby móc sobie poszukać chłopaka.

Tak naprawdę minęłyby pewnie całe trzy lata i nie zamieniłabym z nim ani słowa, gdybyśmy przypadkiem nie wylądowali w jednej ławce na cywilu, u sardonicznego profesora Zigmana. Choć wielu wykładowców na Uniwersytecie Nowego Jorku stosowało metodę sokratejską, jedynie Zigman wykorzystywał ją jako narzędzie upokarzania i torturowania studentów. Deksa i mnie połączyła nienawiść do podłego profesora. Bałam się Zigmana do granic racjonalności, podczas gdy reakcja Dextera miała więcej wspólnego z odrazą.

– Co za dupek – warczał po zajęciach, zazwyczaj po tym jak Zigman doprowadził któregoś z naszych kolegów do łez. – Mam ochotę zetrzeć ten uśmieszek z jego nadętej twarzy.

Stopniowo nasze narzekania zmieniły się w dłuższe rozmowy przy kawie w studenckiej kawiarni lub podczas spacerów wokół Washington Square Park. Zaczęliśmy uczyć się razem przed zajęciami, przygotowując się na to, co nieuniknione – na dzień, w którym Zigman wywoła nas do odpowiedzi. Panicznie bałam się chwili, w której wypadnie na mnie, ponieważ wiedziałam, że czeka mnie krwawa jatka. Jednak w głębi serca nie mogłam doczekać się dnia, w którym będzie odpowiadał Dex. Zigman żerował na ludziach słabych i zdenerwowanych, a Dex taki nie był. Byłam pewna, że nie podda się bez walki.

Pamiętam to doskonale. Zigman stanął na katedrze, studiując listę obecności – schemat zaopatrzony w wizerunki naszych twarzy z pierwszego roku – i niemal się ślinił, wybierając sobie ofiarę. Zerknął zza małych okrągłych okularków (które powinno się nazywać binoklami) w kierunku całej grupy i powiedział:

– Pan Thaler.

Błędnie wymówił nazwisko Deksa, które w jego ustach zabrzmiało jak „Toler".

– Nazywam się Thaaaler – odezwał się Dex bez chwili wahania.

Gwałtownie zaczerpnęłam powietrza – nikt nie poprawiał Zigmana. Teraz Dex naprawdę podpadł.

– Cóż, proszę mi wybaczyć, panie Thaaaler – Zigman wykonał nieszczery lekki ukłon. – Sprawa Palsgraf przeciwko Kolejom Long Island.

Dex siedział spokojnie, mając przed sobą zamkniętą książkę, podczas gdy wszyscy nerwowo wertowali podręcznik w poszukiwaniu sprawy, z którą Zigman polecił nam się zapoznać poprzedniego wieczoru.

Chodziło w niej o wypadek kolejowy. Biegnąc do pociągu, pracownik kolei wytrącił z ręki pewnego pasażera pakunek z dynamitem, powodując obrażenia u innej pasażerki, pani Palsgraf. Sędzia Cardozo, przyznając rację większości, orzekł, że pani Palsgraf nie była „potencjalną poszkodowaną" i jako taka nie mogła wygrać procesu przeciwko kolejom. Możliwe, że pracownicy kolei powinni byli przewidzieć szkodę wyrządzoną właścicielowi pakunku, wyjaśniał sąd, lecz nie tę wyrządzoną pani Palsgraf.

– Czy powódce należało się odszkodowanie? – zapytał Zigman Deksa.

Dex nie odpowiedział. Przez krótką chwilę bałam się, że go zatkało, podobnie jak niektórych spośród jego poprzedników. Powiedz, że nie, myślałam, wysyłając mu rozpaczliwe fale mózgowe. Zacznij od werdyktu większości przysięgłych, podpowiadałam mu w myślach. Kiedy jednak spojrzałam na jego minę i splecione na piersi ręce, zrozumiałam, że Dex po prostu przygotowuje się do odpowiedzi, co stanowiło jaskrawy kontrast wobec szybkich, nerwowych i pochopnych odpowiedzi udzielanych przez większość pierwszoroczniaków, jak gdyby czas reakcji mógł zrekompensować brak zrozumienia.

– Moim zdaniem? – zapytał Dex.

– Pytałem pana, panie Thaler. Zatem tak. Chcę usłyszeć pana zdanie.

– Jestem zmuszony powiedzieć, że tak, powódka powinna była uzyskać odszkodowanie. Popieram sprzeciw sędziego Andrewsa.

– Oooo, naprawdę? – Zigman mówił wysokim nosowym głosem.

– Tak. Naprawdę.

Jego odpowiedź mnie zaskoczyła, ponieważ tuż przed rozpoczęciem zajęć powiedział mi, że nie miał pojęcia, iż w tysiąc dziewięćset dwudziestym ósmym roku można było zdobyć jointa, lecz sędzia Andrews z pewnością go palił, pisząc swój sprzeciw. Równie mocno zaskoczyło mnie bezczelne „Naprawdę", którym Dex zakończył swoją odpowiedź, jak gdyby chciał zadrwić z Zigmana.

Widziałam, jak mizerna pierś Zigmana się uniosła.

– Zatem uważa pan, że kierownik pociągu powinien był przewidzieć, że niepozorny pakunek długości czterdziestu centymetrów owinięty w gazetę zawiera materiały wybuchowe i wyrządzi krzywdę powódce?

– Z pewnością istniała taka możliwość.

– Czy powinien był założyć, że pakunek może wyrządzić krzywdę w s z y s t k i m l u d z i o m n a ś w i e c i e? – zapytał Zigman z rosnącym sarkazmem.

– Wcale nie powiedziałem: „wszystkim ludziom na świecie". Powiedziałem: „powódce". Moim zdaniem, pani Palsgraf znajdowała się w strefie zagrożenia.

Zigman sztywnym krokiem zbliżył się do naszego rzędu i rzucił swój „Wall Street Journal" na zamknięty podręcznik Deksa.

– Czy mógłby pan zwrócić mi gazetę?

– Wolałbym nie – odrzekł Dex.

Na sali wyczuwało się przerażenie. Reszta z nas po prostu by ustąpiła i zwróciła gazetę, stając się jedynie rekwizytem w grze Zigmana.

– Wolałby pan nie? – Zigman przechylił głowę.

– Zgadza się. Możliwe, że w środku jest dynamit.

Połowa grupy wydała z siebie stłumiony okrzyk, druga połowa zachichotała. Najwidoczniej Zigman krył w zanadrzu jakiś podstęp i chciał, aby fakty obróciły się przeciwko Deksowi. Ale Dex nie dał się nabrać. Zigman był wyraźnie sfrustrowany.

– No cóż, załóżmy, że postanowił pan z w r ó c i ć mi gazetę, a ona r z e c z y w i ś c i e skrywała laskę dynamitu i n a p r a w d ę wyrządziła panu krzywdę. Co wtedy, panie Thaler?

– Wtedy bym pana pozwał i prawdopodobnie wygrałbym sprawę.

– A czy to odszkodowanie byłoby zgodne z uzasadnieniem sędziego Cardozo dotyczącym werdyktu większości przysięgłych?

– Nie. Byłoby z nim sprzeczne.

– Och, naprawdę? A dlaczegóż to?

– Ponieważ ja pozwałbym pana za umyślne dopuszczenie się czynu niedozwolonego, a Cardozo mówił o zaniedbaniu, nieprawdaż? – Dex podniósł głos, naśladując Zigmana.

Chyba przestałam oddychać, kiedy Zigman złożył dłonie i delikatnie zbliżył je do piersi, jak gdyby rozpoczynał modlitwę.

– To ja zadaję pytania w tej sali. Czy nie ma pan nic przeciwko temu, panie Thaler?

Dex wzruszył ramionami, jak gdyby chciał powiedzieć: „Niech ci będzie, dla mnie to bez różnicy".

– No cóż. Załóżmy, że przez przypadek upuściłem gazetę na pana ławkę, a pan mi ją oddał i doznał przy tym obrażeń. Czy pan Cardozo przyznałby panu pełne odszkodowanie?

– Oczywiście.

– A to dlaczego?

Dex westchnął, pokazując, że to ćwiczenie zaczyna go nudzić, po czym udzielił szybkiej i jasnej odpowiedzi:

– Ponieważ z pewnością można było przewidzieć, że dynamit wyrządzi mi krzywdę. Upuszczenie przez pana gazety skrywającej dynamit w obrębie mojej przestrzeni osobistej naruszyłoby mój prawnie chroniony interes. Pańskie zaniedbanie spowodowałoby zagrożenie widoczne dla oka przeciętnego obywatela.

Czytałam podkreślone fragmenty podręcznika. Dex cytował słowo w słowo opinię Cardozo, ani razu nie zerkając do notatek i podręcznika. Cała grupa siedziała jak urzeczona – nikt do tej pory nie odpowiadał tak dobrze, a z pewnością nie w chwili gdy sterczał nad nim Zigman.

– A gdyby pozwała mnie pani Myers? – dociekał Zigman, wskazując roztrzęsioną Julie Myers siedzącą po drugiej stronie sali, swoją ofiarę z poprzedniego dnia. – Czy powinna uzyskać odszkodowanie?

– Według orzeczenia Cardozo czy sprzeciwu sędziego Andrewsa?

– Według tego drugiego, skoro to jego opinię pan podziela.

– Tak. Każdy ma wobec świata obowiązek powstrzymywania się od działań, które niepotrzebnie zagrażają bezpieczeństwu innych – powiedział Dex, cytując kolejny fragment sprzeciwu.

Taka rozmowa ciągnęła się przez całą godzinę: Dex dostrzegał niuanse w zmienionych zestawieniach faktów, nigdy się nie wahał i zawsze odpowiadał z przekonaniem.

A pod koniec zajęć Zigman w końcu wykrztusił:

– Bardzo dobrze, panie Thaler.

Coś takiego zdarzyło mu się po raz pierwszy.

Wyszłam z sali rozradowana. Dex zwyciężył dla nas wszystkich. Historia rozeszła się wśród studentów pierwszego roku i Dex zyskał dodatkowe punkty w oczach dziewcząt, które zdążyły już odkryć, że jest do wzięcia.

Opowiedziałam o tym również Darcy. Przeprowadziła się do Nowego Jorku mniej więcej w tym samym czasie co ja, lecz w zupełnie innych okolicznościach. Ja byłam tu po to, żeby zostać prawniczką, a ona wylądowała w mieście bez pracy, planu i konkretnych pieniędzy. Pozwoliłam jej spać na materacu w moim pokoju w akademiku, dopóki nie znalazła własnych współlokatorek – trzech stewardes z American Airlines, szukających czwartej osoby do niewielkiej kawalerki. Pożyczyła od rodziców pieniądze na czynsz, a sama szukała pracy i ostatecznie wylądowała za ladą w przybytku o nazwie Małpi Bar. Po raz pierwszy w historii naszej przyjaźni znalazłam się w lepszej sytuacji niż ona. Byłam równie biedna, lecz przynajmniej miałam jakiś plan. Perspektywy Darcy, ze średnią ocen z Uniwersytetu Indiana równą 2,9, nie wydawały się zbyt wspaniałe.

– Jesteś taką szczęściarą – jęczała Darcy, kiedy ja próbowałam się uczyć.

O nie, szczęście to twoja domena, myślałam. Szczęście ma człowiek, który kupuje bilet na loterii razem z butelką czekoladowego napoju i wygrywa mnóstwo kasy. Moje życie nie ma nic wspólnego z takim szczęściem – wszystko kręci się wokół ciężkiej pracy, ciągłego brnięcia pod górę. Rzecz jasna, niczego takiego jej nie powiedziałam. Zapewniłam ją tylko, że jej los wkrótce się odmieni.

I rzeczywiście, odmienił się. Jakieś dwa tygodnie później do Małpiego Baru jak gdyby nigdy nic wszedł jakiś mężczyzna, zamówił whisky z cytryną i zagadnął Darcy. Zanim skończył pić drinka, obiecał jej pracę w jednej z czołowych firm PR na Manhattanie. Powiedział, żeby przyszła na rozmowę kwalifikacyjną, ale zapewnił, że (tu dwa mrugnięcia) postara się, aby dostała tę pracę. Darcy wzięła od niego wizytówkę, poprosiła mnie o podrasowanie jej CV, poszła na rozmowę i z miejsca dostała robotę. Na początek zaoferowali jej siedemdziesiąt tysięcy dolarów. Plus fundusz reprezentacyjny. Czyli tyle ile dostawałabym, g d y b y m skończyła prawo z dobrym wynikiem i znalazła pracę w jakiejś nowojorskiej kancelarii.

Zatem podczas gdy ja pracowałam w pocie czoła i powiększałam swoje zadłużenie, Darcy rozpoczęła wspaniałą karierę w branży PR. Organizowała przyjęcia, promowała najnowsze trendy sezonu, dostawała mnóstwo darmowych gadżetów i umawiała się z całą masą przystojnych facetów. Po siedmiu miesiącach zostawiła zakurzone mieszkanie stewardes i wprowadziła się do koleżanki z pracy o imieniu Claire – snobistycznej dziewczyny z Greenwich chełpiącej się dobrymi koneksjami.

Darcy próbowała włączyć mnie w swoje szybkie życie, pomimo że rzadko znajdowałam czas na chodzenie na jej imprezy i randki w ciemno z facetami, którzy rzekomo byli „absolutnie wystrzałowi", chociaż wiedziałam, że po prostu jej się znudzili.

I tu wracamy do Deksa. Zachwycałam się nim w obecności Darcy i Claire, mówiłam, jaki jest niesamowity – bystry, przystojny, zabawny. Patrząc z perspektywy czasu, nie jestem pewna, po co to robiłam. Po części dlatego że była to prawda. Możliwe jednak, że odrobinę zazdrościłam im wspaniałego życia i chciałam trochę ubarwić własne. Dex był najbardziej niezwykły w moim arsenale.

– W takim razie dlaczego nie podoba się t o b i e? – pytała Darcy.

– Nie jest w moim typie – mówiłam. – Tylko się przyjaźnimy.

I tak było w istocie. Jasne, były chwile, kiedy wzbudzał moje zainteresowanie, albo gdy siedząc obok niego, czułam, jak przyspiesza mi puls. Pilnowałam się jednak, żeby się nie zakochać, przypominając sobie nieustannie, że tacy faceci jak Dex umawiają się wyłącznie z takimi dziewczynami jak Darcy.

Poznali się dopiero w następnym semestrze. Grupa ludzi ze studiów, w której znalazł się również Dex, zorganizowała na poczekaniu spotkanie w czwartkowy wieczór. Darcy od wielu tygodni prosiła, żebym przedstawiła ją Deksowi, więc zadzwoniłam do niej i powiedziałam, żeby wpadła do Czerwonego Lwa o ósmej. Przyszła, ale Dex się nie zjawił. Czułam, że Darcy uważa to całe wyjście za stracony wysiłek. Narzekała, że Czerwony Lew nie jest w jej guście, że już dawno skończyła z tymi niechlujnymi barami dla studentów (które uwielbiała zaledwie kilka krótkich miesięcy wcześniej), że zespół jest do bani i czy w ogóle mogłybyśmy przenieść się w jakieś milsze miejsce, gdzie ludzie cenią sobie dobry wygląd.

W tym momencie do baru niespiesznie wszedł Dex ubrany w czarny skórzany płaszcz i śliczny kaszmirowy sweter koloru owsianki. Podszedł prosto do mnie i pocałował mnie w policzek, do czego nadal jeszcze nie przywykłam – ludzie ze Środkowego Zachodu nie całują się na powitanie. Przedstawiłam go Darcy, a ona od razu zrobiła się czarująca: chichotała, bawiła się włosami i potakiwała za każdym razem, kiedy coś mówił. Dex był dla niej miły, ale nie wydawał się zbytnio zainteresowany, a w pewnej chwili, kiedy rzucała nazwiskami ludzi z Goldmana: „Znasz tego, znasz tamtego?" – odniosłam wrażenie, że Dex z trudem powstrzymuje się od ziewnięcia. Wyszedł wcześniej niż pozostali, machając wszystkim na pożegnanie, i powiedział Darcy, że miło było ją poznać.

W drodze do akademika zapytałam ją, co o nim sądzi.

– Fajny – powiedziała Darcy, okazując minimalną aprobatę. Ta nijaka odpowiedź mnie zirytowała. Nie potrafiła go pochwalić, ponieważ nie był nią wystarczająco oczarowany. Darcy oczekiwała, że ludzie będą zabiegać o jej względy. Z czasem i ja zaczęłam tego oczekiwać.

Następnego dnia, kiedy piliśmy z Deksem kawę, czekałam na chwilę, w której wspomni o Darcy. Byłam pewna, że to zrobi, ale on milczał. Kiedy mówiłam Darcy, że w ogóle o niej nie wspomniał, odczuwałam małą – no dobrze: d u ż ą – satysfakcję. Przynajmniej raz znalazł się człowiek, który nie wychodził z siebie, żeby przy niej być.

Ależ ja byłam naiwna.

Mniej więcej tydzień później Dex niespodziewanie zapytał, co słychać u mojej przyjaciółki.

– Której przyjaciółki? – zapytałam, udając, że nie wiem, o kogo chodzi.

– Wiesz, u tej brunetki z Czerwonego Lwa.

– Ach, u Darcy – powiedziałam, po czym walnęłam prosto z mostu: – Chcesz jej numer telefonu?

– Jeśli jest wolna.

Wieczorem przekazałam tę wiadomość Darcy. Uśmiechnęła się z fałszywą skromnością.

– Jest całkiem f a j n y. Umówię się z nim.

Zanim Dex do niej zadzwonił, minęły kolejne dwa tygodnie. Jeśli zwlekał celowo, jego strategia zdziałała cuda. Kiedy zaprosił ją do Union Square Cafe, była już zupełnie rozgorączkowana. Najwidoczniej randka się udała, gdyż następnego dnia poszli na lunch w Village. Wkrótce potem obydwoje zniknęli z rynku „osób do wzięcia".

Z początku ich romans był burzliwy. Dobrze wiedziałam, że Darcy uwielbia walczyć ze swoimi chłopakami – jeśli nie było wielkiego dramatu, nie było zabawy – ale uważałam Deksa za racjonalnego i opanowanego człowieka, który nie jest skory do żadnych awantur. Być może był taki wobec innych dziewczyn, lecz Darcy wciągnęła go w świat chaosu i wielkich emocji. W jednym z jego studenckich zeszytów znalazła jakiś numer telefonu (była zdeklarowaną zwolenniczką szpiegowania), przeprowadziła dochodzenie, skojarzyła numer z byłą dziewczyną Deksa i przestała się do niego odzywać. Pewnego dnia przyszedł na zajęcia z deliktu bardzo zmieszany, ze szramą na czole, tuż nad lewym okiem. W napadzie zazdrości Darcy cisnęła w niego drucianym wieszakiem.

To działało również w drugą stronę. Wychodziliśmy razem na miasto i Darcy zaczynała się przymilać do jakiegoś faceta przy barze. Patrzyłam, jak od czasu do czasu Dex zerka w ich kierunku, aż w końcu puszczały mu nerwy. Szedł po nią. Był zły, ale opanowany, a ja słyszałam, jak Darcy usprawiedliwia swoje flirty jakimś odległym związkiem z tym facetem:

– Rozmawialiśmy tylko o naszych braciach i o tym, że należeli do tego samego dziwacznego stowarzyszenia. Jezu, Dex! Nie przesadzaj!

Jednak ostatecznie ich związek się ustabilizował, kłótnie stały się mniej intensywne i nieregularne, a Darcy wprowadziła się do jego mieszkania. Potem, ubiegłej zimy, Dex się oświadczył. Zaplanowali ślub na jeden z wrześniowych weekendów, a Darcy wybrała mnie na swoją pierwszą druhnę.

Poznałam go pierwsza, myślę sobie teraz. Taki argument jest niewiele lepszy niż ten dotyczący Ethana, lecz przez chwilę się nad nim zastanawiam. Wyobrażam sobie przychylną mi dziewczynę z ławy przysięgłych, która pochyla się do przodu, chłonąc te rewelacje. Porusza ten fakt podczas narady:

– Gdyby nie Rachel, Dex i Darcy nigdy by się nie poznali. Więc w pewnym sensie Rachel należała się ta jedna noc.
– Pozostali sędziowie gapią się na nią z niedowierzaniem, a Kostium od Chanel mówi, żeby nie była śmieszna. Że to nie ma nic do rzeczy.

– Tak naprawdę taki argument może świadczyć przeciwko niej – ripostuje Kostium od Chanel. – Rachel miała swoją szansę, żeby być z Deksem, lecz ta szansa dawno przepadła. A teraz jest pierwszą druhną. Pierwszą druhną! To najgorsza zdrada!

Pracuję do późna, odwlekając rozmowę z Deksem. Rozważam nawet poczekanie z nią do jutra, do środka tygodnia albo zupełne zignorowanie jego prośby. Jednak im dłużej będę ją odkładać, tym bardziej niezręczne będzie nasze nieuniknione spotkanie w przyszłości. Zmuszam się zatem do tego, żeby usiąść i wystukać jego numer. Mam nadzieję, że odezwie się poczta głosowa. Jest dziesiąta trzydzieści. Przy odrobinie szczęścia wyszedł już z pracy i siedzi w domu razem z Darcy.

– Dex Thaler – odpowiada oficjalnym tonem. Znowu pracuje w Goldman Sachs, mądrze wybrawszy karierę bankiera zamiast kariery prawnika. Praca znacznie bardziej interesująca, a i pieniądze lepsze. – Rachel! – Wydaje się naprawdę uszczęśliwiony moim telefonem, choć jednocześnie jest również trochę zdenerwowany, mówi nieco zbyt głośno. – Dzięki, że dzwonisz. Już zaczynałem myśleć, że się nie odezwiesz.

– Zamierzałam zadzwonić. Po prostu… Byłam bardzo zajęta… Szalony dzień – jąkam się. Czuję suchość w ustach.

– Tak, tutaj też wszystko stało na głowie. Typowy poniedziałek. – Dex jest już nieco bardziej zrelaksowany.

– Tak…

Zapada niezręczne milczenie – cóż, przynajmniej mnie wydaje się niezręczne. Czy on oczekuje, że poruszę temat Incydentu, zastanawiam się.

– No więc jak się czujesz? – pyta ściszonym głosem.

– Jak się czuję? – Moja twarz płonie. Pocę się i nie mogę wykluczyć możliwości zwrócenia sushi, które zjadłam na kolację.

– Pytam o to, co myślisz o ostatniej sobocie? – Nadal mówi ściszonym głosem, prawie szepcze. Może po prostu próbuje zachować dyskrecję, upewnia się, że nikt w biurze go nie słyszy, lecz w rezultacie jego głos wydaje się ciepły, poufały.

– Nie jestem pewna, co powinnam ci odpowiedzieć…

– Czujesz się winna?

– Oczywiście, że czuję się winna. A ty nie? – Spoglądam przez okno na światła Manhattanu, w kierunku jego biura mieszczącego się w centrum.

– No cóż, tak – wyznaje szczerze. – Oczywiście. To nie powinno było się zdarzyć. Nie ma co do tego wątpliwości. Postąpiliśmy źle… i nie chcę, żebyś myślała, że, no wiesz, że zachowuję się tak zawsze. Nigdy wcześniej nie zdradziłem Darcy. Nigdy… Wierzysz mi, prawda?

Mówię, że oczywiście wierzę. Chcę mu wierzyć.

Znowu zapada milczenie.

– No więc tak, to zdarzyło mi się po raz pierwszy – mówi.

Znowu milczenie. Wyobrażam go sobie z nogami opartymi na biurku, rozpiętym kołnierzykiem, krawatem zarzuconym na ramię. Dobrze wygląda w garniturze. Cóż, wygląda dobrze we wszystkim. I bez niczego też.

– Uhmm – mruczę. Tak mocno ściskam słuchawkę, że bolą mnie palce. Przekładam ją do drugiej ręki i wycieram spoconą dłoń o spódnicę.

– Czuję się okropnie, wiedząc, że przyjaźnicie się z Darcy od dzieciństwa i to, co między nami zaszło… stawia cię w naprawdę strasznej sytuacji. – Odchrząkuje i ciągnie dalej: – Ale jednocześnie nie wiem...

– Czego nie wiesz? – pytam wbrew zdrowemu rozsądkowi, nakazującemu mi zakończyć rozmowę, odłożyć słuchawkę, zaufać instynktowi ucieczki, który zawsze tak dobrze mi służył.

– Nie wiem. Ja po prostu... cóż, w pewnym sensie... obiektywnie rzecz biorąc, wiem, że postąpiłem źle. Ale po prostu nie czuję się winny. Czy to nie okropne?... Myślisz, że jestem straszny?

Nie mam pojęcia, co na to odpowiedzieć. „Tak" wydaje się podłe i potępiające. „Nie" mogłoby zapoczątkować jakąś rewolucję. Odnajduję bezpieczny grunt gdzieś pośrodku.

– Nie mam prawa nikogo osądzać, prawda? Byłam tam... też to zrobiłam.

– Wiem, Rachel. Ale to moja wina.

Myślę o jeździe windą, o jego włosach między moimi palcami.

– Zawiniliśmy obydwoje... Obydwoje byliśmy pijani. To pewnie ta tequila uderzyła mi do głowy, a poza tym tamtego dnia niewiele jadłam – ciągnę z nadzieją, że nasza rozmowa zbliża się do końca.

Przerywa mi Dex.

– Nie byłem aż tak pijany – oznajmia otwarcie, niemal urażonym tonem.

Nie byłeś aż tak pijany?

Jak gdyby czytając mi w myślach, ciągnie dalej:

– To znaczy tak, wypiłem kilka drinków, więc moje hamulce z pewnością nie były tak silne jak zwykle, ale wiedziałem, co robię, i myślę, że w pewnym sensie chciałem, żeby to się stało. Cóż, to chyba dosyć oczywiste... Próbuję powiedzieć, że ś w i a d o m i e tego pragnąłem. Nie twierdzę, że miałem taki plan. Chociaż już wcześniej kilka razy przyszło mi to do głowy.

Kilka razy? Kiedy? Na studiach? Przed tym czy po tym jak poznałeś Darcy?, zastanawiam się.

Nagle przypominam sobie jedną okazję z czasów „przed Darcy", kiedy uczyliśmy się razem w bibliotece do egzaminu z deliktów. Wybiła późna godzina i obydwoje byliśmy podminowani, prawie popadaliśmy w obłęd z braku snu i od nadmiaru kofeiny. Dex zaczął naśladować Zigmana, cytując jego ulubione powiedzonka, a ja śmiałam się tak bardzo, że w końcu się popłakałam. Kiedy wreszcie doszłam do siebie, Dex pochylił się nad wąską ławką i otarł kciukiem łzę z mojego policzka. Prawie jak w scenie z filmu, tylko że tam zwykle chodzi o łzy smutku. Nasze spojrzenia się spotkały.

Ja pierwsza odwróciłam wzrok, ponownie kierując go w stronę książki, gdzie wyrazy skakały po całej kartce. Mimo wielkiego wysiłku nie mogłam się skupić na kwestiach zaniedbania i bezpośredniej przyczyny. Myślałam tylko o dotyku tego kciuka, który czułam na policzku. Później Dex zaproponował, że odprowadzi mnie do akademika. Grzecznie odmówiłam, zapewniając go, że poradzę sobie sama. Zasypiając tamtej nocy, doszłam do wniosku, że całe zdarzenie było wytworem mojej wyobraźni i że Dex nigdy nie pomyślałby o mnie inaczej jak tylko o przyjaciółce. Po prostu był miły.

Czasami zastanawiałam się, co by zaszło, gdybym nie była taka powściągliwa. Gdybym przystała na jego propozycję. Teraz te pytania wracają ze zdwojoną siłą.

– Oczywiście, doskonale zdaję sobie sprawę, że to nie może się nigdy powtórzyć – Dex kontynuuje z przekonaniem. – Prawda? – Ostatnie słowo brzmi poważnie, niemal bezbronnie.

– Prawda. Nigdy, przenigdy więcej – mówię i natychmiast żałuję tak dziecinnego doboru słów. – To była pomyłka.

– Tylko że ja tego nie żałuję. Powinienem, ale po prostu nie żałuję – dodaje.

Jakie to dziwne, myślę, ale się nie odzywam. Po prostu siedzę jak idiotka i czekam, żeby mówił dalej.

– W każdym razie, Rachel, przykro mi, że postawiłem cię w takiej sytuacji. Ale pomyślałem, że powinnaś wiedzieć, co o tym sądzę – kończy i wybucha nerwowym śmiechem.

Mówię, że wszystko w porządku – więc chyba powinniśmy żyć dalej i zapomnieć o tej nocy oraz o wszystkich innych rzeczach, które spodziewałam się od niego usłyszeć. Żegnamy się, odkładam słuchawkę i oszołomiona spoglądam przez okno. Rozmowa, która miała zakończyć ten rozdział, wywołała jedynie większy niepokój. I maleńkie poruszenie w moim wnętrzu, które postanawiam stłumić.

Wstaję, wyłączam światło w kancelarii i idę w kierunku metra, próbując zapomnieć o Deksie. Kiedy jednak czekam na peronie, moje myśli powracają do naszego pocałunku w windzie. Do miękkości jego włosów. I do tego, jak wyglądał, kiedy spał w moim łóżku okryty do pasa kołdrą. Te obrazy pamiętam najlepiej. Są jak zdjęcia byłych chłopaków, które rozpaczliwie pragniesz wyrzucić, lecz nie możesz się na to zdobyć. Więc zamiast tego przechowujesz je w starym pudełku po butach w głębi szafy, dochodząc do wniosku, że nie zaszkodzi je mieć. Po prostu na wypadek gdybyś pewnego dnia zapragnęła otworzyć to pudełko i przypomnieć sobie stare dobre czasy.

ROZDZIAŁ 4

Od oficjalnego rozpoczęcia lata dzieli nas kilka dni i Darcy nie potrafi mówić o niczym innym niż Hamptons. Nieustannie do mnie wydzwania i pisze e-maile, przekazując informacje na temat imprez z okazji Dnia Niepodległości, rezerwacji w restauracjach i różnych wyprzedaży, na których z pewnością znajdziemy najfajniejsze letnie ciuchy. To wszystko napawa mnie oczywiście przerażeniem. Podobnie jak podczas czterech ubiegłych wyjazdów wakacyjnych, jestem zakwaterowana w domku razem z Darcy i Deksem. W tym roku dołączą do nas również Marcus, Claire i Hillary.

– Myślisz, że powinniśmy byli wynająć cały domek? – Darcy zadaje to pytanie chyba po raz dwudziesty. Nigdy w życiu nie spotkałam osoby, która potrafi coś tak długo roztrząsać. Kiedy wychodzi z Baskin-Robbins, zawsze żałuje, że czegoś nie kupiła.

– Nie, pół w zupełności wystarczy. Nigdy nie korzysta się z całego domku – mówię do słuchawki wetkniętej między ucho a ramię, przeglądając notatki podsumowujące różnice między prawem ubezpieczeń dodatkowych Florydy i Nowego Jorku.

– Piszesz na komputerze? – pyta Darcy oskarżycielskim tonem, domagając się, abym poświęciła jej całą uwagę.

– Nie – kłamię i zaczynam pisać ciszej.

– Lepiej, żebyś nie pisała...

– Nie piszę.

– No cóż, chyba masz rację, pół domku to lepsze rozwiązanie... Zresztą i tak musimy załatwić w mieście mnóstwo spraw związanych ze ślubem.

Ślub stanowi jedyny temat, którego pragnę uniknąć bardziej niż rozmowy o Hamptons.

– Uhmm.

– Zamierzasz jechać z nami samochodem czy wolisz pociąg?

– Pojadę pociągiem. Nie wiem, czy uda mi się wyjść z kancelarii o przyzwoitej godzinie – odpowiadam, myśląc, że nie chcę utkwić w jednym samochodzie z nią i Deksem. Nie widziałam Deksa od chwili, kiedy wyszedł z mojego mieszkania. Nie widziałam Darcy od czasu mojej zdrady.

– Naprawdę? Bo ja myślałam, że zdecydowanie, z d e c y-d o w a n i e powinniśmy jechać samochodem... Czy nie wolałabyś podróżować samochodem w pierwszy weekend lata? Zwłaszcza że zapowiada się bardzo długi weekend. Nie chcemy użerać się z taksówkami i tego typu rzeczami... No, jedź z nami!

– Zobaczymy – mówię jak matka, która pragnie, aby dziecko porzuciło niewygodny temat.

– Żadne „zobaczymy". Jedziesz z nami.

Wzdycham i mówię jej, że naprawdę powinnam wracać do pracy.

– Dobra. Niech ci będzie. Pozwolę ci wrócić do pracy w twojej bardzo ważnej kancelarii... Nadal jesteśmy umówione na wieczór?

– A co jest wieczorem?

– Halo? P a n i Z a p o m i n a l s k a. Tylko mi nie mów, że musisz pracować do późna. Obiecałaś. Bikini? Coś ci to mówi?

– A, racja. – Zupełnie zapomniałam, że obiecałam towarzyszyć jej podczas zakupu stroju kąpielowego. To jedna z najmniej przyjemnych rzeczy na świecie. Tuż obok szorowania sedesów i leczenia kanałowego. – Tak, jasne. Mogę z tobą pójść.

– Super. Spotkamy się przy stoisku z jogurtami w podziemiach Bloomie's. Wiesz, obok ubrań dla grubasek. Punktualnie o siódmej.

Docieram na stację przy Pięćdziesiątej Dziewiątej piętnaście minut po umówionej porze i biegnę do podziemia Bloomingdale's, denerwując się, że Darcy będzie naburmuszona. Nie czuję się na siłach, żeby pochlebstwami łagodzić jej fochy. Ona jednak wygląda na zadowoloną. Siedzi przy ladzie z kubkiem mrożonego jogurtu truskawkowego. Uśmiecha się i macha w moją stronę. Biorę głęboki oddech i powtarzam sobie w myślach, że na mojej piersi nie widnieje żadna szkarłatna litera.

– Cześć, Darcy.

– Cześć! O matko, będę taka rozdęta, kiedy zacznę przymierzać kostiumy! – Wskazuje swój brzuch plastikową łyżeczką. – Ale co tam. Przywykłam do bycia grubaską.

– Nie jesteś gruba. – Przewracam oczami.

Przerabiamy to co roku w sezonie plażowym. Do cholery, przerabiamy to prawie codziennie. Waga Darcy stanowi wieczne źródło dyskusji. Mówi mi, ile waży – zawsze oscyluje w granicach pięćdziesięciu siedmiu–pięćdziesięciu ośmiu kilogramów – i według swoich surowych standardów zawsze jest za gruba. Jej celem jest pięćdziesiąt pięć kilo – moim zdaniem, to zdecydowanie za mało jak na kogoś mierzącego sto siedemdziesiąt trzy centymetry. Kiedy je paczkę chipsów, przysyła mi e-maila: „Powstrzymaj mnie! Ratunku! Zadzwoń jak najszybciej!". Jeśli oddzwonię, pyta: „Czy piętnaście gramów tłuszczu to dużo?", albo: „Ile gramów tłuszczu mieści się w kilogramie?". Jednak najbardziej denerwuje mnie to, że jest siedem centymetrów wyższa ode mnie i prawie trzy kilo lżejsza. Kiedy zwracam jej na to uwagę, stwierdza: „No tak, ale ty masz większe piersi". „Nie aż tyle, żeby ważyły trzy kilo więcej od twoich" – podkreślam. „Mimo to – odpowiada – ty wyglądasz idealnie". Wróćmy do mnie.

Daleko mi do otyłości, ale w tym przypadku wykorzystywanie mnie w charakterze wzorca przypomina skarżenie się ślepej kobiecie na konieczność noszenia szkieł kontaktowych.

– Jestem taka gruba. Naprawdę! W dodatku obżarłam się podczas lunchu. Ale co tam. Najważniejsze, żebym nie wyglądała jak gruba krowa w sukni ślubnej... – martwi się, zjadając ostatnią łyżeczkę jogurtu, po czym ciska kubek do kosza. – Po prostu powiedz mi, że mam mnóstwo czasu, żeby schudnąć przed ślubem.

– Masz mnóstwo czasu – potakuję.

A ja mam mnóstwo czasu przed ślubem, aby przestać rozmyślać o tym, że przespałam się z twoim przyszłym mężem.

– Lepiej przyhamuję, wiesz, bo w przeciwnym razie będę musiała robić zakupy tutaj. – Darcy wskazuje kolekcję w dużych rozmiarach, nie przejmując się tym, czy usłyszy ją jakaś puszysta kobieta.

Proszę, by się nie wygłupiała.

– W każdym razie – dodaje, kiedy wjeżdżamy ruchomymi schodami na drugie piętro – Claire twierdzi, że robimy się za stare na bikini. Że stroje jednoczęściowe są bardziej klasyczne. Co sądzisz o czymś takim? – Jej mina i ton głosu wyraźnie świadczą o tym, co sama myśli o poglądach Claire na temat strojów kąpielowych.

– Chyba nie istnieją żadne granice wiekowe, jeśli chodzi o bikini – mówię. Claire wyznaje mnóstwo dobijających zasad. Kiedyś powiedziała mi, że czarnego atramentu powinno się używać wyłącznie do pisania listów z kondolencjami.

– O-tóż-to! Właśnie tak jej odpowiedziałam... Zresztą pewnie mówi tak dlatego, że w bikini nie prezentuje się najlepiej, nie uważasz?

Kiwam głową. Claire regularnie uczęszcza na siłownię i od lat nie tknęła smażonego jedzenia, ale jej przeznaczeniem jest flakowatość. Ratuje się jednak wzorową pielęgnacją i drogimi ubraniami. Pokaże się na plaży w jednoczęściowym kostiumie za trzysta dolarów, w sarongu do kompletu, modnym kapeluszu oraz drogich okularach. I w ten sposób odwróci uwagę od dodatkowej fałdki na brzuchu.

Przemieszczamy się po całym piętrze, szukając wieszaków z kostiumami godnymi uwagi. W pewnej chwili zauważam, że obydwie wybrałyśmy proste czarne bikini Anne Klein. Jeśli obydwie będziemy chciały je kupić, Darcy uprze się, że zobaczyła je pierwsza, albo powie, że możemy kupić takie same. Później przez całe lato będzie wyglądała lepiej niż ja. Nie, dziękuję.

Przypomina mi się dzień, w którym Darcy, Annalise i ja poszłyśmy kupić plecaki na tydzień przed rozpoczęciem czwartej klasy. Od razu wpadł nam w oko ten sam model. Fioletowy ze srebrnymi gwiazdkami na zewnętrznej kieszonce – był o wiele fajniejszy niż pozostałe. Annalise zaproponowała, żebyśmy kupiły sobie takie same plecaki, ale Darcy się sprzeciwiła, przekonując nas, że noszenie takich samych rzeczy jest zbyt dziecinne. Noszenie takich samych rzeczy było dobre dla trzecioklasistów.

Zatem zagrałyśmy o plecak w „papier, kamień, nożyczki". Ja wybrałam kamień (gdyż zauważyłam, że wyjątkowo często wygrywa). Z radością stuknęłam zaciśniętą dłonią o ich rozłożone palce symbolizujące nożyczki i wrzuciłam fioletowy plecak do wspólnego koszyka. Annalise się zbuntowała, jęcząc, że doskonale wiemy, iż fioletowy jest jej ulubionym kolorem.

– Myślałam, że wolisz czerwony, Rachel!

Annalise nie była dla mnie godną przeciwniczką. Po prostu powiedziałam jej, że owszem, wolę czerwony, ale jak sama widzi, czerwonych plecaków nie ma. Zatem Annalise zdecydowała się na żółty z uśmiechniętą buźką na kieszonce. Darcy ubolewała nad tym, co pozostało do wyboru. Ostatecznie powiedziała, że się z tym prześpi i następnego dnia wróci tu z mamą. Zapomniałam o całej sprawie aż do pierwszego dnia szkoły. Kiedy przyszłam na przystanek, zobaczyłam Darcy z identycznym fioletowym plecakiem.

– Masz mój plecak. – Wskazałam go z niedowierzaniem.

– Wiem – powiedziała Darcy. – Uznałam, że chcę go mieć. Kogo obchodzi, czy nosimy takie same rzeczy?

Czy to nie ona twierdziła, że noszenie takich samych rzeczy jest dziecinne?

– Mnie obchodzi. – Czułam, jak narasta we mnie złość.

Darcy przewróciła oczami i zaczęła głośno żuć gumę.

– Och, Rachel, jak gdyby miało to jakieś znaczenie. W końcu to tylko plecak.

Annalise również była zmartwiona, miała ku temu swoje powody.

– Jak to możliwe, że jesteście bliźniaczkami, a ja zostałam z boku? Mój plecak jest jasny.

Zignorowałyśmy ją.

– Przecież powiedziałaś, że nie powinniśmy nosić takich samych rzeczy – oskarżyłam Darcy, podczas gdy zza zakrętu wyłonił się autobus i z piskiem zahamował na przystanku.

– Naprawdę? – spytała, dotykając swoich sztywnych natapirowanych włosów, świeżo spryskanych kilkoma warstwami lakieru. – Cóż, kto by się tym przejmował?

Darcy używała wyrażenia: „Kto by się tym przejmował?" (które później zastąpiła: „Mniejsza z tym"), w charakterze ostatecznej pasywno-agresywnej odpowiedzi. Wtedy nie traktowałam jej taktyki w taki sposób. Wiedziałam tylko tyle, że zawsze potrafi postawić na swoim i jeśli jej odpyskuję, zrobi mi się głupio.

Wsiadłyśmy do autobusu. Najpierw Darcy. Zajęła miejsce, a ja usiadłam za nią, gdyż nadal byłam wściekła. Patrzyłam, jak

Annalise waha się, po czym siada obok mnie, uznając, że racja leży po mojej stronie. Cała sprawa z fioletowym plecakiem mogła się przerodzić w wielką kłótnię, lecz nie chciałam, żeby zdrada Darcy zrujnowała mi pierwszy dzień szkoły. Nie było sensu z nią walczyć. Końcowy rezultat rzadko dawał satysfakcję.

Po cichu odwieszam kostium Anne Klein na wieszak, kiedy idziemy w stronę długiej kolejki do przebieralni. Gdy jedna z nich się zwalnia, Darcy postanawia, że powinniśmy wejść razem, żeby zaoszczędzić na czasie. Rozbiera się do czarnych fig i czarnego koronkowego stanika do kompletu, zastanawiając się, który kostium powinna przymierzyć najpierw. Zerkam na jej odbicie w lustrze. Jej ciało wygląda jeszcze lepiej niż ubiegłego lata. Długie kończyny zostały doskonale ujędrnione w toku poprzedzających ślub treningów, a skóra jest już brązowa od rutynowego wcierania kremów opalających i sporadycznych wizyt w solarium.

Myślę o Deksie. Z pewnością porównywał nasze ciała po (lub nawet w trakcie, skoro „nie był aż tak pijany") naszej wspólnej nocy. Moje nie jest takie wspaniałe. Jestem niższa, bardziej miękka, bledsza. I chociaż rzeczywiście mam większe piersi, jej i tak wydają się lepsze. Są bardziej jędrne i cechują je idealne proporcje brodawki do otoczki i całej piersi.

– Przestań patrzeć na mój tłuszcz! – piszczy Darcy, przyłapując mnie na wpatrywaniu się w lustro.

Teraz muszę powiedzieć jej jakiś komplement.

– Nie jesteś gruba, Darcy. Wyglądasz świetnie. Widać, że trenujesz.

– Widać? Jaka część ciała wygląda lepiej? – Darcy lubi konkretne pochwały.

– Po prostu wszystkie. Nogi są szczupłe. Ładne. – To wszystko, co może ode mnie usłyszeć.

Przygląda się swoim nogom, marszcząc brwi na widok ich odbicia w lustrze.

Rozbieram się, zwracając uwagę na moją bawełnianą bieliznę i niepasujący do reszty, lekko wypłowiały stanik. Szybko przymierzam pierwszy kostium, granatowo-białe tankini odsłaniające pięć centymetrów brzucha. To kompromis pomiędzy jednoczęściowym polecanym przez Claire i bikini preferowanym przez Darcy.

– Ojej! Wygląda na tobie bombowo! Musisz go kupić! – wykrzykuje Darcy. – Kupisz go?

– Chyba tak – mówię. Wcale nie wygląda bombowo, ale jest niezły. Przez te wszystkie lata przestudiowałam wystarczająco dużo artykułów na temat kostiumów i niedoskonałości figury, żeby wiedzieć, w jakich strojach będę przyzwoicie wyglądać. Ten ujdzie.

Darcy wkłada maleńkie czarne bikini z trójkątną górą i wyciętymi majtkami. Wygląda po prostu wystrzałowo.

– Podoba ci się?

– Jest w porządku – mówię, myśląc, że Dex będzie je uwielbiał.

– Powinnam je kupić?

Proponuję, żeby przed podjęciem decyzji przymierzyła pozostałe. Podporządkowuje się, ściągając z wieszaka następny kostium. Oczywiście, każdy strój wygląda na niej cudownie. Darcy nie kwalifikuje się do żadnej z kategorii niedoskonałości figury opisywanych w magazynach. Po długiej dyskusji ja zostaję się przy tankini, a Darcy decyduje się na trzy skąpe pary bikini – czerwone, czarne i beżowe, w którym wyda się naga z każdej odległości.

Kiedy idziemy zapłacić za kostiumy, Darcy chwyta mnie za ramię.

– Och! Cholera! Prawie zapomniałam ci powiedzieć!

– O czym? – pytam wytrącona z równowagi tym nagłym wybuchem, chociaż wiem, że wcale nie zamierza oznajmić: Zapomniałam ci powiedzieć, że wiem o twojej nocy z Deksem!

– Marcus cię lubi! – Z jej tonu i sposobu, w jaki użyła słowa „lubi", można by wywnioskować, że nadal jesteśmy w podstawówce.

Celowo udaję, że nie rozumiem, o co jej chodzi.

– Ja też go lubię – mówię. – To fajny facet. – I diabelnie dobre alibi.

– Nie, głuptasie. Miałam na myśli to, że on cię l u b i. Musiałaś się dobrze spisać podczas imprezy, bo zadzwonił do Deksa i poprosił o twój numer telefonu. Chyba zamierza zaprosić cię w weekend na randkę. Oczywiście, chciałam, żeby to była podwójna randka, ale Marcus się nie zgodził. Powiedział, że nie chce świadków. – Rzuca swoje bikini na ladę i gmera w torebce w poszukiwaniu portfela.

– Dostał mój numer od Deksa? – pytam, myśląc, że to dosyć duży postęp.

– Tak. Dex był słodki, kiedy mi o tym mówił. Taki… – Spogląda w górę w poszukiwaniu odpowiedniego słowa. – Opiekuńczy.

– Jak to „opiekuńczy"? – Jestem o wiele bardziej zainteresowana rolą Deksa w tej całej sprawie niż zamiarami Marcusa.

– No cóż, dał Marcusowi twój numer, ale kiedy odłożył słuchawkę, zadał mi mnóstwo pytań, na przykład czy kogoś masz i czy moim zdaniem Marcus ci się spodoba. I, no wiesz, czy jest dla ciebie wystarczająco bystry. Tego typu rzeczy. To było naprawdę słodkie.

Analizuję te informacje, podczas gdy ekspedientka sumuje ceny bikini Darcy.

– I co mu powiedziałaś?

– Powiedziałam tylko, że jesteś a b s o l u t n i e wolna i że Marcus z pewnością ci się spodoba. Jest taki uroczy. Nie sądzisz?

Wzruszam ramionami. Marcus przeprowadził się do Nowego Jorku z San Francisco zaledwie kilka miesięcy temu. Wiem o nim bardzo mało – zaprzyjaźnili się z Deksem w Georgetown, gdzie wsławił się najgorszym wynikiem wśród absolwentów. Najwidoczniej nigdy nie chodził na zajęcia i ciągle był na haju. Najbardziej niechlubna historia wydarzyła się wtedy, gdy zaspał w dniu końcowego egzaminu ze statystyki, a kiedy zjawił się na nim z dwudziestominutowym spóźnieniem, odkrył, że zamiast kalkulatora wrzucił do plecaka pilot od telewizora. Jak dotąd nie zdołałam ustalić, czy jest wolnym duchem, czy tylko zwykłym pajacem.

– Co, boisz się? Jeśli umówisz się z nim na randkę przed wyjazdem do Hamptons, będziesz miała przewagę nad Claire i Hillary.

Śmieję się i kręcę głową.

– Mówię poważnie. – Darcy składa podpis na pokwitowaniu i uśmiecha się do ekspedientki. – Claire z przyjemnością zatopiłaby w nim pazury.

– A kto powiedział, że wybieram się na tę randkę?

– Och, prooooszę. Nawet nie zaczynaj. Pójdziesz na nią. A: Marcus jest słodziutki. I B: Rachel, bez urazy, ale naprawdę nie możesz sobie pozwolić na taką wybredność, panno niebzykana od... jak dawna? Ponad roku?

Ekspedientka spogląda na mnie ze współczuciem. Rzucam Darcy wściekłe spojrzenie, przesuwając po ladzie moje tankini. Tak, jasne – od roku.

Wychodzimy z Bloomingdale's i rozglądamy się w poszukiwaniu taksówki na Trzeciej Alei.

– No więc umówisz się z Marcusem?

– Chyba tak.

– Obiecujesz? – pyta, wyciągając z torebki komórkę.

– Chcesz, żebym złożyła śluby krwi? Tak, pójdę z nim na randkę – obiecuję. – Do kogo dzwonisz?

– Do Deksa. Założył się o dwadzieścia dolców, że się nie zgodzisz.

Darcy ma rację – nie mam żadnych innych perspektyw. Ale kiedy Marcus dzwoni i zaprasza mnie na randkę, zgadzam się, żeby zrobić na złość Deksowi. Na wypadek gdyby myślał, że rzucił na mnie jakiś urok i że odmówię Marcusowi, ponieważ jestem zaabsorbowana wspomnieniami Incydentu. Zatem umówię się z Marcusem.

Jednak gdy tylko mówię „tak", ogarnia mnie obsesja na punkcie tego, co n a p r a w d ę wie Marcus. Czy Dex coś mu powiedział? Dochodzę do wniosku, że muszę zadzwonić do Dextera i o to zapytać. Odkładam słuchawkę trzy razy, zanim w końcu udaje mi się wystukać cały numer. Czuję ucisk w żołądku, kiedy odpowiada po pierwszym sygnale.

– Dex Thaler.

– Co wie Marcus na temat wydarzeń ubiegłej soboty? – wypalam, czując, jak łomocze mi serce.

– O, mnie też miło cię słyszeć.

– Cześć, Dex. – Odrobinę się uspokajam.

– Ubiegła sobota? Co było w ubiegłą sobotę? Odśwież mi pamięć.

– Pytam poważnie! Co mu powiedziałeś? – Z przerażeniem zauważam, że mówię dziecinnym jękliwym głosikiem, który Darcy opanowała do perfekcji.

– A co twoim zdaniem mu powiedziałem? – pyta.

– Dexter, odpowiedz mi!

– Och, uspokój się – mówi, nadal lekko rozbawionym tonem. – Niczego mu nie powiedziałem… Myślisz, że co to jest? Szatnia w liceum? Po co miałbym komukolwiek opowiadać o naszych sprawach?

Nasze sprawy. N a s z e. O n a s. M y.

– Po prostu się zastanawiałam, czy coś wie. Sam rozumiesz, powiedziałeś Darcy, że tamtej nocy byłeś z nim…

– Tak. Powiedziałem: „Marcus, zeszłej nocy byliśmy razem, a rano poszliśmy na śniadanie – dobra?". I tyle. Wiem, że wy, dziewczyny, kobiety, załatwiacie takie sprawy inaczej.

– Co to ma znaczyć?

– Przecież ty i Darcy dzielicie się ze sobą każdym najdrobniejszym szczegółem. Tym, co dziś jadłyście i jaki szampon zamierzacie kupić.

– I tym, że przespałyśmy się z narzeczonym tej drugiej? O takie szczegóły ci chodzi?

– Tak, to byłby kolejny przykład. – Dex się śmieje.

– Albo tym, że założyłeś się z Darcy, że nie pójdę na randkę z Marcusem?

Znowu się śmieje, widząc, że wszystko się wydało.

– Powiedziała ci o tym, prawda?

– Tak. Powiedziała mi.

– Czy to cię uraziło?

Spostrzegam, że zaczynam się odprężać i ta rozmowa prawie mi się podoba.

– Nie… ale dzięki temu zgodziłam się z nim umówić.

– Aha! – Śmieje się. – Teraz widzę, jak to działa. Twierdzisz, że gdyby Darcy nie podzieliła się z tobą tą drobną informacją, puściłabyś mojego kumpla w trąbę?

– Naprawdę chciałbyś wiedzieć? – pytam kokieteryjnie, z trudem poznając samą siebie.

– Owszem. Proszę, oświeć mnie.

– Nie jestem pewna… Dlaczego pomyślałeś, że mu odmówię?

– Chciałabyś wiedzieć.

Uśmiecham się. To już prawdziwe flirciarskie przekomarzanie się.

– Dobra. Myślałem, że się nie zgodzisz, bo wydaje mi się, że Marcus nie jest w twoim typie – mówi w końcu.

– A kto jest? – pytam i nagle ogarniają mnie wyrzuty sumienia. Takie flirtowanie bynajmniej nie wiedzie do odkupienia. W ten sposób nie naprawię swoich błędów. Podpowiada mi to rozsądek, lecz serce szybko bije, kiedy czekam na odpowiedź Deksa.

– Nie wiem. Szukam odpowiedzi na to pytanie od jakichś siedmiu lat.

Zastanawiam się, co chce przez to powiedzieć. Okręcam kabel od telefonu wokół palca i nie potrafię sformułować żadnego komentarza. Powinniśmy natychmiast zakończyć tę rozmowę. To wszystko zmierza w złym kierunku.

– Rach? – Jego głos jest cichy i czuły.

Brakuje mi tchu, kiedy słyszę, jak wypowiada moje imię w taki sposób. Ta jedna sylaba wydaje się znajoma, ciepła.

– Słucham?

– Jesteś tam jeszcze? – szepcze.

– Tak, jestem. – Jakimś cudem udaje mi się to wykrztusić.

– O czym myślisz?

– O niczym – kłamię.

Muszę kłamać. Bo właśnie pomyślałam, że może jesteś bardziej w moim typie, niż dotychczas sądziłam.

ROZDZIAŁ 5

Może wcale nie ma czegoś takiego jak „mój typ". Zastanawiając się nad swoimi dotychczasowymi związkami, nie dostrzegam żadnych prawidłowości. Nie można jednak powiedzieć, aby próbka była istotna statystycznie – poza Brandonem z liceum miałam tylko trzech chłopaków.

Prawdziwe randkowanie zaczęło się dla mnie w pierwszym semestrze *college*'u w Duke. Mieszkałam w akademiku koedukacyjnym i co wieczór wszyscy zbieraliśmy się w holu, żeby się uczyć (albo udawać, że się uczymy), gadać i oglądać takie seriale jak *Beverly Hills 90210* albo *Melrose Place*. To właśnie w tym holu poważnie zadurzyłam się w Hunterze Bretzu z Missisipi. Hunter był wychudłym molem książkowym, ale ja za nim szalałam. Uwielbiałam jego inteligencję, długie, miarowe przeciąganie samogłosek i sposób, w jaki skupiał brązowe oczy na rozmówcy, jak gdyby naprawdę przejmował się tym, co ma do powiedzenia. Moja współlokatorka Pam, dziewczyna z Jersey z burzą włosów na głowie, nazwała moje uczucia „zupełną pieprzoną tajemnicą", lecz mimo to namawiała mnie, żebym zaprosiła Huntera na randkę. Nie zrobiłam tego, ale ciężko pracowałam, żeby się z nim zaprzyjaźnić, przebijając się przez powłokę jego nieśmiałości, gawędząc o poezji i literaturze. Naprawdę wierzyłam, że dobrze mi idzie, gdy nagle wszelkie wysiłki poszły na marne za sprawą Joeya Meroli.

Joey był przeciwieństwem Huntera – niesfornym osiłkiem o donośnym śmiechu. Uprawiał dosłownie każdy rodzaj szkolnego sportu i zawsze pojawiał się w holu cały spocony, mając na podorędziu historię o tym, jak w ostatniej sekundzie jego drużyna poderwała się do walki i wygrała mecz. Należał do facetów, którzy chwalą się tym, ile potrafią zjeść, i zaliczeniem zajęć z literatury bez przeczytania żadnej książki.

Pewnego czwartkowego wieczoru w holu nie pozostał nikt z wyjątkiem mnie, Joeya i Huntera. Rozmawialiśmy o religii, karze śmierci, istocie życia i o wszystkich sprawach, o których pragnęłam dyskutować w *college*'u, z dala od Darcy i jej bardziej przyziemnych zainteresowań. Joey był ateistą i opowiadał się za karą śmierci. Hunter, podobnie jak ja, był metodystą i wyznawał przeciwny pogląd. Wszyscy troje nie mieliśmy pewności co do istoty życia. Rozmawialiśmy i rozmawialiśmy, a ja postanowiłam, że wytrzymam dłużej niż Joey i zostanę sam na sam z Hunterem. Jednak tuż po drugiej w nocy Hunter się poddał.

– Dobra, ludzie. Jutro rano mam zajęcia.

– Daj spokój, stary, olej je. Ja nigdy nie chodzę na zajęcia o ósmej rano – powiedział dumnie Joey.

Hunter parsknął śmiechem.

– Ale ja za nie płacę, więc powinienem pójść.

Była to kolejna cecha, która podobała mi się u Huntera. W przeciwieństwie do większości bogatych dzieciaków w Duke sam płacił za własną edukację. Zatem powiedział dobranoc, a ja z żalem patrzyłam, jak wolnym krokiem wychodzi z holu. Joey nie zamilkł nawet na chwilę, po prostu trajkotał, wałkując fakt, że obydwoje pochodzimy z Indiany – dzieliły nas zaledwie dwa małe miasteczka – i że nasi ojcowie chodzili do tamtejszego *college*'u (jego ojciec próbował się dostać do drużyny koszykówki). Rzucaliśmy nazwiskami i zdarzyły się dwa trafienia. Joey znał Blaine'a, byłego chłopaka Darcy, z artykułów w dziale sportowym lokalnej gazety. I obydwoje słyszeliśmy o Tracy Purlington, puszczalskiej dziewczynie mieszkającej w pobliskiej dziurze.

W końcu, kiedy powiedziałam, że naprawdę muszę już iść spać, Joey wszedł za mną po schodach i pocałował mnie. Pomyślałam o Hunterze, ale mimo to też pocałowałam Joeya, ciesząc się wizją zdobycia prawdziwych uczelnianych doświadczeń. Annalise zdążyła już wtedy poznać swojego późniejszego męża Grega (i stracić z nim cnotę), a Darcy – według moich obliczeń – przespała się z czterema chłopakami.

Nazajutrz żałowałam, że pocałowałam Joeya. Żałowałam jeszcze bardziej, kiedy dostrzegłam Huntera przygarbionego wśród stosów książek w bibliotece, z głową pochyloną nad podręcznikiem. Mój żal nie był jednak wystarczająco silny, aby zdołał mnie powstrzymać od ponownego pocałowania Joeya w najbliższy weekend – tym razem w pralni, gdzie czekaliśmy na wyjęcie ubrań z suszarki. I trwało to tak długo, aż w końcu wszyscy w naszym akademiku, w tym również Hunter, dowiedzieli się, że jesteśmy parą. Pam oszalała z radości i uznała, że Joey wyeliminował Huntera z gry i że ma najfajniejszy tyłek w całym akademiku. Napisałam do Darcy i Annalise, opowiadając im o moim nowym chłopaku i o tym, że zupełnie wyleczyłam się z Huntera (co nie było do końca prawdą), i że jestem bardzo szczęśliwa (wystarczająco). Obydwie miały tylko jedno pytanie: czy zamierzam pójść z Joeyem n a c a ł o ś ć?

Jeśli chodziło o seks, miałam ambiwalentne uczucia. Część mnie chciała czekać do chwili, w której naprawdę będę bardzo zakochana, może nawet zamężna. Byłam jednak strasznie ciekawa, skąd bierze się to całe zamieszanie wokół seksu, i rozpaczliwie pragnęłam uchodzić za osobę doświadczoną i obytą w świecie. Zatem kiedy pobyłam z Joeyem przepisowe sześć tygodni, pomaszerowałam do uczelnianej przychodni i wróciłam do akademika z receptą na Lo/Ovral, pigułki antykoncepcyjne, które zdaniem Darcy nie powodowały tycia. Miesiąc później, z zastosowaniem dodatkowego zabezpieczenia w postaci prezerwatywy, przeprowadziliśmy z Joeyem wielką akcję. Dla niego również był to pierwszy raz. W przeciwieństwie do tego, co mówiła Darcy o swoim pierwszym razie z Carlosem, podczas tych dwóch i pół minuty wcale nie zadrżała ziemia. Jednak z drugiej strony nie bolało aż tak bardzo, jak ostrzegała Annalise. Czułam ulgę, wiedząc, że mam to już za sobą, i cieszyłam się, że wraz z przyjaciółkami z dzieciństwa mogę się radować kobiecą chwałą. Joey i ja objęliśmy się, leżąc na parterze piętrowego łóżka, i wyznaliśmy sobie miłość. Nasz pierwszy raz był lepszy niż większość innych.

Jednak tamtej wiosny pojawiły się dwa znaki ostrzegawcze, wskazujące na to, że Joey nie jest mężczyzną moich marzeń. Po pierwsze, zapisał się do bractwa i brał to wszystko zdecydowanie zbyt poważnie. Pewnego dnia, kiedy nabijałam się z ich tajemnego uścisku dłoni, powiedział mi, że jeśli nie szanuję jego bractwa, nie szanuję również jego. L i t o ś c i. Po drugie, Joey dostał fioła na punkcie drużyny koszykarskiej z Duke: spał w namiocie, żeby zdobyć bilety na ważne mecze, malował twarz na niebiesko i skakał wokół boiska wraz z innymi „fanatykami ze stadionu Cameron". To wszystko było nieco ponad moje siły, choć chyba nie miałabym nic przeciwko temu entuzjazmowi, gdyby Joey pochodził z New Hampshire albo innego stanu o silnej koszykarskiej tradycji. Ale on był z Indiany. Krainy dziesięciu największych uniwersytetów Środkowego Zachodu. Jego ojciec grał dla Indiany, na miłość boską! A on stał się nagle zagorzałym fanem w stylu: „lubię Duke od urodzenia i kumpluję się z Bobbym Hurleyem, bo kiedyś pił w siedzibie mojego bractwa". Jednak przymykałam oczy na te niedoskonałości i przetrwaliśmy razem cały drugi rok, a potem jeszcze trzeci.

Jednak pewnego wieczoru, po tym jak Duke przegrało z Wake Forest w kosza, Joey przyszedł do mnie w podłym nastroju. Zaczęliśmy kłócić się o wszystko i o nic. Z początku były to błahostki: on powiedział, że chrapię i zawsze śpię pośrodku łóżka (jak można n i e s p a ć pośrodku jednoosobowego łóżka?). Ja skarżyłam się, że on ciągle myli szczoteczki do zębów (jak można je mylić?). Kłótnia zeszła na bardziej znaczące sprawy. I nie było już odwrotu, kiedy nazwał mnie nudną intelektualistką, a ja określiłam go mianem bezwstydnego sezonowca, który naprawdę wierzy, że jego pomalowana na niebiesko twarz przyczynia się do triumfów Duke. On poradził mi, żebym się wyluzowała i okazała trochę dumy z własnej szkoły, a potem wybiegł z pokoju.

Wrócił następnego dnia z ponurym wyrazem twarzy i przemyślanym wstępem pod tytułem: „musimy porozmawiać", zakończonym konkluzją: „zawsze będziemy przyjaciółmi". Byłam bardziej zdumiona niż smutna, lecz przyznałam, że być może powinniśmy zdobyć na uczelni nieco bardziej zróżnicowane doświadczenia, co tak naprawdę oznaczało umawianie się na randki z innymi osobami. Powiedzieliśmy, że na zawsze pozostaniemy przyjaciółmi, chociaż wiedziałam, że zbyt mało nas łączy, żeby naprawdę tak się stało.

Nie uroniłam ani jednej łzy, dopóki nie zobaczyłam go na jakiejś imprezie, gdzie trzymał za rękę Betsy Wingate, która na pierwszym roku również mieszkała w naszym akademiku. Wcale nie miałam ochoty trzymać go za rękę, więc wiedziałam, że moja reakcja stanowi jedynie mieszankę nostalgii i urażonej dumy. Oraz żalu, że być może powinnam była postarać się o Huntera, którego już dawno złowiła jakaś inna wymagająca studentka.

Zadzwoniłam do Darcy w tej rzadkiej chwili odwrócenia ról, szukając pocieszenia u ekspertki w sprawach związków.

Powiedziała, żebym nie patrzyła wstecz, że dzięki Joeyowi zyskałam kilka fajnych uczelnianych wspomnień, jakich nie dałby mi Hunter, który zrujnowałby mnie towarzysko.

– Zresztą – powiedziała poważnie – Joey nauczył cię podstaw przewidywalnego seksu w misjonarskim stylu. A to już coś, prawda? – Tak brzmiała jej wersja przemowy zagrzewającej do walki. Chyba trochę mi pomogła.

Ciągle miałam nadzieję, że Hunter zerwie ze swoją dziewczyną, lecz nigdy do tego nie doszło. W Duke nie chodziłam już więcej na randki, podobnie jak przez większość studiów prawniczych. Długi okres posuchy zakończył się wreszcie za sprawą Nate'a Menke'a.

Poznałam Nate'a na pierwszym roku studiów, na jakiejś imprezie, lecz przez kolejne trzy lata prawie ze sobą nie rozmawialiśmy, ograniczając się do zwykłego „cześć". Pewnego razu obydwoje znaleźliśmy się na tych samych kameralnych zajęciach: „Silna osobowość. Prawo i społeczeństwo w dobie indywidualizmu". Podczas tych zajęć Nate często zabierał głos, lecz w przeciwieństwie do większości studentów prawa nie robił tego po to, żeby usłyszeć samego siebie. Naprawdę miał do powiedzenia wiele interesujących rzeczy. Kiedy pewnego dnia błysnęłam jakimś trafnym argumentem, zapytał, czy nie zechciałabym pójść na kawę, żeby przedyskutować temat. Zamówił kawę bez cukru i śmietanki. Pamiętam, że wybrałam dokładnie to samo, ponieważ taka decyzja wydała mi się bardziej wyrafinowana niż ładowanie do kubka mleka i cukru. Po wypiciu kawy wybraliśmy się na długi spacer po Village, przystając w sklepach z płytami i w antykwariatach. Później poszliśmy na obiad i nim nastał wieczór, było już jasne, że zostaniemy parą.

Strasznie się cieszyłam, że znowu mam chłopaka, i większość cech Nate'a szybko zaczęła mnie fascynować. Na przykład podobała mi się jego twarz. Miał najfajniejsze na świecie oczy, których kąciki wędrowały odrobinę w górę, i gdyby nie jasna cera, nadawałyby mu wygląd Azjaty. Lubiłam również jego osobowość. Miał łagodny głos, ale silną wolę, a w dodatku był aktywny politycznie w sposób arogancki i gniewny. Ciężko było nadążyć za wszystkimi sprawami, w które się angażował, lecz bardzo się starałam, a nawet przekonałam samą siebie, że czuję to co on. W porównaniu z Joeyem, który był w stanie wykrzesać z siebie namiętność tylko dla drużyny koszykówki, Nate wydawał się niezwykle rzeczywisty. W łóżku również był bardzo zaangażowany. Chociaż przede mną miał niewiele partnerek, sprawiał wrażenie bardzo doświadczonego i zawsze zachęcał mnie do wypróbowania czegoś nowego. „Co powiesz na to?", „A na to?" – pytał, a potem zapamiętywał ułożenie swojego ciała i następnym razem dokładnie powtarzał nasze odkrycia.

Obydwoje skończyliśmy prawo i spędziliśmy lato w mieście, ucząc się do egzaminu. Codziennie szliśmy razem do biblioteki, robiąc przerwy jedynie na jedzenie i sen. Godzina po godzinie, dzień po dniu, tydzień po tygodniu wkuwaliśmy w nasze przeciążone mózgi tysiące przepisów, faktów, praw i teorii. Obydwoje kierowaliśmy się nie tyle pragnieniem sukcesu, ile wszechogarniającym strachem przed porażką, co Nate tłumaczył tym, że jesteśmy jedynakami. Nieustanna harówka bardzo nas do siebie zbliżyła. Obydwoje byliśmy nieszczęśliwi, lecz cieszyliśmy się, że tkwimy w tym nieszczęściu razem.

Jednak tamtej jesieni jedno z nas przestało być nieszczęśliwe. Nate zaczął pracować jako asystent prokuratora okręgowego w Queens, a ja rozpoczęłam pracę w kancelarii w centrum miasta. On uwielbiał swoją pracę, a ja mojej nie znosiłam. Kiedy Nate przesłuchiwał świadków i szykował się do procesu, mnie zdegradowano do produkowania dokumentów – najgorszego zajęcia w prawniczej branży. Co wieczór przesiadywałam w salach konferencyjnych, analizując sterty papierów z niezliczonych kartonów. Patrzyłam na daty tych pism i myślałam: Kiedy pisano ten list, robiłam prawo jazdy, a on nadal kursuje w niekończącym się cyklu sporów prawnych. To wszystko wydawało się takie bezcelowe.

Zatem moje życie było smętne – nie licząc związku z Nate'em. Powoli zaczęłam go uważać za jedyne źródło mojego szczęścia. Często mu mówiłam, że go kocham, a kiedy odwdzięczał się tym samym, czułam raczej ulgę aniżeli radość. Zaczęłam myśleć o małżeństwie. Rozmawialiśmy nawet o dzieciach i miejscu, w którym zamieszkamy.

Jednak pewnego wieczoru poszłam z Nate'em do jakiegoś baru w Village, żeby posłuchać koncertu folkowej wokalistki z Brooklynu Carly Weinstein. Po występie Nate, ja i kilka innych osób rozpoczęliśmy rozmowę z artystką, która odkładała gitarę z delikatnością właściwą początkującej matce.

– Teksty twoich piosenek są piękne... co cię inspiruje? – zapytał ją Nate z wytrzeszczonymi z podziwu oczami.

Od razu zaczęłam się niepokoić. Pamiętałam to spojrzenie z naszej pierwszej randki przy kawie. Zmartwiłam się jeszcze bardziej, kiedy kupił jej płytę. Nie była aż t a k dobra. Myślę, że Nate i Carly umówili się na randkę tydzień później, ponieważ zdarzył się wtedy jeden wieczór, kiedy nigdzie nie mogłam go znaleźć i nie odbierał telefonu aż do północy. Za bardzo się bałam, żeby zapytać, gdzie był. Zresztą i tak wiedziałam. Zmienił się. Patrzył na mnie inaczej – po jego twarzy przemykał wtedy jakiś cień i myślami był gdzieś indziej.

Rzeczywiście, wkrótce przeprowadziliśmy poważną rozmowę. Był bardzo konkretny:

– Darzę uczuciem kogoś innego – oznajmił. – Zawsze obiecywałem, że ci o tym powiem.

Doskonale pamiętałam te rozmowy – pamiętałam, jak bardzo podobały mi się siła i pewność siebie brzmiące w moim głosie, kiedy mówiłam, że jeśli kiedykolwiek kogoś pozna, powinien natychmiast mi o tym powiedzieć, że potrafię to znieść. Rzecz jasna, nie wiedziałam wtedy, że ta kwestia kiedykolwiek wyjdzie poza sferę hipotez. Chciałam cofnąć te wszystkie beztroskie zalecenia i powiedzieć mu, że o wiele bardziej wolałabym delikatne kłamstwo o potrzebie większej przestrzeni lub tymczasowej przerwy.

– Czy to Carly? – zapytałam, czując ucisk w gardle.

– Skąd wiesz? – Wyglądał na wstrząśniętego.

– Po prostu czułam – nie mogłam zdusić łkania.

– Tak mi przykro – powiedział, obejmując mnie. – Podle się czuję, raniąc cię w ten sposób. Ale muszę być uczciwy. Jestem ci to winien.

Zatem miał nową dziewczynę, a na dodatek musiał być szlachetny. Próbowałam wpaść w złość. Ale jak można złościć się na kogoś za to, że nie chce z tobą być? Zamiast tego snułam się naburmuszona, przytyłam parę kilo i wyrzekłam się mężczyzn.

Nate dzwonił do mnie przez kilka miesięcy po naszym rozstaniu. Wiedziałam, że robi to z uprzejmości, lecz jego telefony dawały mi złudną nadzieję. Nigdy nie mogłam powstrzymać pytania o jego nową dziewczynę.

– U Carly wszystko w porządku – odpowiadał zakłopotany. Pewnego razu powiedział:

– Chcemy razem zamieszkać… i chyba się zaręczymy… – Zamilkł.

– Gratulacje. To świetnie. Naprawdę się cieszę – wydusiłam z siebie.

– Dziękuję, Rachel. Te słowa wiele dla mnie znaczą.

– Tak… wszystkiego najlepszego i w ogóle, ale chyba nie chcę, żebyś do mnie więcej dzwonił, dobrze?

– Rozumiem – powiedział i prawdopodobnie mu ulżyło, że wreszcie dałam mu spokój.

Od tamtej rozmowy nie miałam żadnych wieści od Nate'a. Nie jestem pewna, czy się pobrali i kiedy, ale czasami, kupując płyty, nadal szukam Carly Weinstein. Jak dotąd nie zrobiła kariery.

Patrząc na to z perspektywy czasu, nie jestem pewna, czy naprawdę kochałam Nate'a czy jedynie poczucie bezpieczeństwa, jakie dawał mi nasz związek. Zastanawiam się, czy moje uczucia do niego nie wiązały się z nienawiścią do ówczesnej pracy. Od czasu egzaminów adwokackich i przez cały pierwszy przeklęty rok w kancelarii Nate był moją odskocznią. A czasami to cholernie mocno przypomina miłość.

Od rozstania z Nate'em upłynęło wystarczająco dużo czasu. Zgubiłam kilogramy, których przybyło mi po zerwaniu, zrobiłam sobie pasemka i zgodziłam się na całą serię randek w ciemno. W najgorszym razie były okropne. Z reguły zwyczajnie niezręczne i niewarte zapamiętania. Potem poznałam Aleca Kaplana w Szpiegowskim Barze w Soho. Byłam z Darcy i kilkoma przyjaciółkami z jej pracy, a on i jego supermodni kumple po prostu nas zagadnęli. Alec, rzecz jasna, wystartował najpierw do Darcy, ale ona pchnęła go w moją stronę – dosłownie – z wyraźnym zaleceniem, żeby „porozmawiał z jej przyjaciółką". W jej mniemaniu była to największa szczodrość. Pomimo że miała Deksa, nigdy nie rezygnowała z męskiego zainteresowania.

– On jest naprawdę fajny – szeptała ciągle. – Poderwij go.

Miała rację, Alec był fajny. Jednak z drugiej strony za bardzo absorbował go własny *image*. Należał do tego rodzaju facetów, którzy wyrastają z mundurków fajnych kolesi z *college*'u, złożonych ze sfatygowanych czapeczek bejsbolowych, koszulek bractwa studenckiego oraz plecionych pasków ze skóry, i zamieniają je na mundurki fajnego dwudziestoparoletniego mieszczucha, składające się z modnych koszulek ze spandeksu, obcisłych czarnych spodni o lekkim połysku i całych ton żelu na włosach. Opowiadał za dużo dowcipów zaczynających się od słów: „wchodzi facet do baru" (żaden nie był zabawny), i wojowniczych historii z cyklu: „ale ze mnie zajebisty handlowiec" (żadna nie budziła podziwu). Kiedy tamtego wieczoru postawił mi drinka, rzucił na bar studolarowy banknot i głośno oznajmił barmanowi, że niestety nie ma drobnych. Mówiąc w wielkim skrócie, uosabiał coś, co nazywamy wraz z Darcy ZBSS – Za Bardzo Się Starał.

Jednak Alec był dosyć bystry, stosunkowo zabawny i raczej miły. Zatem kiedy poprosił o mój numer telefonu, dałam mu go. A kiedy zadzwonił i zaprosił mnie na kolację, poszłam. A kiedy cztery randki później z prążkowaną prezerwatywą w dłoni złożył mi niestosowną propozycję, wzdrygnęłam się w głębi serca, ale się zgodziłam. Miał wspaniałe ciało, lecz seks z nim był przeciętny. Moje myśli często płynęły w kierunku pracy, a pewnego razu, kiedy w tle rozbrzmiewała relacja sportowa, wyobraziłam sobie nawet, że jest Pete'em Samprasem. Wiele razy byłam bliska zerwania z nim, lecz Darcy ciągle powtarzała, żeby dać mu jeszcze jedną szansę, że jest bogaty i fajny.

– O wiele bogatszy i fajniejszy niż Nate – zauważyła. Jak gdyby nic więcej nie miało znaczenia.

Niestety, pewnego wieczoru Claire zobaczyła, jak Alec całuje w Merchants drobną, nieco tandetnie ubraną blondynkę. Kiedy dziewczyna poszła do toalety, Claire zaczepiła Aleca i ostrzegła, że jeśli sam nie przyzna się do zdrady, powie mi o niej osobiście. Zatem następnego dnia Alec zadzwonił i wyjąkał przeprosiny, mówiąc, że wraca do byłej dziewczyny, którą – jak się domyśliłam – była blondynka w Merchants. Prawie mu powiedziałam, że ja również chciałam z nim zerwać – taka była prawda. Jednak tak mało mnie to obchodziło, że nie zadałam sobie trudu, aby wszystko wyjaśnić. Po prostu powiedziałam: W porządku, życzę szczęścia. I tyle.

Od czasu do czasu natykam się na Aleca w klubie sportowym niedaleko pracy. Jesteśmy dla siebie bardzo uprzejmi – pewnego razu ćwiczyliśmy nawet na sąsiednich stepperach i wcale się nie przejmowałam, że jestem cała czerwona i mam na sobie paskudne szare dresy (Darcy twierdzi, że nie powinno się ich nosić w miejscach publicznych). Przy okazji trochę pogadaliśmy. Zapytałam o jego dziewczynę i pozwoliłam, żeby rozgadał się o ich zbliżającej się wyprawie na Jamajkę. Ta uprzejmość nie wymagała ode mnie zbytniego wysiłku, co stanowiło kolejny niezbity dowód na to, że tak naprawdę wcale nie angażowałam się w nasz romans. W pewnym sensie nie powinnam nawet zaliczać Aleca do kategorii poważnych związków. Ponieważ z nim sypiałam (a uważam się za kobietę sypiającą wyłącznie z mężczyznami, z którymi pozostaje w prawdziwych związkach), włączam go do tego – niestety, bardzo ekskluzywnego – klubu.

Rozmyślam o moich trzech chłopakach, trzech mężczyznach, z którymi sypiałam jako dwudziestoparolatka, i szukam jakiegoś wspólnego wzorca. Nic. Żadnych spójnych rysów, karnacji, cech budowy i osobowości. Jednak jeden wątek wyraźnie się wyróżnia: to oni mnie wybierali. A potem rzucali. Ja odgrywałam rolę biernej. Czekałam na Huntera, a potem zadowoliłam się Joeyem. Czekałam, żeby poczuć coś więcej do Nate'a. Potem, żeby poczuć mniej. Czekałam, żeby Alec w końcu sobie poszedł i zostawił mnie w spokoju.

A teraz Dex. Mój numer cztery. I znowu czekam.

Żeby to wszystko się skończyło.

Czekam na jego wrześniowy ślub.

Czekam na kogoś, kto przyprawi mnie o drżenie, kiedy popatrzę, jak śpi w moim łóżku w sobotni poranek, i kto nie jest zaręczony z moją najlepszą przyjaciółką.

ROZDZIAŁ 6

W sobotni wieczór jadę taksówką do Gotham Bar and Grill z otwartym umysłem i pozytywnym nastawieniem – to połowa sukcesu przed każdą randką – i myślę, że być może Marcus okaże się tym, kogo szukam.

Wchodzę do restauracji i od razu go dostrzegam. Siedzi przy barze ubrany w workowate dżinsy i lekko pogniecioną koszulę w zieloną kratę z niedbale podwiniętymi rękawami – przeciwieństwo ZBSS.

– Przepraszam za spóźnienie – mówię, kiedy wstaje, żeby mnie powitać. – Miałam problemy ze znalezieniem taksówki.

– W porząsiu – wskazuje najbliższe barowe krzesło.

Siadam. Uśmiecha się, odsłaniając dwa rzędy bardzo białych, prostych zębów. To chyba najlepszy element jego wyglądu. Zęby albo dołeczek w kwadratowej brodzie.

– Czego się napijesz? – pyta.

– A co zamówiłeś dla siebie?

– Dżin z tonikiem.

– Wezmę to samo.

Zerka w kierunku barmana, wyciągając dwudziestaka, a następnie znowu spogląda na mnie.

– Świetnie wyglądasz, Rachel.

Dziękuję mu. Minęło sporo czasu od chwili, kiedy usłyszałam prawdziwy komplement od faceta. Dociera do mnie, że ja i Dex nie wysilaliśmy się na komplementy.

W końcu Marcusowi udaje się zwrócić uwagę barmana i zamawia mi Bombay Sapphire z tonikiem. Potem mówi:

– Kiedy widziałem cię po raz ostatni, byłaś na porządnym rauszu... Świetnie się bawiłem tamtego wieczoru.

– Tak. Byłam nieźle zamroczona – przyznaję, mając nadzieję, że Dex mówił prawdę i rzeczywiście Marcus o niczym nie wie. – Ale przynajmniej udało mi się wrócić do domu przed świtem. Darcy wspominała, że dla ciebie i Deksa wieczór skończył się dosyć późno.

– Tak. Trochę się włóczyliśmy – mówi Marcus, nie patrząc mi w oczy. To dobry znak. Kryje przyjaciela, ale kłamanie sprawia mu kłopot. Bierze od barmana resztę, kładzie na barze dwa banknoty i kilka monet, po czym podaje mi drinka.

– Proszę bardzo.

– Dzięki. – Uśmiecham się, mieszam w szklance i upijam łyk przez cienką słomkę.

Jakaś wychudła Azjatka w skórzanych spodniach i z nadmiarem kredki na ustach klepie Marcusa po ramieniu i mówi, że nasz stolik już czeka. Bierzemy drinki i idziemy za nią do restauracji za barem. Kiedy siadamy, wręcza nam dwa przesadnie duże *menu* i kartę win.

– Wkrótce podejdzie do państwa kelnerka – odrzuca długie czarne włosy na plecy i oddala się od nas energicznym krokiem.

Marcus zerka na kartę win i pyta, czy chciałabym zamówić butelkę wina.

– Jasne – odpowiadam.

– Czerwone czy białe?

– Obojętnie.

– Weźmiesz jakąś rybę? – Spogląda w *menu*.

– Być może. Ale nie mam nic przeciwko piciu czerwonego wina do ryby.

– Nie jestem zbyt dobry w wybieraniu win – mówi, strzelając pod stołem palcami. – Chcesz rzucić na to okiem?

– Niekoniecznie. Wybierz coś. Na pewno będzie nam smakować.

– Dobrze. Zdecyduję się na to. – Posyła mi uśmiech świadczący o tym, że nigdy nie zdarzyło mu się zapomnieć o założeniu na noc aparatu ortodontycznego.

Analizujemy *menu*, dzieląc się spostrzeżeniami na temat potraw. Marcus przysuwa krzesło do stołu i czuję, że nasze kolana się stykają.

– Prawie zrezygnowałem z zaproszenia cię na randkę, bo będziemy mieszkać w tym samym domku i w ogóle – mówi Marcus, nadal przeglądając *menu*. – Dex powiedział, że tutaj to jedna z najważniejszych zasad. Nie angażować się w związki z osobami z tego samego domku. Przynajmniej do sierpnia.

Śmieje się, a ja zapisuję to w myślach, aby poddać później analizie: Dex zniechęcał go do tej randki.

– Ale potem pomyślałem, no wiesz, co mi tam: ona mi się podoba, to do niej zadzwonię. Mam na myśli to, że chciałem się z tobą umówić już w chwili, kiedy Dex nas sobie przedstawił. Od razu po przeprowadzce. Ale przez jakiś czas widywałem się z tą dziewczyną z San Francisco i pomyślałem, że zanim do ciebie zadzwonię, powinienem to zakończyć. Wiesz, żeby po prostu było ładnie i miło. Ostatecznie załatwiłem więc tę sprawę… a teraz siedzimy tutaj. – Ociera czoło wierzchem dłoni, jak gdyby to wyznanie sprawiło mu ulgę.

– Myślę, że podjąłeś słuszną decyzję.

– Czekając?

– Nie. Dzwoniąc. – Posyłam mu mój najbardziej uwodzicielski uśmiech i na chwilę przypominam sobie o Darcy. Nie ma monopolu na kobiecą atrakcyjność, myślę. Nie muszę zawsze być tą poważną szarą myszką.

Przerywa nam kelnerka.

– Witam państwa. Jak się państwo miewają dzisiejszego wieczoru?

– Dobrze – wesoło mówi Marcus i dodaje ściszonym głosem: – Jesteśmy na pierwszej randce.

Śmieję się, ale nasza kelnerka zdobywa się jedynie na sztywny powściągliwy uśmiech.

– Czy mogę zaproponować państwu dania dnia?

– Jasne – odpowiada Marcus.

Wbija wzrok w przestrzeń tuż nad naszymi głowami i recytuje listę specjalności zakładu, nazywając każdą z nich „smaczną": „smaczny okoń", „smaczne risotto" i tak dalej. Kiwam głową i prawie jej nie słucham, myśląc o tym, że Dex zniechęcał Marcusa do tej randki, i zastanawiając się, co to oznacza.

– Może zechcą państwo zacząć od czegoś do picia?

– Tak… Chyba zdecydujemy się na butelkę czerwonego wina. Które pani poleca? – Marcus patrzy na *menu*, mrużąc oczy.

– Pinot Noir Marjorie jest d o s k o n a ł y. – Wskazuje kartę win.

– Dobrze. W takim razie poprosimy o to. Wspaniale.

Kelnerka posyła mi kolejny wymuszony uśmiech.

– Czy są państwo gotowi do złożenia zamówienia?

– Tak, chyba tak – mówię, po czym zamawiam warzywną sałatkę i tuńczyka.

– Czy tuńczyk ma być bardzo wysmażony?

– Średnio.

Marcus zamawia zupę z zielonego groszku i jagnięcinę.

– Doskonały wybór – chwali go nasza kelnerka, pretensjonalnie przechylając głowę. Zabiera nasze *menu* i obraca się na pięcie.

– Jeju – mówi Marcus.

– O co chodzi?

– Ta laska nie ma za grosz osobowości.

Śmieję się.

Marcus się uśmiecha.

– O czym to rozmawialiśmy?... A tak, o Hamptons.

– Racja.

– No więc zdaniem Deksa umawianie się z kimś z tego samego domku nie jest najlepszym pomysłem. Ja mu na to: Stary, nie stosuję się do tych głupich zasad ze Wschodniego Wybrzeża. Jeśli zaczniemy się nienawidzić, będziemy się nienawidzić.

– Nie sądzę, żebyśmy mieli się znienawidzić – stwierdzam.

Nasza kelnerka wraca z butelką wina, otwiera ją i nalewa odrobinę do kieliszka Marcusa. On upija zdrowy łyk i informuje mnie, że jest świetne, pomijając całą pretensjonalną ceremonię. Można wiele powiedzieć o facecie na podstawie tego, jak pije wino. Nie zapowiada się najlepiej, jeśli oddaje się temu całemu mieszaniu, wsadzaniu nosa w kieliszek, piciu wolno i z rozmysłem, by na koniec zmarszczyć brwi i lekko kiwnąć głową, nie okazując przy tym nadmiernego entuzjazmu, jak gdyby chciał powiedzieć: Ujdzie, ale pijałem lepsze. Jeśli naprawdę jest koneserem wina, można mu wybaczyć. Jednak zazwyczaj to tylko pokaz, który obserwuje się z bólem serca.

Kiedy kelnerka nalewa mi wina, pytam Marcusa, czy wie o zakładzie.

– O jakim zakładzie? – Kręci głową.

Czekam do chwili, kiedy znowu zostajemy sami – wystarczy, że kelnerka wie, że to pierwsza randka.

– Dex i Darcy założyli się o to, czy zgodzę się z tobą umówić.

– Nie żartuj. – Dla większego efektu rozdziawia usta. – Kto stawiał na to, że ze mną pójdziesz, a kto, że mnie spławisz?

– Och, zapomniałam. – Udaję, że nie wiem. – Nie o to chodzi. Chodzi o to, że...

– Że za bardzo interesują się naszymi sprawami! – Kręci głową. – Dranie.

– Wiem.

– Za to, żeby udało nam się wymknąć Deksowi i Darcy. – Unosi kieliszek. – Nie podzielimy się z tymi wścibskimi szubrawcami szczegółami dzisiejszego wieczoru.

Śmieję się.

– Bez względu na to, jak udana albo okropna będzie nasza randka!

Stukamy się kieliszkami. Jednocześnie upijamy po łyku.

– Ta randka n i e b ę d z i e okropna. Zaufaj mi.

– Ufam ci. – Uśmiecham się.

Ufam mu, myślę. W jego poczuciu humoru i beztroskim stylu mieszkańca Środkowego Zachodu jest coś rozbrajającego. Poza tym nie jest zaręczony z Darcy. To duży plus.

Wtedy, jak gdyby na zawołanie, Marcus pyta, od jak dawna znam Darcy.

– Od dwudziestu kilku lat. Kiedy ją poznałam, miała na sobie śliczną małą sukieneczkę, a ja byłam ubrana w głupie spodenki z Searsa z podobizną Kubusia Puchatka. Pomyślałam wtedy: Oto dziewczyna z klasą.

Marcus wybucha śmiechem.

– Założę się, że w spodenkach z Kubusiem Puchatkiem wyglądałaś słodko.

– Niezupełnie…

– A potem zapoznałaś ze sobą Darcy i Deksa, prawda? Mówił, że na studiach prawniczych byliście dobrymi przyjaciółmi.

Tak. Mój dobry przyjaciel Dex. Ostatni mężczyzna, z którym się przespałam.

– Uhmm. Poznałam go w pierwszym semestrze. Od razu wiedziałam, że on i Darcy będą do siebie pasować – mówię. To lekka przesada, ale chcę wyraźnie zaznaczyć, że sama nigdy nie brałam Deksa pod uwagę. Bo i nie brałam. Nadal nie biorę.

– Oni nawet wyglądają podobnie… Można się domyślić, jakie będą ich dzieci.

– Tak. Będą piękne. – Czuję niewytłumaczalny ucisk w piersi, wyobrażając sobie, jak Dex i Darcy kołyszą swoje nowo narodzone dziecko. Z jakiegoś powodu nigdy nie wybiegałam myślami dalej niż do ich wrześniowego ślubu.

– Co się stało? – pyta Marcus, który najwidoczniej zauważył moją minę. Co wcale nie oznacza, że jest spostrzegawczy, po prostu moja twarz nie należy do najbardziej nieprzeniknionych. To moje przekleństwo.

– Nic – odpowiadam. Potem uśmiecham się i prostuję na krześle. Czas na zmianę tematu. – Dosyć już o Deksie i Darcy.

– Tak – zgadza się. – Będę słuchał ciebie.

Rozpoczynamy typową pierwszorandkową rozmowę, gawędząc o pracy, rodzinach i przeszłości. Mówimy o jego firmie internetowej, która zbankrutowała, i o przeprowadzce do Nowego Jorku. Podają nam jedzenie. Jemy, gawędzimy i zamawiamy drugą butelkę wina. Częściej się śmiejemy, niż milczymy. Czuję się na tyle swobodnie, że kiedy proponuje mi kawałek cielęciny, częstuję się.

Po kolacji Marcus płaci rachunek. Dla mnie zawsze jest to niezręczna chwila, chociaż proponowanie dorzucenia się do rachunku (szczere lub sprowadzające się do niezdecydowanego sięgnięcia po portfel) jest chyba jeszcze bardziej krępujące. Dziękuję mu i kierujemy się ku wyjściu, a tam postanawiamy pójść na kolejnego drinka.

– Wybierz jakieś miejsce – prosi Marcus.

Decyduję się na nowy bar, który otwarto niedaleko mojego mieszkania. Wsiadamy do taksówki i rozmawiamy przez całą drogę na Upper East Side. Potem sadowimy się przy barze i gawędzimy dalej.

Proszę, żeby opowiedział mi o swoim rodzinnym miasteczku w Montanie. Milknie na chwilę, a potem mówi, że ma w zanadrzu ciekawą historię.

– Tylko jakieś dziesięć procent mojej klasy poszło do *college*'u – zaczyna. – Większość uczniów w ogóle nie zadała sobie trudu, żeby podejść do egzaminu, którego wyniki decydują o przyjęciu na studia. Ja do niego przystąpiłem, poradziłem sobie, złożyłem dokumenty do Georgetown i zostałem przyjęty. W szkole oczywiście o niczym nie wspomniałem – po prostu robiłem swoje, łaziłem z chłopakami i tak dalej. Po jakimś czasie kadra dowiaduje się o Georgetown i pewnego dnia mój nauczyciel matematyki pan Gilhooly postanawia oznajmić dobre wieści całej klasie.

Kręci głową, jak gdyby to wspomnienie sprawiało mu ból.

– Wszyscy zareagowali mniej więcej tak: „No i co z tego? Wielkie rzeczy!". – Marcus naśladuje znudzonych kolegów z klasy, splatając ręce na piersi i dotykając ust otwartą dłonią. – I to chyba strasznie wkurzyło pana Gilhooly'ego. Chciał, żeby naprawdę dostrzegli głębię swoich wad i czekającą ich smutną przyszłość. No więc zaczął rysować na tablicy wykres obrazujący moją przyszłą pensję w pracy z dyplomem z *college*'u, porównując ją z pieniędzmi, które zarobią, biegając z tacą w McDonaldzie. A także jak bardzo krzywe naszych dochodów będą się od siebie oddalać wraz z upływem czasu.

– Żartujesz!

– Tak było. Wszyscy siedzieli i myśleli: „Pieprzyć Marcusa", nie? Jak gdybym uważał się za jakiegoś cholernego supermana tylko dlatego, że pewnego dnia doczekam się sześciocyfrowych zarobków. Miałem ochotę zabić tego gościa. – Marcus wyrzuca ręce w powietrze. – Wielkie dzięki, panie Gilhooly. Dzięki panu zyskałem wielu przyjaciół.

Śmieję się.

– No więc co, do cholery, powinienem zrobić w takiej sytuacji? Musiałem pozbyć się wizerunku totalnego dupka, prawda? Zatem wychodziłem ze skóry, żeby wszystkim pokazać, że studia mam głęboko gdzieś. Zacząłem codziennie jarać trawę, a w *college*'u robiłem to nadal. Dlatego, no wiesz, ukończyłem Georgetown jako jeden z najgorszych absolwentów. Na pewno słyszałaś o pilocie od telewizora? – pyta, zdzierając nalepkę ze swojego heinekena.

Uśmiecham się i klepię go po dłoni.

– Tak. Znam tę historię. Tylko że w mojej wersji ukończyłeś *college* na szarym końcu.

– Oooo, kurczę! – Marcus kręci głową. – Dex nigdy nie opowiada tej cholernej historii tak jak trzeba. Ze średnią 1,67 kogoś tam wyprzedziłem! Nie byłem ostatni! Byłem jednym z ostatnich!

Po wypiciu dwóch drinków zerkam na zegarek i mówię, że robi się późno.

– Dobra. Odprowadzić cię do domu?

– Jasne.

Idziemy w kierunku Trzeciej Alei i zatrzymujemy się przed moim budynkiem.

– No, to dobranoc, Marcus. Wielkie dzięki za kolację. Naprawdę dobrze się bawiłam. – Rzeczywiście tak myślę.

– Tak. Ja też. Było fajnie. – Szybko oblizuje usta. Wiem, co się szykuje. – Cieszę się, że latem będziemy mieszkać w tym samym domku.

– Ja też.

Potem pyta, czy może mnie pocałować. Zazwyczaj nie lubię tego pytania. Po prostu całuj, myślę zawsze. Jednak z jakiegoś powodu w ustach Marcusa wcale nie brzmi to irytująco.

Kiwam głową, a on pochyla się i całuje mnie – niezbyt krótko i niezbyt długo.

Odsuwamy się od siebie. Moje serce nie bije jak szalone, ale jestem zadowolona.

– Myślisz, że o to też zakładali się Dex i Darcy? – pyta.

Wybucham śmiechem, ponieważ również się nad tym zastanawiam.

– Jak poszło? – wrzeszczy w słuchawkę Darcy następnego ranka.

Właśnie wyszłam spod prysznica i jestem cała mokra.

– Gdzie jesteś?

– W samochodzie z Deksem. Wracamy do miasta – informuje. – Wybraliśmy się na poszukiwanie antyków, pamiętasz?

– Tak. Pamiętam.

– Jak poszło? – pyta ponownie, głośno żując gumę. Nie może poczekać do chwili powrotu do domu, żeby usłyszeć relację z mojej randki.

Nie odpowiadam.

– No?

– Mamy jakieś problemy z połączeniem. Słabo cię słyszę – mówię. – Halo?

– Daj spokój. Chcę usłyszeć dobre nowiny.

– Jakie dobre nowiny?

– Rachel! Nie udawaj głupiej. Opowiedz mi o swojej randce! Umieramy z ciekawości.

– Po prostu u m i e r a m y! – W tle rozlega się głos Deksa.

– To był cudowny wieczór – odpowiadam, próbując owinąć włosy ręcznikiem, nie upuszczając słuchawki.

– Tak! Wiedziałam. Proszę o szczegóły! Szczegóły! – piszczy.

Mówię jej, że poszliśmy do Gotham Bar and Grill. Ja zamówiłam tuńczyka, a on jagnięcinę.

– Rachel! Przejdź do konkretów! Poszliście na całość?

– Tego nie mogę ci powiedzieć.

– Dlaczego?

– Mam swoje powody.

– To znaczy, że tak – mówi. – W przeciwnym razie po prostu powiedziałabyś, że nie.

– Myśl sobie, co chcesz.

– Daj spokój, Rachel!

Mówię, że nie ma mowy, nie zamierzam dostarczać jej rozrywki podczas podróży samochodem. Powtarza moje słowa Deksowi i słyszę jego odpowiedź:

– Naszą rozrywką w podróży jest Bruce. Powiedz jej to.

W tle słychać dźwięki *Tunnel of Love.*

– Powiedz Dexterowi, że to najgorszy album Bruce'a.

– One wszystkie są do kitu. Springsteen jest do bani – mówi Darcy.

– Czy ona powiedziała, że ten album jest kiepski? – Słyszę pytanie Deksa skierowane do Darcy.

Darcy odpowiada, że tak, a kilka sekund później w słuchawce dudni *Thunder Road*. Darcy krzyczy, żeby to ściszył. Uśmiecham się.

– Zamierzasz nam powiedzieć czy nie? – pyta Darcy.

– Nie.

– A jeśli obiecam, że nie powiem Deksowi?

– Też nie.

Darcy wydaje z siebie westchnienie rozdrażnienia. Potem zapewnia, że i tak się dowie, i odkłada słuchawkę.

Następnym razem rozmawiam z Deksem w czwartek wieczorem, dzień przed zaplanowanym wyjazdem do Hamptons.

– Podwieźć cię? Mamy jeszcze miejsce dla jednej osoby – mówi. – Jedzie z nami Claire. Będzie też twój chłopak.

– Cóż, w takim razie pojadę z przyjemnością – silę się na radosny i beztroski ton. Muszę mu pokazać, że już o nim zapomniałam. Z a p o m n i a ł a m o nim.

Nazajutrz o piątej wszyscy siedzimy w samochodzie Dextera, mając nadzieję, że uda nam się uniknąć korków. Jednak drogi są już zatłoczone. Przejazd przez Midtown Tunnel zajmuje nam godzinę, a cztery kolejne upływają na pokonywaniu stu osiemdziesięciu kilometrów do East Hampton. Siedzę z tyłu pomiędzy Claire i Marcusem. Darcy jest wesoła i rozentuzjazmowana. Przez większość podróży siedzi odwrócona w naszym kierunku, porusza różne tematy, zadaje pytania i generalnie podtrzymuje rozmowę. To zachowanie nadaje całej wyprawie posmak wielkiego wydarzenia. Jej dobry humor jest równie zaraźliwy jak ten zły. Marcus jest drugą najbardziej rozgadaną osobą w naszym gronie. Przez pięćdziesiąt kilometrów nabijają się z siebie nawzajem. Ona nazywa go leniuchem, a on ją paniusią. Od czasu do czasu wtrącam się ja albo Claire. Dex milczy. Siedzi tak cicho, że w pewnej chwili Darcy krzyczy, żeby nie był takim nudziarzem.

– Prowadzę – oznajmia. – Muszę się skupić.

Potem spogląda na mnie we wstecznym lusterku. Zastanawiam się, o czym myśli. Jego wzrok jest nieprzenikniony.

Kiedy zatrzymujemy się na stacji benzynowej przy drodze numer dwadzieścia siedem z zamiarem kupienia czegoś do jedzenia i piwa, robi się już ciemno. Gdy stoję przed półką z chipsami, Claire podchodzi do mnie, bierze mnie pod rękę i mówi:

– Widać, że naprawdę cię lubi.

Przez chwilę jestem zdezorientowana, ponieważ myślę, że chodzi jej o Deksa. Potem zdaję sobie sprawę, że mówi o Marcusie.

– Marcus i ja jesteśmy tylko przyjaciółmi – oświadczam, wybierając opakowanie niskokalorycznych Pringles.

– Och, daj spokój. Darcy powiedziała mi o waszej randce – odpowiada.

Claire zawsze wie o wszystkim – o najnowszych trendach w modzie, o otwarciu nowego fajnego baru, o kolejnej wielkiej imprezie. Trzyma wypielęgnowaną dłoń na pulsie miasta. A po części specjalizuje się również w gromadzeniu szczegółowych informacji na temat samotnych ludzi z Manhattanu.

– To tylko jedna randka. – Cieszę się, że pomimo licznych pytań Darcy nie udało się dowiedzieć, co zaszło między mną i Marcusem. Wysłała mu nawet e-maila. Przesłał mi tę wiadomość, opatrując ją tytułem: „Wścibskie dranie".

– Cóż, lato jest długie – mądrze zauważa Claire. – Sprytnie postępujesz, nie angażując się, dopóki nie zobaczysz, co jeszcze jest do wzięcia.

Dojeżdżamy do naszego letniego domku – małej chatki o umiarkowanym uroku – Claire znalazła go w połowie lutego, kiedy przyjechała tu sama zdegustowana tym, że żadne z nas nie chce poświęcić wolnego weekendu na szukanie letniej siedziby. Zorganizowała wszystko, łącznie ze znalezieniem ludzi do drugiej części domku. Kiedy oglądamy nasze lokum, po raz kolejny przeprasza za brak basenu i jęczy, że salon jest za mały, aby organizować naprawdę dobre imprezy. Zapewniamy ją, że duże podwórko z grillem wynagrodzi nam tę stratę. Poza tym jesteśmy tak blisko plaży, że możemy chodzić nad ocean piechotą, co moim zdaniem stanowi najważniejszą zaletę domku letniskowego.

Wyciągamy bagaże z samochodu i odnajdujemy nasze pokoje. Darcy i Dex zajmują sypialnię z królewskim łożem. Marcus ma własny pokój, co może okazać się przydatne. Claire również będzie mieszkać sama – to nagroda za jej wysiłki. Ja zostałam zakwaterowana z Hillary, która machnęła ręką na dzisiejszy dzień pracy i wczoraj wieczorem przyjechała tu pociągiem. Hillary zawsze olewa pracę. Nie znam nikogo, kto tak bardzo lekceważyłby służbowe obowiązki, zwłaszcza w dużej firmie. Codziennie przychodzi spóźniona – z każdym mijającym rokiem coraz bardziej zbliża się do jedenastej – i nie chce stosować tradycyjnych chwytów innych pracowników, takich jak wieczorne zostawianie marynarki na oparciu krzesła lub kubka kawy na biurku, aby pozostali myśleli, że wyszła tylko na krótką przerwę. W zeszłym roku przepracowała niespełna dwa tysiące godzin i dlatego nie otrzymała premii.

– Przelicz to sobie, a zobaczysz, że aby dostać premię, trzeba harować bardziej niż przy sprzedaży hamburgerów w McDonaldzie – powiedziała w dniu, kiedy wręczono czeki.

Dzwonię do niej z komórki.

– Gdzie jesteś?

– U Cyryla – przekrzykuje tłum. – Mam tu na was czekać czy spotkamy się gdzieś indziej?

Przekazuję jej pytanie Darcy i Claire.

– Powiedz jej, że idziemy prosto do Talkhouse – mówi Darcy. – Późno już.

Następnie, jak się spodziewałam, Claire i Darcy chcą się przebrać. Marcus, który nadal ma na sobie to, w czym rano poszedł do pracy, również idzie zmienić ubranie. Zatem ja i Dex zostajemy w salonie i siedząc naprzeciwko siebie, czekamy. Dex trzyma pilota od telewizora, choć wcale go nie włącza. Jesteśmy sami po raz pierwszy od Incydentu. Czuję, jak pod pachami gromadzi mi się pot. Dlaczego tak się denerwuję? To, co się stało, należy do przeszłości. To już minęło. Muszę się odprężyć, zachowywać się normalnie.

– Nie idziesz wystroić się dla swojego chłopaka? – pyta cicho Dex, nie patrząc mi w oczy.

– Bardzo zabawne. – Nawet najkrótsza wymiana zdań wydaje się teraz nie na miejscu.

– Dlaczego n i e?

– Dobrze się czuję w tym stroju. – Zerkam na moje ulubione dżinsy i czarny szydełkowy top. Dex nie wie, że kiedy przebierałam się po pracy, dokładnie przemyślałam, co powinnam na siebie włożyć.

– Stanowicie z Marcusem świetną parę. – Ukradkiem zerka na schody.

– Dzięki. Podobnie jak ty z Darcy.

Wymieniamy długie spojrzenia, za bardzo obciążone potencjalnym znaczeniem, by pokusić się o ich interpretację. Wtedy, zanim Dex ma szansę odpowiedzieć, na schodach pojawia się Darcy ubrana w obcisłą jasnozieloną sukienkę. Wręcza Deksowi parę nożyczek i kuca przed nim, unosząc włosy. – Czy mógłbyś odciąć metkę?

Odcina. Darcy wstaje i obraca się.

– No i? Jak wyglądam?

– Ładnie – mówi, po czym zerka na mnie speszony, jak gdyby ten jednowyrazowy komplement pod adresem jego narzeczonej mógł mnie jakoś zmartwić.

– Wyglądasz cudownie – dodaję, żeby pokazać mu, że wcale nie jestem zmartwiona. Ani trochę.

Płacimy za wejściówki i przeciskamy się przez gęsty tłum w Stephen's Talkhouse, naszym ulubionym barze w Amagansett, witając się ze znajomymi z różnych kręgów w mieście. Znajdujemy Hillary, która siedzi przy barze z budweiserem. Ma na sobie obcięte dżinsy, wydekoltowaną koszulkę i niebieskie japonki, które Darcy i Claire założyłyby jedynie na wizytę u pedikiurzystki. W Hillary nie ma ani odrobiny pretensjonalności i jak zwykle cieszę się, że ją widzę.

– Cześć wszystkim! – krzyczy. – Co tak długo?

– Były cholerne korki – mówi Dex. – A potem pewne osoby musiały się przygotować do wyjścia.

– O c z y w i ś c i e, że musieliśmy przygotować się do wyjścia! – mówi Darcy, spoglądając z zadowoleniem na swoją sukienkę.

Hillary upiera się, że musimy ostro rozpocząć wieczór, i zamawia kolejkę czystej. Wręcza nam kieliszki, a my stajemy w zwartym kręgu gotowi do wzniesienia wspólnego toastu.

– Za lato życia! – wznosi toast Darcy, odrzucając na plecy długie, pachnące kokosem włosy. Mówi to na początku każdego lata. Zawsze ma diabelnie wysokie oczekiwania, których ja nie podzielam. Ale możliwe, że w tym roku jej marzenie się spełni.

Wszyscy wypijamy czystą wódkę. Potem Dex kupuje następną kolejkę, a kiedy podaje mi piwo, jego palce ocierają się o moją dłoń. Zastanawiam się, czy robi to celowo.

– Dziękuję – mówię.

– Polecam się na przyszłość – mruczy, patrząc mi w oczy dokładnie tak jak w samochodzie.

Po cichu liczę do trzech i odwracam wzrok.

Z upływem czasu zaczynam obserwować interakcje Deksa i Darcy. Zaskakuje mnie dziwne uczucie, którego doświadczam na ich widok. Nie jest to zazdrość, lecz coś podobnego. Zauważam drobne rzeczy, których dawniej nie dostrzegałam. Na przykład wtedy kiedy Darcy wsuwa cztery palce do tylnej kieszeni jego dżinsów. Albo gdy stojąc za nią, Dex zbiera jej włosy w prowizoryczny kucyk, po czym pozwala, żeby opadły na ramiona.

Właśnie się pochyla, aby coś do niej powiedzieć, a Darcy z uśmiechem kiwa głową. Wyobrażam sobie, że szepnął jej: „Pragnę się z tobą kochać dziś wieczorem", albo coś w tym stylu. Zastanawiam się, czy od naszej wspólnej nocy uprawiali seks. Pewnie tak. Ta myśl jakoś nie daje mi spokoju. Być może dzieje się tak zawsze, kiedy widzisz kogoś z twojej Listy w towarzystwie innej kobiety. Powtarzam sobie, że nie mam prawa czuć zazdrości. Przecież nikt mi nie kazał dołączać go do mojej listy.

Próbuję skupić się na Marcusie. Stoję obok niego, rozmawiam z nim i śmieję się z jego dowcipów. Kiedy prosi mnie do tańca, zgadzam się bez wahania. Idę za nim na zatłoczony parkiet. Wkładamy mnóstwo energii w taniec i śmiech. Dociera do mnie, że chociaż nie ma między nami żadnej wielkiej chemii, dobrze się z nim bawię. I kto wie? Może do czegoś to doprowadzi?

– Umierają z ciekawości, co działo się na naszej randce – mówi mi Marcus na ucho.

– Dlaczego tak myślisz? – pytam.

– Darcy znowu próbowała to ode mnie wyciągnąć.

– Naprawdę?

– Tak.

– Kiedy?

– Dziś wieczorem. Zaraz po naszym przyjeździe.

Waham się, po czym pytam:

– Dex też coś mówił?

– Nie, ale stał obok niej i wyglądał na cholernie zainteresowanego tematem.

– Co za bezczelność – żartuję.

– Wiem. Wścibskie dranie... Nie oglądaj się, właśnie na nas patrzą. – Przytula twarz do mojego policzka, łaskocząc mnie zarostem.

Zarzucam ręce na jego ramiona i przywieram do niego ciałem.

– W takim razie – mówię – dajmy im to, czego chcą.

ROZDZIAŁ 7

– No więc o co chodzi z tobą i Marcusem? – pyta mnie nazajutrz Hillary, przekopując się przez stertę ubrań, które zdążyły się nagromadzić obok jej łóżka. Powstrzymuję się przed tym, żeby je poukładać.

– O nic nie chodzi, naprawdę. – Wstaję z łóżka i od razu zaczynam je zaścielać.

– Są jakieś szanse? – Wkłada parę dresowych spodni i zawiązuje sznurek na wysokości bioder.

– Być może.

Rok temu Hillary zerwała z Coreyem, chłopakiem, z którym była cztery lata – miłym, bystrym i w ogóle świetnym facetem. Mimo to była przekonana, że chociaż ich związek wydaje się udany, czegoś mu brakuje.

– To nie jest t e n j e d y n y – powtarzała.

Pamiętam, jak Darcy poinformowała ją, że po trzydziestce może zmienić zdanie. Później długo przerabiałyśmy to stwierdzenie z Hillary. Klasyczny pozbawiony wyczucia darcyizm. Jednak z upływem czasu coraz częściej zastanawiam się, czy Hillary nie popełniła błędu. Minął już rok, a ona ciągle wikła się w bezowocne randki w ciemno, podczas gdy plotka głosi, że jej były wprowadził się do loftu w Tribece wraz z dwudziestotrzyletnią studentką medycyny, która wygląda jak bliźniacza siostra Cameron Diaz. Hillary twierdzi, że wcale jej to nie martwi. Bardzo trudno mi w to uwierzyć, nawet w przypadku osoby z tak dużą dozą determinacji jak ona. W każdym razie nie wygląda na to, żeby bardzo spieszyła się ze znalezieniem następcy Coreya.

– Przygoda na wakacje czy na dłużej? – pyta, przeczesując palcami swoje krótkie jasne włosy.

– Nie wiem. Możliwe, że na dłużej.

– No cóż, wczoraj wieczorem wyglądaliście jak prawdziwa para – mówi. – Kiedy tańczyliście.

– Naprawdę? – pytam, myśląc sobie, że jeśli wyglądaliśmy jak para, Dex musi wiedzieć, że wcale o nim nie rozmyślam.

Hillary kiwa głową, odnajduje koszulkę z napisem „Korporacyjne wyzwanie" i obwąchuje ją pod pachami, po czym rzuca w moim kierunku:

– Jest czysta? Powąchaj.

– Nie zamierzam wąchać twoich koszulek – odrzucam koszulkę z powrotem. – Jesteś obleśna.

Wybucha śmiechem i wkłada koszulkę, którą najwidoczniej uznała za wystarczająco czystą.

– Tak... Szeptaliście do siebie i śmialiście się. Byłam pewna, że dziś w nocy będziecie się bzykać i że będę miała cały pokój dla siebie.

Śmieję się.

– Przykro mi, że cię zawiodłam.

– Bardziej zawiodłaś jego.

– Niee. Po powrocie do domku powiedział mi tylko dobranoc. Nawet mnie nie pocałował.

Hillary wie o pierwszym pocałunku.

– Dlaczego nie?

– Nie wiem. Chyba obydwoje działamy ostrożnie. Do września będziemy się widywać bardzo często... No wiesz, on też

98

jest zaproszony na ślub. Jeśli coś pójdzie nie tak, może być okropnie.

Wygląda tak, jakby rozważała mój argument. Przez sekundę kusi mnie, żeby opowiedzieć Hillary o Deksie. Ufam jej. Jednak nic nie mówię, tłumacząc sobie, że powiedzieć mogę zawsze, ale nie będę mogła tego cofnąć i wymazać z jej pamięci. Gdybyśmy byli wszyscy razem, czułabym się jeszcze bardziej niezręcznie i ciągle myślałabym o tym, że Hillary też o tym myśli. A zresztą... to już skończone. Naprawdę nie ma o czym opowiadać.

Schodzimy na dół. Nasi współlokatorzy zgromadzili się już wokół kuchennego stołu.

– Na zewnątrz jest odjazdowo – odzywa się Darcy, wstaje i przeciąga się, pokazując płaski brzuch wyzierający spod kusej koszulki. Z powrotem siada przy stole, wracając do pasjansa.

Claire podnosi wzrok znad palmtopa.

– Idealna pogoda na plażowanie.

– Idealna pogoda na grę w golfa – mówi Hillary, spoglądając na Dextera i Marcusa. – Czy są jacyś chętni?

– Hmm, możliwe – odpowiada Dex, zerkając znad kolumny sportowej. – Chcesz, żebym zadzwonił i zapytał, czy możemy wpaść na pole?

Darcy rzuca karty na stół i zaczepnie się rozgląda.

Wygląda na to, że Hillary nie zauważa sprzeciwu Darcy wobec rundki golfa, ponieważ planuje dalej:

– Albo możemy po prostu wpaść na teren treningowy.

– Nie! Nie! Nie! Żadnego golfa! – Darcy ponownie uderza w stół, lecz tym razem pięścią. – Nie podczas pierwszego dnia pobytu! Musimy trzymać się razem! Wszyscy. Prawda, Rachel?

– To chyba oznacza, że nici z dzisiejszego golfa. – Dex wybawia mnie od wmieszania się w wielką golfową debatę. – Zarządzenie Darcy.

Hillary wstaje od stołu ze zniesmaczoną miną.

– Po prostu chcę, żebyśmy poszli razem na plażę. – Darcy maskuje swoje samolubstwo życzliwością.

– A dzięki tobie ta perspektywa wydaje się taka przyjemna. – Dex wstaje, podchodzi do zlewozmywaka i zaczyna parzyć kawę.

– O co ci chodzi, zrzędo? – zwraca się Darcy do jego pleców, jak gdyby to on właśnie jej powiedział, jak powinna spędzić ten dzień. – Zachowujesz się jak stary dwurząd. Ohyda.

– Co to jest dwurząd? – pyta Marcus, drapiąc się w ucho. To jego pierwszy wkład w poranną rozmowę. Nadal wydaje się zaspany. – Nigdy o czymś takim nie słyszałem.

– Wystarczy, że na niego spojrzysz – Darcy wskazuje na Deksa. – Od samego przyjazdu jest w złym humorze.

– Nie, nieprawda – zaprzecza Dex. Chciałabym, żeby się odwrócił. Wtedy mogłabym zobaczyć jego minę.

– Właśnie że tak. Prawda, że tak? – Darcy domaga się od nas potwierdzenia, patrząc przede wszystkim na mnie. Przyjaźń z Darcy nauczyła mnie sztuki łagodzenia sporów. Jednak przespanie się z jej narzeczonym stępiło mój instynkt. Nie jestem w nastroju do brania udziału w tej dyskusji. Pozostali również nie chcą angażować się w coś, co powinno być ich prywatną kłótnią. Wzruszamy ramionami albo odwracamy wzrok.

Jednak, prawdę mówiąc, Dex rz e c z y w i ś c i e jest trochę przygnębiony. Zastanawiam się, czy mam coś wspólnego z jego nastrojem. Może zmartwił go widok mnie i Marcusa. Nie odczuł prawdziwej zazdrości, tylko to dziwne uczucie, którego wcześniej sama doświadczyłam. A może po prostu myśli o Darcy i o tym, jaka jest zaborcza. Zawsze wiedziałam, że moja przyjaciółka stawia mnóstwo wymagań – nie można ich przeoczyć – lecz ostatnio stałam się wobec niej nieco mniej tolerancyjna. Męczy mnie to, że zawsze musi postawić na swoim. Być może Dex czuje się podobnie.

– Co robimy na śniadanie? – pyta Marcus, głośno ziewając.

Claire zerka na swój inkrustowany diamentami zegarek Cartiera.

– Chciałeś powiedzieć: na lunch.

– Mniejsza z tym. Co robimy do jedzenia? – mówi Marcus.

Omawiamy różne możliwości i postanawiamy zrezygnować z zatłoczonego East Hampton. Hillary mówi, że dzień wcześniej kupiła podstawowe produkty.

– Czy mówiąc o podstawowych produktach, masz na myśli płatki zbożowe? – pyta Marcus.

– Proszę bardzo. – Hillary rozkłada miseczki, łyżki i stawia na stole pudełko słodkich płatków ryżowych. – Smacznego.

Marcus otwiera pudełko i wsypuje trochę płatków do swojej miseczki. Spogląda na mnie.

– Chcesz trochę?

Kiwam głową, a on przygotowuje mi porcję. Nikomu więcej nie zadaje tego pytania. Po prostu odsuwa pudełko na środek stołu.

– Może banana? – pyta mnie.

– Tak, poproszę.

Obiera banana ze skórki i wkraja go na przemian do swojej i mojej miseczki. Poobijane kawałki bierze dla siebie. Dzielimy się bananem. To już coś znaczy. Wzrok Deksa biegnie w moją stronę, podczas gdy Marcus wrzuca do mojej miseczki ostatni ładny kawałek, pozostawiając paskudny koniuszek w skórce – tam gdzie jego miejsce.

Kilka godzin później jesteśmy wreszcie gotowi do wyjścia na plażę. Claire i Darcy wyłaniają się z pokojów z modnymi torbami plażowymi wypchanymi po brzegi nowymi pluszowymi ręcznikami, magazynami, balsamami, termosami, komórkami i przyborami do makijażu. Hillary zabrała jedynie mały ręcznik z wyposażenia domku i *frisbee*. Ja plasuję się gdzieś pośrodku, zaopatrzona w plażowy ręcznik, discmana i butel-

kę wody. Wszyscy sześcioro idziemy w rządku, a nasze japonki człapią o ziemię, wydając ten pełen zadowolenia letni
odgłos. Claire i Hillary kroczą po bokach, otaczając dwie pary: już istniejącą i potencjalną. Przemierzamy plażowy par-
king i wdrapujemy się na wydmę, przystając na chwilę, żeby rzucić pierwsze wspólne spojrzenie na ocean. (Cieszę się,
że nie mieszkam już w odciętej od wody Indianie, gdzie teren nad jeziorem Michigan nazywa się „plażą"). Widok zapiera dech w piersiach. Prawie zapominam, że przespałam
się z Deksem.

Dex prowadzi nas przez zatłoczoną plażę i znajduje miejsce położone w połowie drogi między wydmami a oceanem,
gdzie piasek nadal jest miękki, a zarazem wystarczająco rów-
ny, abyśmy mogli rozłożyć ręczniki. Marcus kładzie swój ręcznik obok mojego. Z drugiej strony mam Darcy, a dalej leży
Dex. Hillary i Claire rozkładają się przed nami. Słońce świeci mocno, lecz nie jest zbyt gorąco. Claire ostrzega nas przed
promieniami UV, mówiąc, że w takich dniach jak ten należy
zachować szczególną ostrożność.

– Można nabawić się ciężkiego poparzenia i zdać sobie
z tego sprawę, kiedy jest już za późno – konkluduje.

Marcus proponuje, że nasmaruje mi plecy balsamem.

– Nie, dzięki – mówię. Kiedy jednak z wysiłkiem próbuję
dosięgnąć środka pleców, bierze ode mnie butelkę i smaruje
mnie balsamem, pieczołowicie manewrując wokół krawędzi
mojego kostiumu.

– Posmaruj mnie, Dex! – Rozkazuje radosnym głosem
Darcy, po czym zrzuca białe szorty i kuca przed Deksem
w swoim czarnym bikini. – Masz. Użyj olejku kokosowego,
proszę.

Claire lamentuje nad brakiem filtra w olejku kokosowym,
mówi, że jesteśmy zbyt starzy, żeby się opalać, i że Darcy pożałuje, kiedy zaczną się pojawiać zmarszczki. Darcy przewraca oczami i mówi, że nie dba o zmarszczki i cieszy się chwi-

lą. Wiem, że później porządnie się nasłucham – Darcy powie mi, że Claire jest po prostu zazdrosna, ponieważ jej jasna skóra zmienia barwę z białej na jasnoróżową.

– Pożałujesz tego, kiedy stuknie ci czterdziestka – ostrzega Claire. Jej twarz osłania wielki słomkowy kapelusz.

– Nie, niczego nie pożałuję. Po prostu poddam się zabiegowi laserowemu. – Darcy poprawia górę bikini, po czym szybkimi, skutecznymi ruchami wciera więcej oliwki w łydki. Od piętnastu lat obserwuję, jak smaruje się oliwkami. Każdego lata dąży do głębokiej opalenizny. Często leżałyśmy na jej podwórzu z wielką butlą oleju Crisco, tubą Sun-In i szlauchem, którego sporadycznie używałyśmy dla ochłody. To była absolutna męczarnia. Cierpiałam jednak, wierząc, że ciemna skóra stanowi jakąś zaletę. Moja cera jest równie blada jak skóra Claire, więc z każdym dniem różnica intensywności naszej opalenizny robiła się coraz większa.

Claire zauważa, że chirurgia kosmetyczna nie wyleczy raka skóry.

– Och, na litość boską! – Darcy nie wytrzymuje. – W takim razie siedź pod tym swoim cholernym kapeluszem!

Claire otwiera usta, po czym szybko je zamyka. Wygląda na urażoną.

– Przepraszam. Po prostu zamierzałam cię ostrzec.

– Wiem, skarbie. Nie chciałam na ciebie naskoczyć. – Darcy posyła jej pojednawczy uśmiech.

Dex spogląda na mnie i wykrzywia twarz, jak gdyby chciał powiedzieć, że marzy o tym, aby obydwie się zamknęły. To nasz pierwszy bezpośredni kontakt w tym dniu. Pozwalam sobie na to, żeby się do niego uśmiechnąć. Odpowiada mi tym samym. Na jego twarzy pojawia się wielki szeroki uśmiech. Jest taki przystojny, że aż sprawia mi ból. Jak patrzenie na słońce. Wstaje na chwilę, żeby poprawić ręcznik, który zawinął się na wietrze. Patrzę na jego plecy, a potem na łydki, czując nagły przypływ wspomnień. On leżał w moim łóżku, myślę. Nie żebym marzyła o powtórce, ale ma takie ładne ciało – smukłe, a zarazem umięśnione. Nie należę do osób, które mają fioła na punkcie ciała, lecz mimo to potrafię docenić jego doskonałość. Dex siada na ręczniku w chwili, w której odwracam wzrok.

Marcus pyta, czy ktoś ma ochotę zagrać we *frisbee*. Odmawiam, mówiąc, że jestem zbyt zmęczona, lecz tak naprawdę myślę o tym, że ostatnią rzeczą, jakiej pragnę, jest bieganie z miękkim bladym brzuchem wystającym spomiędzy tankini. Jednak Hillary jest chętna i idą grać, przypominając dwójkę dobrze przystosowanych plażowiczów, którzy pozostawiają leżenie na ręcznikach leniwym towarzyszom.

– Podaj mi koszulę – Darcy zwraca się do Deksa.

– Może dodałabyś „proszę"?

– „Proszę" jest w domyśle – rzuca Darcy.

– Powiedz to – nie ustępuje Dex, wrzucając do ust cynamonową pastylkę.

Darcy mocno uderza go w brzuch.

– Uch – wzdycha, spokojnie dając jej do zrozumienia, że wcale go nie zabolało.

Darcy zamierza się po raz kolejny, lecz on chwyta ją za nadgarstek.

– Zachowuj się. Jesteś taka dziecinna – mówi czule. Po porannym zdenerwowaniu nie ma już śladu.

– Wcale nie – protestuje Darcy, przesuwając się na jego ręcznik. Przyciska dłoń do jego piersi i nadstawia usta do pocałunku.

Wkładam okulary przeciwsłoneczne i odwracam wzrok. Skłamałabym, gdybym powiedziała, że nie czuję zazdrości.

Tamtego wieczoru wszyscy idziemy na imprezę do Bridgehampton. Odbywa się w wielkim domu z basenem w kształcie litery L, otoczonym wspaniałym ogrodem i co najmniej dwudziestoma ozdobnymi pochodniami. Przyglądam się gościom zgromadzonym na podwórzu, zauważając całe mnóstwo fioletowych, jaskraworóżowych i pomarańczowych sukienek i spódnic. Wygląda na to, że wszystkie kobiety czytały ten sam artykuł co ja (*Jasne kolory w modzie, czerń* passé). Poszłam za tą radą i kupiłam jasnozieloną sukienkę na ramiączkach, która jest zbyt jaskrawa i zapadająca w pamięć, abym przed końcem lipca mogła się w niej pokazać po raz drugi, co oznacza, że jedno jej założenie będzie mnie kosztować około stu pięćdziesięciu dolarów. Jestem jednak zadowolona z tego wyboru – do chwili, w której spostrzegam taką samą sukienkę, jakieś dwa numery mniejszą, na smukłej blondynce. Dziewczyna jest znacznie wyższa ode mnie, więc dla niej sukienka jest krótsza i odsłania brązowe i niezwykle długie uda. Bardzo się staram, żeby przypadkiem nie znaleźć się po tej samej stronie basenu co ona.

Idę do toalety, a w drodze powrotnej, próbując odnaleźć Hillary, natykam się na Hollis i Deweya Malone'ów. Hollis pracowała kiedyś w mojej kancelarii, lecz zwolniła się w dniu, w którym Dewey poprosił ją o rękę. Jest nieatrakcyjny i pozbawiony poczucia humoru, lecz posiada ogromny fundusz powierniczy. Stąd zainteresowanie Hollis. Zabawnie było słuchać, jak Hollis tłumaczy nam, że Dewey ma „wielkie serce", bla, bla, bla, na próżno usiłując zatuszować swoje prawdziwe intencje. Zazdroszczę Hollis tego, że udało jej się uciec z tej piekielnej kancelarii, lecz wolałabym zajmować się fakturowaniem, niż poślubić Deweya.

– Teraz żyje mi się o wiele lepiej – szczebiocze Hollis. – Ta kancelaria była jak trucizna! Tam panowała duszna atmosfera! Myślałam, że będzie mi brakować intelektualnej stymulacji… ale nie brakuje. Teraz mam czas na czytanie klasyków i rozmyślanie. Jest wspaniale. Czuję się taka wolna.

– Uhmm… To bardzo fajnie – mówię, zapisując wszystko w pamięci, żeby później podzielić się tymi rewelacjami z Hillary.

Następnie Hollis opowiada mi o swoim luksusowym apartamencie przy parku i o tym, jak ciężko pracuje, żeby go urządzić. Musiała zwolnić trzech dekoratorów wnętrz, ponieważ nie podzielali jej wizji. Dewey niczego nie wnosi do naszej rozmowy. Kruszy kostki lodu i wygląda na znudzonego. W pewnej chwili przyłapuję go na gapieniu się na tyłek Darcy zgrabnie zapakowany w parę obcisłych spodni Capri w kolorze fuksji.

Nagle obok mnie staje Marcus. Przedstawiam go Deweyowi i Hollis. Dewey podaje mu dłoń, lecz po chwili znowu zaczyna wzdychać i wygląda na rozkojarzonego. Hollis natychmiast pyta Marcusa, gdzie mieszka i gdzie pracuje. Najwidoczniej adres w Murray Hill i praca w marketingu nie wzbudzają ich uznania, ponieważ znajdują jakąś wymówkę i idą do bardziej wartościowych gości.

Marcus unosi brwi.

– Dewey, tak?

– Tak.

– Dew-no wetknęli mu kij w tyłek?

Parskam śmiechem.

Wydaje się dumny ze swojego dowcipu i cieszy się, że mnie rozśmieszył.

– Dobrze się bawisz?

– Chyba tak. A ty?

– Ci ludzie traktują siebie bardzo poważnie, prawda? – Wzrusza ramionami.

– Takie jest Hamptons.

Rozglądam się wokół. Impreza zupełnie nie przypomina sąsiedzkiego grillowania w Indianie. Część mnie cieszy się, że poszerzyłam horyzonty. Jednak większa część czuje się nieswojo za każdym razem, kiedy przychodzę na takie przyjęcie jak to. Jestem pozerką i próbuję bratać się z ludźmi uważającymi Indianę za krainę, nad którą co najwyżej można przelecieć samolotem – teren, który trzeba przemierzyć w drodze do Aspen lub Los Angeles. Obserwuję Darcy przechadzającą się wokół basenu z Deksem u boku. Po Indianie nie pozostał w niej żaden ślad. Patrząc na nią, każdy doszedłby do wniosku, że wychowała się na Park Avenue. Jej dzieci z pewnością będą dorastać na Manhattanie. Kiedy ja będę miała dzieci – o ile w ogóle je urodzę – zamierzam przeprowadzić się na przedmieścia. Zerkam na Marcusa, próbując sobie wyobrazić, jak ściąga z ulicy rowerek naszego syna. Spogląda na twarz malca pokrytą zaschniętymi resztkami lodów i instruuje go, żeby trzymał się chodnika. Chłopiec ma krótkie brwi Marcusa, które unoszą się i prawie ze sobą stykają, tworząc odwróconą literę V.

– Chodź – mówi Marcus. – Wypijmy jeszcze po drinku.

– Dobrze – zgadzam się, nie spuszczając z oka blondyny w mojej sukience.

Kiedy idziemy w stronę umieszczonego nad basenem baru, znowu myślę o Indianie, wyobrażając sobie Annalise i Grega w otoczeniu sąsiadów rozproszonych na świeżo skoszonym środkowo-zachodnim trawniku. Nawet gdyby ktoś ubrał takie same szorty koloru khaki z Gapa, nikt by się nie przejął.

Po imprezie znajdujemy kolejną imprezę, a na koniec tradycyjnie lądujemy w Talkhouse, gdzie znowu tańczę z Marcusem. Około trzeciej nad ranem wszyscy ładujemy się do samochodu i wracamy do domku. Hillary i Claire idą prosto do łóżka, a dwie pary zostają w salonie. Dex i Darcy trzymają się za ręce, usadowiwszy się na jednym fotelu. Ja i Marcus siedzimy obok siebie na sąsiedniej kanapie, ale się nie dotykamy.

– Dobra, dzieciaki. Najwyższy czas, żebym poszła spać – Darcy gwałtownie wstaje z miejsca. Zerka na Dextera. – Idziesz?

Natykam się na jego spojrzenie. Jednocześnie odwracamy wzrok.

– Tak – mówi. – Zaraz przyjdę.

Rozmawiamy we trójkę przez kilka minut, aż w końcu na szczycie schodów rozlega się wołanie Darcy:

– No chodź, Dex! Oni chcą być sami!

Marcus nerwowo się uśmiecha, a ja zaczynam przyglądać się piegowi na ramieniu.

Dex odchrząkuje, kaszle. Jego mina jest bardzo oficjalna.

– No dobrze. Chyba pójdę na górę. Dobranoc.

– W porządku, stary. Do zobaczenia jutro – rzuca na pożegnanie Marcus.

Ja mamroczę jedynie dobranoc. Jestem zbyt speszona, żeby podnieść głowę, kiedy Dex wychodzi z pokoju.

– Nareszcie – odzywa się Marcus. – W końcu jesteśmy sami.

Czuję niespodziewane ukłucie żalu, które w pewien sposób przypomina mi chwilę wyjścia Huntera i pozostanie sam na sam z Joeyem w holu akademika w Duke, lecz odganiam od siebie tę myśl i uśmiecham się do Marcusa.

Przysuwa się bliżej i po raz pierwszy całuje mnie bez pytania o pozwolenie. To dosyć miły pocałunek, może nawet milszy niż tamten pierwszy. Z jakiegoś powodu myślę o scenie z *Grunt to rodzinka*, kiedy Bobby ujrzał fajerwerki po pocałowaniu Millicent (nie wiedział, że jest chora na świnkę). Kiedy zobaczyłam tę scenę po raz pierwszy, byłam mniej więcej w wieku Bobby'ego, więc ten pocałunek wydał mi się bardzo poważną sprawą. Pamiętam, że pomyślałam wtedy: pewnego dnia ja też zobaczę takie fajerwerki. Jak dotąd się to nie zdarzyło. Jednak Marcus jest bliżej niż którykolwiek z jego poprzedników.

Nasze pocałunki stają się coraz bardziej namiętne i wtedy mówię:

– Chyba powinniśmy iść już do łóżka.

– Razem? – pyta. Widzę, że żartuje.

– Bardzo zabawne – odpowiadam. – Dobranoc, Marcus.

Całuję go jeszcze raz i idę do pokoju, mijając po drodze zamknięte drzwi sypialni Deksa i Darcy.

Nazajutrz odsłuchuję wiadomości. Les zostawił aż trzy. Biorąc pod uwagę to, jak mało obchodzą go wakacje, równie dobrze mógłby być świadkiem Jehowy. Mówi, że chce

„obgadać kilka spraw jutro wczesnym popołudniem". Wiem, że celowo nie zdradza żadnych szczegółów, nie podaje konkretnej godziny i nie prosi, żebym przyszła do jego biura albo po prostu zadzwoniła. Dzięki temu może mieć pewność, że mój Dzień Niepodległości zostanie rozbity na pół. Hillary radzi, żebym go zignorowała i udała, że nie odebrałam wiadomości. Marcus podpowiada, abym uciszyła go odpowiedzią: „Pieprz się – to święto narodowe". Ja jednak sumiennie sprawdzam rozkład pociągów i autobusów, po czym postanawiam, że wyjadę po południu, żeby uniknąć korków. W głębi duszy wiem, że praca to tylko pretekst, żeby się stąd wydostać – mam dosyć tej całej dziwacznej atmosfery. Lubię Marcusa, ale męczy mnie przebywanie w towarzystwie faceta, który – jak powiedziałaby Hillary – ma potencjał. A jeszcze bardziej męczące jest ciągłe unikanie Deksa. Unikam go, kiedy jest sam, unikam, kiedy jest z Darcy. Unikam myślenia o nim i o Incydencie.

– Naprawdę muszę wracać – wzdycham, jak gdyby była to ostatnia rzecz, na jaką mam ochotę.

– Nie możesz wyjechać! – protestuje Darcy.

– Muszę.

Kiedy zaczyna się dąsać, mam ochotę zauważyć, że przez dziewięćdziesiąt procent czasu spędzanego w Hamptons jest kompletnie rozkojarzona i skupia się na obcowaniu z innymi ludźmi. Jednak zamiast tego po prostu powtarzam, że muszę wyjechać.

– Niszczysz nam całą zabawę.

– Nic nie poradzi na to, że musi pracować, Darcy – strofuje ją Dex. Być może robi tak dlatego, że jego również często oskarża o psucie zabawy. Z drugiej strony możliwe, że chce, abym zniknęła z tego samego powodu, z którego ja chcę wyjechać.

Po lunchu pakuję moje rzeczy i wchodzę do salonu, gdzie wszyscy leniuchują, oglądając telewizję.

– Czy ktoś mógłby mnie podrzucić na autobus? – pytam, mając nadzieję na odzew ze strony Darcy, Hillary albo Marcusa.

Jednak pierwszy reaguje Dex.

– Ja cię odwiozę – mówi. – I tak chcę pojechać do sklepu.

Żegnam się ze wszystkimi, a Marcus ściska moje ramię i mówi, że zadzwoni w przyszłym tygodniu.

Potem ja i Dex wychodzimy. Odbędziemy sam na sam sześciokilometrową podróż.

– Dobrze się bawiłaś w ten weekend? – pyta mnie, kiedy wycofujemy na podjeździe. Po beztroskiej atmosferze, która ogarnęła nas tuż po Incydencie, nie pozostał nawet ślad. Poza tym Dex, podobnie jak Darcy, przestał wypytywać o Marcusa, być może dlatego że wyraźnie widać, iż staliśmy się swego rodzaju parą.

– Tak, było miło – mówię. – A ty?

– Jasne – odpowiada. – Było bardzo miło.

Po chwili milczenia zaczynamy rozmawiać o pracy i wspólnych znajomych ze studiów, czyli o sprawach, o których rozmawialiśmy przed Incydentem. Mam wrażenie, że znowu jest normalnie – o ile może być normalnie po takim błędzie jak nasz.

Docieramy na przystanek autobusowy przed czasem. Dex zatrzymuje się na parkingu, obraca się w moją stronę i patrzy na mnie swoimi zielonymi oczami w taki sposób, że odwracam wzrok. Pyta, co robię we wtorek wieczorem.

Chyba wiem, o co mu chodzi, ale nie jestem pewna, więc mamroczę:

– Pracuję. Jak zawsze. W piątek jest składanie zeznań, a nawet nie zaczęłam się do niego przygotowywać. Na razie cały mój repertuar ogranicza się do: „Czy może pan przeliterować swoje nazwisko protokolantowi?”, albo: „Czy zażywa pan jakieś leki, które mogłyby zakłócić pańską zdolność do udzielania odpowiedzi podczas składania zeznań?”. – Śmieję się nerwowo.

Jego twarz nadal jest poważna. Najwidoczniej wcale nie interesuje go moje przesłuchanie.

– Posłuchaj, chcę się z tobą spotkać, Rachel. Będę u ciebie o ósmej. We wtorek.

Sposób, w jaki to mówi – raczej oświadczając, a nie pytając – sprawia, że czuję ucisk w żołądku. Nie jest to taki ucisk, jaki pojawia się przed randką w ciemno. Nie jest to zdenerwowanie przed ważnym egzaminem. Nie jest to strach, że zostanę przyłapana na jakimś niecnym uczynku. I nie jest to również oszałamiające uczucie, które towarzyszy ci, kiedy chłopak, w którym się podkochujesz, zauważa twoją obecność, okazując to uśmiechem lub zwyczajnym „cześć". To coś innego. Ten ból jest znajomy, ale nie potrafię go do końca skojarzyć.

Mój uśmiech blednie i twarz staje się równie poważna jak jego. Chciałabym móc powiedzieć, że jego prośba mnie zaskoczyła, zbiła z tropu, lecz myślę, że po części się tego spodziewałam, nawet miałam na to nadzieję, kiedy zaproponował, że mnie podwiezie. Nie pytam, dlaczego chce się ze mną spotkać ani o czym zamierza rozmawiać. Nie mówię, że muszę pracować ani że to nie jest dobry pomysł. Po prostu kiwam głową.

– Dobrze.

Tłumaczę sobie, że jedynym powodem, dla którego zgadzam się z nim zobaczyć, jest potrzeba rozstrzygnięcia, co między nami zaszło. Dlatego też nie robię Darcy kolejnego świństwa – próbuję po prostu naprawić popełniony błąd. I powtarzam sobie, że rzeczywiście chcę się zobaczyć z Deksem również z innych powodów, ponieważ zwyczajnie tęsknię za naszą przyjaźnią. Przypominam sobie moją urodzinową imprezę i nasz wypad do 7B, który poprzedził Incydent, myśląc o tym, jak dobrze czułam się w jego towarzystwie, jak bardzo odpowiadało mi to oddzielenie Deksa od żądań Darcy. Brakuje mi jego przyjaźni. Po prostu chcę z nim porozmawiać. To wszystko.

Przyjeżdża autobus i ludzie zaczynają wsiadać do środka. Wymykam się z samochodu, nie mówiąc już nic więcej.

Kiedy siadam na fotelu przy oknie za rozradowaną blondynką, która zdecydowanie za głośno rozmawia przez komórkę, nagle dociera do mnie, skąd znam to uczucie w moim żołądku. Dokładnie tak samo czułam się po seksie z Nate'em tuż przed tym, jak rzucił mnie dla marzącej o społecznych wyżynach gitarzystki. To mieszanina prawdziwych uczuć do jakiegoś człowieka i strachu. Strachu przed utratą. Już wiem, że pozwalając, aby Dex mnie odwiedził, podejmuję pewne ryzyko. Ryzykuję swoją przyjaźń, swoje serce.

Blondyna nadal gada, nadużywając słów „niesamowity" i „cudowny" podczas opisywania swojego „rozpaczliwie krótkiego" weekendu. Informuje rozmówce, że ma „piekielną migrenę" po „ostrej popijawie" na „fantastycznej imprezie". Mam ochotę jej powiedzieć, że jeśli zacznie mówić odrobinę ciszej, ból głowy z pewnością minie. Zamykam oczy z nadzieją, że niedługo wysiądzie jej bateria w telefonie. Jednak wiem, że nawet jeśli zakończy swoją pisklawą paplaninę, i tak nie będę w stanie usnąć, czując, jak narasta we mnie to dziwne uczucie. Jest mi dobrze i źle jednocześnie, jak gdybym wypiła za dużo kawy. To wszystko wydaje się zarówno ekscytujące, jak i straszne – jak oczekiwanie na chwilę, w której przykryje cię fala.

Coś się szykuje, a ja nie robię nic, żeby temu zapobiec.

Jest wtorkowy wieczór, za dwadzieścia ósma. Siedzę w domu. Przez cały dzień nie miałam żadnych wiadomości od Deksa, więc zakładam, że nadal jesteśmy umówieni. Myję zęby i używam nici. Zapalam w kuchni świeczkę, na wypadek gdyby nadal unosił się tu aromat tajskiego jedzenia, które zamówiłam wczoraj wieczór, aby samotnie uczcić Dzień Niepodległości. Zdejmuję kostium, wkładam czarną koronkową bieliznę – chociaż wiem, wiem, w i e m, że do niczego nie dojdzie – dżinsy i koszulkę. Nakładam odrobinę pudru i maluję usta błyszczykiem. Wyglądam zwyczajnie i beztrosko, choć czuję się dokładnie odwrotnie.

Punktualnie o ósmej Eddie, który zastępuje José, dzwoni domofonem.

– Ma pani towarzystwo – wrzeszczy.

– Dzięki, Eddie. Wpuść go na górę.

Kilka sekund później w moich drzwiach staje Dex ubrany w ciemny garnitur w szare prążki, niebieską koszulę i czerwony krawat.

– Twój dozorca jakoś dziwnie się do mnie uśmiechał – mówi, wchodząc do mojego mieszkania, po czym nieśmiało rozgląda się wokół, jak gdyby była to jego pierwsza wizyta.

– To niemożliwe – oponuję. – Zdawało ci się.

– Nie zdawało mi się. Wiem, kiedy ktoś dziwnie się do mnie uśmiecha.

– To nie José. Nie ten dozorca. Dzisiaj zastępuje go Eddie. Po prostu masz nieczyste sumienie.

– Już ci mówiłem. Nie czuję się zbyt winny po tym, co zrobiliśmy. – Bacznie patrzy mi w oczy.

Mam wrażenie, że zaczynam się rozpływać pod jego spojrzeniem, i zapominam o postanowieniu bycia dobrym człowiekiem, dobrą przyjaciółką. Nerwowo odwracam wzrok i pytam, czy chciałby się czegoś napić. Mówi, że ma ochotę na szklankę wody. Bez lodu. Skończyła mi się butelkowana, więc odkręcam kran i czekam, aż woda stanie się wystarczająco zimna. Napełniam dwie szklanki i siadam obok niego na kanapie.

Wypija kilka dużych łyków i odstawia szklankę na podstawkę leżącą na stoliku do kawy. Ja sączę powoli. Czuję na sobie wzrok Deksa, ale nie patrzę w jego stronę. Spoglądam prosto przed siebie, na miejsce gdzie stoi moje łóżko – miejsce Zbrodni. Muszę postarać się o prawdziwą sypialnię albo przynajmniej przepierzenie, które oddzieli moją alkowę od reszty mieszkania.

– Rachel – mówi. – Spójrz na mnie.

Zerkam na niego i spuszczam wzrok na stolik do kawy. Dotyka mojej brody i obraca moją twarz w swoją stronę. Czuję, że się rumienię, lecz nie odwracam się.

– Słucham? – Parskam nerwowym śmiechem. Wyraz jego twarzy pozostaje niezmieniony.

– Rachel.

– S ł u c h a m?

– Mamy problem.

– Naprawdę?

– Poważny problem.

Pochyla się do przodu, pozostawiając ramię na oparciu kanapy. Całuje mnie delikatnie, a potem bardziej namiętnie. Czuję smak cynamonu. Myślę o puszce cynamonowych pastylek, którą nosił przy sobie przez cały weekend. Oddaję mu pocałunek.

I jeśli sądziłam, że dobrze całuje Marcus albo Nate lub ktokolwiek inny, byłam w błędzie. W porównaniu z Deksem wszyscy pozostali byli co najwyżej kompetentni. Pocałunek Deksa sprawia, że pokój zaczyna wirować. I tym razem nie jest to zasługa alkoholu. To przypomina pocałunki, o których czytałam milion razy, które widywałam w filmach. Nie byłam pewna, czy coś takiego istnieje w prawdziwym życiu. Nigdy wcześniej nie czułam się w ten sposób. Są fajerwerki i cała reszta. Dokładnie jak u Bobby'ego Brady i Millicent.

Całujemy się bardzo długo. Nie przestajemy nawet na chwilę. Nie zmieniamy pozycji na mojej kanapie, chociaż siedzimy za daleko na takie namiętne pocałunki. Nie mogę mówić w jego imieniu, lecz wiem, dlaczego ja nie ruszam się z miejsca. Nie chcę, żeby to się skończyło, żeby nastąpiła kolejna niezręczna chwila, w której będziemy mogli zadać pytanie o to, co właściwie robimy. Nie chcę rozmawiać o Darcy, nie chcę nawet słyszeć jej imienia. Ona nie ma żadnego związku z tą chwilą. Żadnego. Ten pocałunek żyje własnym życiem. Jest oderwany od czasu, okoliczności i ich wrześniowego ślubu. Właśnie to próbuję sobie wmówić. Kiedy Dex w końcu przestaje mnie całować, robi to tylko po to, żeby przysunąć się bliżej, przytulić mnie i szepnąć mi w ucho:

– Nie potrafię przestać o tobie myśleć.

Ja o tobie też.

Ale potrafię zapanować nad tym, co robię. Są emocje i jest reakcja na emocje. Odsuwam się, ale niezbyt daleko, i kręcę głową.

– O co chodzi? – pyta łagodnym głosem, nadal delikatnie mnie obejmując.

– Nie powinniśmy tego robić – odpowiadam. To niezbyt zdecydowany protest, ale zawsze coś.

Darcy może być irytująca, zaborcza i nieznośna, ale to moja przyjaciółka. Ja jestem dobrą przyjaciółką. Dobrym człowiekiem. Nie jestem taka jak teraz. Muszę się powstrzymać. Jeśli mi się nie uda, nie będę mogła spojrzeć w lustro.

Jednak wcale się nie odsuwam. Zamiast tego czekam, aż przekona mnie do przeciwnej opcji, mam nadzieję, że mnie na nią namówi. I rzeczywiście:

– Owszem. Powinniśmy – oświadcza. Mówi to z przekonaniem. Nie zastanawia się drugi raz, nie ma wątpliwości, nie martwi się. Trzyma moją twarz w dłoniach i patrzy mi głęboko w oczy.

– Musimy.

W jego słowach nie ma śladu cwaniactwa – jest tylko szczerość. Dex to mój przyjaciel, przyjaciel, którego znałam i na którym zależało mi jeszcze przed pojawieniem się w jego życiu Darcy. Dlaczego wcześniej nie dostrzegłam tych uczuć? Dlaczego przedłożyłam interesy Darcy ponad własne? Dex pochyla się i całuje mnie jeszcze raz, delikatnie, lecz z poczuciem absolutnej pewności.

Ale to jest złe, protestuję w myślach, wiedząc, że jest już za późno, że już się poddałam. Przekroczyliśmy razem kolejną granicę. Ponieważ pomimo tego, że już ze sobą spaliśmy, tak naprawdę nie miało to znaczenia. Byliśmy pijani, lekkomyślni. Tak naprawdę nic się nie wydarzyło aż do dzisiejszego pocałunku. Nie wydarzyło się nic, czego nie można było wepchnąć do szafy, pomylić ze snem albo w ogóle zapomnieć.

Teraz wszystko się zmieniło. I niech się dzieje, co chce.

ROZDZIAŁ 8

Zawsze najlepiej myśli mi się pod prysznicem. Noc jest na za-
martwianie się, roztrząsanie i analizowanie. Jednak rano, pod
strumieniem gorącej wody, wszystko staje się bardzo wyraź-
ne. Kiedy zatem nakładam na włosy szampon i wdycham jego grejpfrutowy zapach, cała sytuacja sprowadza się do na-
giej prawdy: to, co robimy z Deksem, jest złe.

Zeszłego wieczoru długo się całowaliśmy, a potem on jeszcze dłużej mnie przytulał. Padło niewiele słów. Moje serce
głośno biło, wtórując jego sercu, a ja powtarzałam sobie, że
powstrzymując się od pełnego zbliżenia, odnieśliśmy swego
rodzaju zwycięstwo. Jednak dzisiejszego ranka wiem, że nadal postępujemy źle. Po prostu źle. Muszę z tym skończyć.
Skończę z tym. I zrobię to już teraz.

Jako mała dziewczynka liczyłam w myślach do trzech i zaczynałam wszystko od nowa. Kiedy przyłapałam się na obgry-
zaniu paznokci, czym prędzej wyjmowałam palce z ust i liczyłam: Raz. Dwa. Trzy. Start. I zaczynałam wszystko od nowa. Od
tej chwili nie obgryzałam już paznokci. Zastosowałam tę takty-
kę w przypadku wielu złych nawyków. Zatem dzięki liczeniu
do trzech pozbędę się również nawyku w postaci Deksa. Znowu

będę dobrą przyjaciółką. Wymażę to, co się stało, i wszystko naprawię. Powoli liczę do trzech, a następnie stosuję technikę wizualizacji, której używał Brandon podczas sezonu bejsbolowego. Mówił, że wyobraża sobie, jak jego kij uderza o piłkę, słyszy trzask i widzi kurz, który wzbija się w górę, podczas gdy on bezpiecznie dociera do bazy. Skupiał się wyłącznie na udanych meczach, a nie na tych, które zawalił.

Zatem robię to samo. Zamiast skupiać się na uczuciach wobec Deksa, koncentruję się na przyjaźni z Darcy. Tworzę w głowie film wideo, wypełniając go scenami z udziałem Darcy i mnie. Widzę, jak siedzimy w kucki na jej łóżku, gdy nocuję u niej w czasach szkoły podstawowej. Rozmawiamy o naszych planach na przyszłość, o tym, ile będziemy miały dzieci i jakie damy im imiona. Widzę Darcy dziesięć lat później, wspartą na łokciach, z małymi palcami wetkniętymi do buzi, która wyjaśnia mi, że jeśli ma się trójkę dzieci, środkowe powinno być innej płci niż dwójka pozostałych, dzięki czemu każde będzie miało w sobie coś wyjątkowego. Jak gdyby można było kontrolować takie rzeczy.

Wyobrażam nas sobie na korytarzach liceum Naperville, kiedy wymieniamy się notatkami na przerwach między lekcjami. Jej notatki, złożone w intrygujące kształty, podobne do origami, były znacznie zabawniejsze niż notatki Annalise, które po prostu informowały o tym, jak nudna była lekcja. Darcy miała w zanadrzu całe mnóstwo interesujących uwag na temat kolegów i koleżanek z klasy oraz złośliwych spostrzeżeń dotyczących nauczycieli. I wymyślała dla mnie różne gierki. Po lewej stronie wypisywała cytaty, a po prawej imiona osób, które należało im przyporządkować. Ze śmiechem rysowałam linię łączącą, powiedzmy: „Fajne światła, koleś", z ojcem Annalise, który mówił to za każdym razem, gdy jakiś kierowca zapomniał wyłączyć długie światła. Była zabawna. Czasami uszczypliwa albo nawet zupełnie podła. Ale dzięki temu wydawała się jeszcze zabawniejsza.

Spłukuję włosy i przypominam sobie coś innego, zdarzenie, które nigdy wcześniej nie przyszło mi na myśl. To jak znalezienie zdjęcia ze swoją podobizną, o którego istnieniu w ogóle się nie wiedziało. Darcy i ja byłyśmy w pierwszej klasie i po lekcjach stałyśmy obok naszych szafek. Becky Zurich, jedna z najbardziej popularnych dziewczyn z ostatniej klasy (nie dzięki jakimś pozytywnym cechom, lecz raczej za sprawą swej podłości i siania postrachu wśród innych uczniów), przeszła obok nas w towarzystwie swojego chłopaka Paula Kinsera. Becky miała słabo zarysowany podbródek i o wiele za wąskie usta, więc tak naprawdę nie można jej było uznać za piękność, chociaż w tamtych czasach jakimś cudem udało jej się przekonać mnóstwo ludzi – w tym mnie – że jest odwrotnie. No więc kiedy Paul i Becky przechodzili obok, spojrzałam na nich, ponieważ należeli do popularnych uczniów ostatniej klasy i robili na mnie spore wrażenie, a przynajmniej wzbudzali ciekawość. Z pewnością chciałam usłyszeć, o czym rozmawiają, i dowiedzieć się, jak to jest mieć osiemnaście lat (aż tyle!) i być fajną osobą. Myślę, że rzuciłam im jedynie przelotne spojrzenie, chociaż możliwe, że po prostu się gapiłam.

W każdym razie Becky spojrzała na mnie i wytrzeszczyła oczy, upodabniając się do postaci z kreskówki. Następnie wykrzywiła usta, prychnęła na mnie jak hiena i powiedziała: „Na co się tak gapisz?".

Wtedy wtrącił się Paul, pytając: „Łapiesz muchy?" (jestem pewna, że chodząc z Becky, stał się bardziej podły, niż był wcześniej, albo po prostu myślał, że później jego dziewczyna hojnie mu tę podłość wynagrodzi).

Oczywiście, stałam tam z rozdziawioną buzią. Zawstydzona, czym prędzej ją zamknęłam. Becky parsknęła śmiechem, dumna, że udało jej się zawstydzić pierwszoklasistkę. Następnie nałożyła na usta różową szminkę z perłowym połyskiem, wsadziła w swoje podłe małe usteczka świeżą gumę i na dokładkę jeszcze raz się do mnie wykrzywiła.

Darcy grzebała w naszej szafce w poszukiwaniu jakiejś książki, lecz najwidoczniej ich zachowanie nie uszło jej uwagi. Odwróciła się i z odrazą zmierzyła parę wzrokiem (było to spojrzenie, które ćwiczyła i opanowała do perfekcji). Następnie zaczęła naśladować piskliwy śmiech Becky, pokracznie odchylając głowę w tył i wywijając usta do wewnątrz, żeby stały się niewidoczne. Wyglądała odrażająco – dokładnie tak jak rozrechotana Becky.

Powstrzymałam się od śmiechu, a Becky na chwilę zatkało. Potem doszła do siebie, zrobiła krok w stronę Darcy i wycedziła słowo: „suka".

Darcy odważnie wpatrywała się w parę z najstarszej klasy i powiedziała: „Lepsze to niż bycie b r z y d k ą suką. Prawda, Paul?".

Teraz to Becky gapiła się z rozdziawioną buzią na swoją nowo poznaną przeciwniczkę. I zanim zdołała sformułować jakąś odpowiedź, Darcy obraziła ją po raz kolejny: „A tak na marginesie, Becky, ta twoja szminka jest już b a r d z o niemodna".

Nagle widzę tę sytuację w całej wyrazistości. Widzę naszą szafkę ozdobioną zdjęciami Patricka Swayze z *Dirty Dancing*. Czuję charakterystyczną, skrobiowo-mięsną woń dolatującą z pobliskiej stołówki. I słyszę głos Darcy: silny i pewny siebie. Rzecz jasna, Paul nie odpowiedział na pytanie Darcy, ponieważ wszyscy czworo doskonale wiedzieliśmy, że Darcy ma rację – była ładniejsza niż Becky. A w liceum ten atut daje ci czasami przewagę w kłótni, nawet jeśli jesteś dopiero w pierwszej klasie. Becky i Paul czym prędzej się oddalili, a Darcy zaczęła mówić o tym, o czym rozmawiałyśmy wcześniej, jak gdyby tamci dwoje zupełnie jej nie obchodzili. Bo rzeczywiście tak było. Nawet w wieku czternastu lat wystarczyło jedno spojrzenie, żeby to zauważyć.

Zakręcam wodę, owijam się ręcznikiem, a drugi okręcam wokół głowy. Zadzwonię do Dextera zaraz po przyjściu do pracy. Powiem mu, że to musi się skończyć. Tym razem mówię serio. On ma poślubić Darcy, a ja będę jej pierwszą druhną. Obydwoje ją kochamy. Owszem, Darcy ma swoje wady. Potrafi być kapryśna, samolubna i apodyktyczna, lecz bywa również lojalna, miła i szalenie zabawna. Poza tym nigdy nie spotkam kogoś, kto w takim stopniu będzie mi zastępował siostrę, której nigdy nie miałam.

W drodze do pracy szykuję przemowę dla Deksa i jadąc metrem, zaczynam nawet mówić na głos. Gdy wreszcie docieram do kancelarii, pamiętam jej tekst tak dobrze, że wcale nie brzmi, jakbym przygotowała go z wyprzedzeniem. W odpowiednich miejscach mojej Deklaracji Planów i Zamiarów powstawiałam chwile milczenia. Jestem gotowa.

W chwili, w której mam wystukać numer, zauważam, że w mojej skrzynce czeka e-mail od Deksa. Otwieram wiadomość, oczekując, że doszedł do tego samego wniosku. Temat brzmi: „Ty".

Jesteś cudowną osobą i nie wiem, skąd się wzięły uczucia, które mi dajesz. Wiem tylko tyle, że jestem w Tobie kompletnie, zupełnie zakochany, i chciałbym, żeby zatrzymał się czas, abym mógł zawsze być przy Tobie i nie myśleć o niczym więcej. Podoba mi się w Tobie dosłownie wszystko, również to, że z twojej twarzy można czytać myśli, zwłaszcza kiedy jesteśmy razem, a ty masz odgarnięte do tyłu włosy, zamknięte oczy i lekko rozchylone usta. OK, tylko to chciałem ci powiedzieć. Usuń tę wiadomość.

Nie mogę oddychać i kręci mi się w głowie. Nikt nigdy nie napisał mi czegoś takiego. Czytam jeszcze raz, chłonąc każde słowo. Mnie też podoba się w tobie dosłownie wszystko, myślę.

I w jednej chwili znika cała moja determinacja. Jak mogłabym zakończyć coś, czego nigdy wcześniej nie doświadczyłam? Coś, na co czekałam przez całe życie? Nikt oprócz Deksa nie potrafił wzbudzić we mnie takich uczuć i co będzie, jeśli to nigdy się nie powtórzy? Co, jeśli to jest to?

Dzwoni telefon. Podnoszę słuchawkę, myśląc, że to może być Dex, i mając nadzieję, że to nie Darcy. Teraz nie mogę z nią rozmawiać. Teraz nie mogę o niej myśleć. Jestem rozradowana moim elektronicznym listem miłosnym.

– Witaj, mała.

To Ethan. Dzwoni z Anglii, gdzie mieszka od dwóch lat. Tak się cieszę, że słyszę jego głos. Pobrzmiewa w nim uśmiech i zawsze mam wrażenie, że za chwilę zacznie chichotać. Generalnie Ethan jest prawie taki sam jak w piątej klasie. Nadal ma w sobie dużo współczucia i pucołowate policzki, które różowieją na zimnie. Jednak jego głos jest inny. Zmienił się w liceum, w okresie dojrzewania – wiele lat po tym, jak moją szkolną miłość zastąpiła przyjaźń.

– Cześć, Ethan!

– Jaki jest okres przedawnienia w przypadku życzeń urodzinowych? – pyta. Odkąd zaczęłam studiować prawo, uwielbia używać różnych prawniczych terminów, często z przymrużeniem oka. Jego faworytem są „deliktatesy".

– Nie przejmuj się. To tylko trzydziestka. – Śmieję się.

– Nienawidzisz mnie? Powinnaś była zadzwonić i mi przypomnieć. Czuję się jak skończony dupek. W końcu przez osiemnaście lat nigdy nie zdarzyło mi się zapomnieć. Cholera. Mój mózg zaczyna szwankować, a mam dopiero dwadzieścia parę lat, nie wnikając w szczegóły.

– O dwudziestych siódmych też zapomniałeś – przerywam mu.

– Naprawdę?

– Tak.

– Chyba nie.

– Tak. Byłeś wtedy z Bran...

– Stop. Nie wymawiaj tego imienia. Masz rację. Zapomniałem o twoich dwudziestych siódmych urodzinach. Dzięki

122

temu obecne przewinienie nie wydaje się aż takie straszne, prawda? Nie przełamałem dobrej passy... No więc jak to jest? – Gwiżdże. – Nie mogę uwierzyć, że masz trzydzieści lat. Nadal powinnaś mieć czternaście. Czujesz się starsza? Mądrzejsza? Bardziej światowa? Gdzie spędziłaś ten wielki wieczór? – wypluwa z siebie pytania w gorączkowym stylu człowieka cierpiącego na nadpobudliwość z deficytem uwagi.

– Jest tak samo. Nie zmieniłam się – kłamię. – Nic się nie zmieniło.

– Naprawdę? – pyta. Takie dociekanie jest w jego stylu. Jak gdyby wiedział, że coś przed nim ukrywam.

Milknę na chwilę, a moje myśli pędzą jak szalone. Zastanawiam się: Powiedzieć? Nie powiedzieć? Co sobie o mnie pomyśli? Co powie? Od czasów liceum łączy nas bliska przyjaźń, chociaż nie kontaktujemy się zbyt często. Jednak za każdym razem, kiedy ze sobą rozmawiamy, zaczynamy od miejsca, w którym skończyliśmy poprzednio. Byłby dobrym powiernikiem w tej rozpoczynającej się sadze. Zna wszystkich głównych aktorów. Co więcej, wie, jak to jest coś spieprzyć.

Z początku jego przyszłość zapowiadała się całkiem dobrze. Uzyskał wysoki wynik w testach końcowych, zainaugurował ceremonię rozdania dyplomów i okrzyknięto go studentem, który odniesie największy sukces, wybierając go zamiast Amy Choi, która wygłosiła mowę na zakończenie nauki, lecz była zbyt cicha i nijaka, by wygrać jakikolwiek konkurs. Poszedł do Stanford i po skończeniu nauki podjął pracę w banku inwestycyjnym, pomimo że specjalizował się w historii sztuki i zupełnie nie interesowały go finanse. Natychmiast znienawidził wszystko, co wiązało się z kulturą bankowości. Powiedział, że pracowanie po nocach jest sprzeczne z naturą, i zdał sobie sprawę, że woli spać, niż zarabiać pieniądze. Zamienił zatem garnitury na futro i przez kilka kolejnych lat włóczył się wzdłuż Zachodniego Wybrzeża, pstrykając fotki jeziorom i drzewom i poznając po drodze przyjaciół. Zapisał się na zajęcia z pisania, sztuki i fotografii, które opłacał dzięki pracy w charakterze barmana i letnim miesiącom spędzanym na łowiskach Alaski.

Właśnie tam poznał Brandi – „Brandi przez i", jak ją nazywałam, zanim zdałam sobie sprawę, że naprawdę mu się podoba i jest czymś więcej niż tylko przelotną miłostką. Kilka miesięcy później Brandi zaszła w ciążę (upierała się, że znalazła się w gronie pechowych pięciu setnych kobiet zażywających pigułki antykoncepcyjne, chociaż ja miałam co do tego pewne wątpliwości). Powiedziała, że aborcja nie wchodzi w rachubę, więc Ethan zrobił to, co uznał za słuszne, i poślubił ją w ratuszu miasta Seattle. Rozesłali ręcznie robione zaproszenia na ślub z czarno-białym zdjęciem przedstawiającym ich podczas jakiejś wędrówki. Darcy nabijała się z o wiele za krótkich i zbyt obcisłych szortów Brandi.

– Kto, u diabła, wybiera się na wędrówkę w takich dżinsach? – powiedziała. Jednak Ethan wydawał się całkiem szczęśliwy.

Tamtego lata Brandi urodziła chłopczyka... ślicznego, tryskającego zdrowiem E s k i m o s k a z oczami, które niemal natychmiast zrobiły się czarne jak węgiel. Brandi, równie błękitnooka jak Ethan, błagała o przebaczenie. Ethan czym prędzej unieważnił małżeństwo, a Brandi wróciła na Alaskę, prawdopodobnie po to żeby odnaleźć swojego czarnookiego kochanka.

Myślę, że Brandi obrzydziła Ethanowi całą ideę życia na świeżym powietrzu, wśród dzikiej natury. A może po prostu zapragnął czegoś nowego. Przeprowadził się bowiem do Londynu, gdzie pisze dla jakiegoś magazynu i pracuje nad książką poświęconą londyńskiej architekturze, która zainteresowała go dopiero po przybyciu na brytyjskie ziemie. Ale właśnie taki jest Ethan. Zastanawia się dopiero po drodze, zawsze jest gotów spakować manatki i zacząć od nowa, nigdy nie ugina się pod naciskami i nie ulega cudzym oczekiwaniom. Szkoda, że nie jestem do niego bardziej podobna.

– No więc jak świętowałaś urodziny? – pyta Ethan.

Zamykam drzwi do gabinetu i wypalam prosto z mostu:

– Darcy zorganizowała dla mnie przyjęcie niespodziankę. Spiłam się i bzyknęłam z Deksem.

Chyba tak właśnie się dzieje, kiedy człowiek nie jest przyzwyczajony do posiadania sekretów. Nie uczy się sztuki trzymania języka za zębami. Tak naprawdę dziwię się, że wytrzymałam aż tyle czasu. Słyszę trzaski na linii, gdy ta nowina mknie przez Atlantyk. Wpadam w panikę i zaczynam żałować, że nie mogę cofnąć swoich słów.

– Wkręcasz mnie. Żartujesz, prawda?

Moje milczenie oznajmia mu, że mówię poważnie.

– Oooo, cholera – w jego głosie nadal pobrzmiewa uśmiech.

– I co? Co o tym sądzisz? – Muszę wiedzieć, czy mnie potępia. Muszę wiedzieć, co o mnie teraz myśli, czy stanie po stronie Kostiumu od Chanel.

– Poczekaj. Co to znaczy „bzyknęłam się"? Chyba z nim nie spałaś, co?

– Hmm. Tak. Spałam.

Czuję ulgę, gdy rozlega się jego śmiech, chociaż mówię, że to wcale nie jest śmieszne, że to poważna sprawa.

– O, wierz mi. To jest śmieszne.

Wyobrażam sobie dołek w jego lewym policzku.

– A co właściwie tak bardzo cię bawi?

– Panna Porządnicka dyma się z narzeczonym przyjaciółki. To się nazywa sprośna komedia!

– Ethan!

Powstrzymuje się od śmiechu wystarczająco długo, żeby spytać, czy mogę być w ciąży.

– Nie. Byliśmy ostrożni.

– Potem też?

– Tak – przyznaję się. Jeśli zdarza mi się jakaś dwuznaczna gra słów, to tylko przypadkiem.

– Zatem nic złego się nie stało, prawda? To była pomyłka. Czasem człowiek wdeptuje w gówno. Ludzie popełniają błędy, zwłaszcza po pijaku. Spójrz na mnie i „Brandi przez i".

– Chyba tak. Ale mimo to...

Ethan gwiżdże, po czym mówi to, co wydaje się oczywiste: że gdyby Darcy kiedykolwiek się dowiedziała, wpadłaby w szał.

Ktoś dzwoni na drugiej linii.

– Musisz odebrać? – pyta Ethan.

– Nie. Niech się nagra na sekretarkę.

– Jesteś pewna? To może być twój nowy chłopak.

– Zastanów się, czy aby na pewno mi pomagasz – cieszę się, że nie prawi mi morałów. To nie w jego stylu, ale nigdy nie wiadomo, kiedy człowiek osiągnie moralne wyżyny. A w tym przypadku zdecydowanie mógłby to zrobić, zwłaszcza jeśli wziąć pod uwagę, że Darcy to również jego przyjaciółka. Nie tak bliska jak ja, lecz mimo to czasami ze sobą rozmawiają.

– Przepraszam. Przepraszam. – Chichocze. – No dobra. Jeszcze tylko jedno istotne pytanie.

– Słucham?

– Dobrze było?

– Ethan! Nie wiem. Byliśmy pijani!

– Więc było byle jak?

– Daj spokój, Ethan! – mówię, jak gdyby wcale mnie to nie obchodziło. Tymczasem przed oczami ukazuje mi się scena z Incydentu: moje palce przyciśnięte do pleców Deksa. To doskonały, wyraźny obraz. Nie ma w nim żadnej bylejakości.

– Rozmawiałaś z nim od tamtej pory?

Opowiadam mu o weekendzie w Hamptons i o randce z Marcusem.

– Dobry ruch. Podsuwa ci przyjaciela. Dzięki temu, jeśli poślubisz Marcusa, będziecie mogli się wymieniać.

Ignoruję go i opowiadam mu o reszcie – o podróży na przystanek autobusu, wczorajszym wieczorze i dzisiejszym e-mailu.

– Oho. Cholera. Hmm... Czy ty też coś do niego czujesz?

– Nie wiem – mówię, chociaż wiem, że odpowiedź brzmi „tak".

– Ale ślub nie został odwołany?

– Nie. O ile mi wiadomo.

– O ile ci wiadomo?

– Tak. Nie został odwołany.

Cisza. Ethan przestał się śmiać, więc moje poczucie winy powraca z pełną siłą.

– O czym teraz myślisz?

– Po prostu zastanawiam się, dokąd to wszystko zmierza – mówi. – Czego chcesz? To dla ciebie tylko przelotny romans czy pragniesz, żeby odwołał ślub?

Krzywię się na dźwięk słów „przelotny romans". To, co się dzieje, wcale nie przypomina przelotnego romansu, lecz z drugiej strony chyba nie chcę, aby Dex odwołał ślub. Nie wyobrażam sobie, że mogłabym zrobić Darcy coś takiego. Mówię Ethanowi, że nie wiem. Nie jestem pewna.

– Hmm... No cóż, czy on w ogóle wspomniał o swoich zaręczynach?

– Nie. Niezupełnie.

– Hmm.

– Co? Co ma oznaczać to „hmm"?

– Oznacza, że moim zdaniem powinien odwołać to cholerstwo.

– Ze względu na mnie? – Czuję ucisk w żołądku na myśl, że mogłabym być odpowiedzialna za odwołanie ślubu Darcy. – Może po prostu tchórzy?

Słyszę, jak mój głos podnosi się z nadzieją na sugestię, że chodzi o zwykłe tchórzostwo. Dlaczego jakaś część mnie pragnie, żeby to wszystko okazało się takie proste? I jak mogę być taka szczęśliwa przy Deksie, tak głęboko poruszona jego e-mailem, skoro z drugiej strony chcę, żeby poślubił Darcy?

– Rach...

– Ethan, wiem, co zamierzasz powiedzieć.

N i e   w i e m, co zamierza powiedzieć, ale słysząc jego głos, mam przeczucie, że wspomni coś o tym, dokąd może mnie zaprowadzić ta cała sytuacja, jeśli nie położę jej kresu. Że w jakiś sposób wszystko wyjdzie na jaw. Że ktoś – prawdopodobnie ja – zostanie zraniony. Jednak nie chcę słuchać o żadnej z tych rzeczy.

– Dobra. Tylko bądź ostrożna. Nie daj się przyłapać. Cholera. Słyszę, że znowu się śmieje.

– Co?

– Po prostu pomyślałem o Darcy... To w pewnym sensie przyjemne.

– Jak to „przyjemne"?

– Och, daj spokój. Nawet mi nie mów, że dopiekanie jej nie sprawia ci żadnej satysfakcji. W tej historii tkwi jakaś poetycka sprawiedliwość. Darcy poniewiera tobą od lat.

– O czym ty mówisz? – pytam, autentycznie zdziwiona sposobem, w jaki opisuje moją przyjaźń. Wiem, że ostatnio Darcy trochę bardziej działa mi na nerwy, i wiem, że nie zawsze była najbardziej lojalną przyjaciółką na świecie, ale nigdy nie myślałam, że mną pomiata. – To nieprawda.

– Owszem, prawda.

– Nie, n i e p r a w d a – mówię z większym naciskiem. Nie jestem pewna, kogo bronię: siebie czy Darcy. Tak, kiedyś zalazła mi za skórę z twojego powodu, Ethan. Ale ty o tym nie wiesz.

– Och, proszę cię. Pamiętasz Notre Dame? Wyniki testu kwalifikacyjnego?

Przypominam sobie dzień, w którym wszyscy dostaliśmy wyniki naszych testów, przesłane z kuratorium w zapieczętowanych białych kopertach. Wszyscy trzymaliśmy je w tajemnicy, lecz umieraliśmy z ciekawości, jak poszło pozostałym. W końcu, podczas lunchu, Darcy powiedziała:

– Dobra, co mi tam. Po prostu powiedzmy, jakie uzyskaliśmy wyniki. Rachel?

– Dlaczego muszę być pierwsza? – zapytałam. Byłam zadowolona z mojego wyniku, lecz mimo to nie chciałam zdradzić go pierwsza.

– Nie bądź dzieckiem – powiedziała Darcy. – Po prostu nam powiedz.

– Dobrze. Tysiąc trzysta punktów.

– Ile punktów za część ustną? – dociekała.

Odpowiedziałam, że sześćset osiemdziesiąt.

– Dobrze. Gratulacje.

Następny w kolejce był Ethan. Tysiąc czterysta dziesięć. Nikogo to nie zaskoczyło. Zapomniałam, ile zdobyła Annalise – nieco ponad tysiąc sto.

– A ty? – Spojrzałam na Darcy.

– Aha. Racja. Dostałam tysiąc trzysta pięć.

Od razu wiedziałam, że nie dostała tysiąca trzystu pięciu punktów. Wyniki w tych testach rosną co dziesięć punktów. Ethan również o tym wiedział, ponieważ kopnął mnie pod stołem i zakrył uśmiech kanapką z szynką.

Sam fakt, że skłamała, wcale mnie nie obchodził. Była znana z ubarwiania rzeczywistości. Jednak fakt, że skłamała po to, aby przebić mnie pięcioma punktami – to już miało dla mnie wielkie znaczenie. Nie zażądaliśmy wyjaśnień. Nie było sensu.

Jednak po chwili powiedziała:

– No cóż, może obydwie pójdziemy do Notre Dame.

Była to powtórka z jej zagrania w piątej klasie, kiedy zabrała mi Ethana.

Podobnie jak mnóstwo dzieciaków ze Środkowego Zachodu, dorastając, marzyłam o tym, żeby dostać się do Notre Dame. Nie jesteśmy Irlandczykami ani nawet katolikami, lecz od chwili kiedy jako ośmiolatka pojechałam z rodzicami do Notre Dame na mecz, chciałam tam studiować. Według mnie właśnie tak powinien wyglądać *college* – dostojne kamienne budynki, zadbane trawniki, mnóstwo tradycji. Chciałam być częścią tego wszystkiego. Darcy nigdy nie przejawiała najmniejszego zainteresowania Notre Dame i to, że wdzierała się na mój teren, okropnie mnie irytowało. Jednak nie przejmowałam się tym, że zajmie moje miejsce. Miałam wyższe oceny, prawdopodobnie lepiej zdałam testy, a zresztą co roku do Notre Dame dostawało się kilkoro uczniów naszej szkoły.

Wiosną powoli zaczęły napływać listy zawiadamiające o przyjęciu lub odrzuceniu kandydatów do *college*'u. Codziennie zaglądałam do skrzynki na listy, cierpiąc prawdziwe katusze. Mike O'Sullivan, przewodniczący naszej klasy, pochodzący z rodziny, która uczęszczała do Notre Dame od trzech pokoleń, dostał się pierwszy. Zakładałam, że ja będę następna, lecz wtedy list przyszedł do Darcy. Kiedy dostała przesyłkę, byłam razem z nią, lecz nie otworzyła przy mnie koperty. Poszłam do domu i ogarnięta poczuciem winy, liczyłam na to, że otrzymała złą wiadomość.

Zadzwoniła godzinę później, cała w skowronkach.

– Nie mogę w to uwierzyć! Dostałam się! Dasz wiarę?

Mówiąc w skrócie, nie, nie dałam. Wysiliłam się na jakieś gratulacje, lecz byłam zdruzgotana. Ta wiadomość oznaczała jedno z dwóch: zajęła moje miejsce albo obydwie pójdziemy do Notre Dame i przez cztery kolejne lata będzie mnie traktowała z góry. Chociaż wiedziałam, że po wyjeździe będę za nią tęsknić, wyraźnie czułam, że muszę zacząć żyć z dala od niej. Skoro dostała się na tę samą uczelnię, straciłam najlepsze rozwiązanie.

Mimo to pragnęłam dostać się do Notre Dame bardziej niż czegokolwiek innego. Moja duma wisiała na włosku. Czekałam, modliłam się i nawet przyszło mi do głowy, żeby zadzwonić do działu rekrutacji i błagać o przyjęcie. Jeden okropny tydzień później przyszedł mój list. Wyglądał dokładnie tak jak list Darcy. Wbiegłam do domu, z łomoczącym sercem rozerwałam kopertę i rozłożyłam kartkę, która skrywała mój los. „Z przykrością zawiadamiamy... pomimo bardzo wysokich kwalifikacji... nie została Pani przyjęta".

Byłam zdruzgotana i następnego dnia w szkole prawie nie odzywałam się do koleżanek i kolegów, a zwłaszcza do Darcy. Podczas lunchu, kiedy próbowałam zdusić łzy, poinformowała mnie, że ostatecznie wybrała Indianę. Że nie chce mieć nic wspólnego z uczelnią, która mnie odrzuciła. Jej wielkoduszność przygnębiła mnie jeszcze bardziej. W pewnej chwili odezwała się Annalise:

– Zajęłaś miejsce Rachel, a teraz nie chcesz tam iść?

– Cóż, z początku c h c i a ł a m. Zmieniłam zdanie. Zresztą skąd miałam wiedzieć, że tak się to skończy? – powiedziała. – Zakładałam, że się dostanę. Przecież na testach zdobyłam tylko pięć punktów więcej.

Tego było dla Ethana za wiele.

– Nie dostałaś żadnych cholernych tysiąca trzystu pięciu punktów, Darcy. W tych testach wyniki rosną co dziesięć punktów.

– A kto powiedział, że dostałam tysiąc trzysta pięć?

– Ty – odpowiedzieliśmy chórem z Ethanem.

– Nie, wcale nie. Powiedziałam, że dostałam tysiąc trzysta dziesięć.

– O mój Boże! – jęknęłam, spoglądając na Annalise w poszukiwaniu wsparcia, lecz jej bojowość zdążyła się już ulotnić. Stwierdziła, że zapomniała, co powiedziała Darcy.

Przez resztę przerwy na lunch kłóciliśmy się o to, co powiedziała Darcy, i dlaczego złożyła dokumenty do Notre Dame, skoro wcale nie chciała tam iść. Na koniec obydwie się popłakałyśmy, a Darcy wyszła ze szkoły wcześniej, mówiąc pielęgniarce, że ma skurcze. Sprawa ucichła, kiedy dostałam się do Duke i wmówiłam sobie, że bardzo się z tego cieszę. Duke miało podobny wygląd i atmosferę – kamienne budynki, nieskazitelnie czysty kampus, prestiż. Było równie dobre jak Notre Dame i być może szczęśliwie się złożyło, że poszerzyłam horyzonty i wyjechałam z Indiany.

Jednak do dzisiaj zastanawiam się nad tym, dlaczego Notre Dame wybrało Darcy zamiast mnie. Być może jakiemuś młodemu członkowi komisji rekrutacyjnej spodobało się jej zdjęcie. A może Darcy jak zwykle dopisało szczęście.

W każdym razie cieszę się, że Ethan odświeżył moje wspomnienia o Notre Dame. Zajęły w mojej głowie miejsce rozgrywki z Becky Zurich. Owszem, Darcy potrafiła być dobrą przyjaciółką – zwykle nią była – lecz jednocześnie wykiwała mnie w kilku ważnych momentach życia. Pierwsza miłość, marzenie o *college*'u – nie były to błahe sprawy.

– W porządku – mówię do Ethana. – Ale chyba trochę przesadzasz. Nie powiedziałabym, że mną „poniewierała".

– Dobra, ale wiesz, co mam na myśli. Jej przyjaźń jest podszyta duchem rywalizacji.

– Możliwe. Chyba tak – zgadzam się z nim, myśląc sobie, że to kiepska rywalizacja, skoro jedna ze stron ciągle przegrywa.

– W każdym razie informuj mnie na bieżąco. To niezła historia.

Obiecuję, że tak zrobię.

– O, jeszcze jedno. Kiedy zamierzasz mnie odwiedzić? – pyta Ethan.

– Niedługo.

– Zawsze tak mówisz.

– Wiem. Ale rozumiesz, jak to jest. W pracy ciągle urwanie głowy… Mimo to niedługo przyjadę. W tym roku na pewno.

– To dobrze. Naprawdę za tobą tęsknię.

– Ja za tobą też.

– Zresztą – mówi – kiedy to wszystko się skończy, będziesz chyba potrzebować wakacji.

Odkładam słuchawkę i z zadowoleniem zauważam, że Ethan ani razu nie powiedział, iż powinnam przestać. Powiedział jedynie, żebym była ostrożna. I będę. Kiedy znowu zobaczę się z Deksem, będę ostrożna.

ROZDZIAŁ 9

Unikam Darcy od trzech dni, co jest niezwykle trudne. Nie miewamy aż tak długich przerw w kontaktach. Kiedy w końcu udaje jej się mnie złapać, całą winę za to milczenie zrzucam na pracę: mówię, że miałam prawdziwy kocioł – zresztą to prawda – chociaż znalazłam mnóstwo czasu, żeby marzyć o Deksie, dzwonić do Deksa i pisać do niego e-maile. Darcy pyta, czy pójdę z nią w niedzielę na lunch. Odpowiadam, że tak, myśląc sobie, że równie dobrze mogę mieć za sobą to pierwsze spotkanie twarzą w twarz. Umawiamy się w EJ's Luncheonette niedaleko mojego mieszkania.

W niedzielę rano docieram do EJ's wcześniej niż Darcy i z ulgą zauważam, że jest tam mnóstwo dzieci. Ich radosna paplanina odwraca moją uwagę i dzięki temu nie jestem już aż tak zdenerwowana. Jednak myśl o spędzaniu czasu z Darcy nadal napawa mnie lękiem. Udało mi się stłumić całe poczucie winy dzięki unikaniu myślenia o Darcy i prawie udawałam, że Dex jest wolny, że nadal studiujemy prawo, a chwila, w której przyszło mi do głowy zapoznać go z Darcy, jeszcze nie nadeszła. Jednak tego popołudnia taka taktyka nie zda egzaminu. Obawiam się, że spotkanie z Darcy zmu-

si mnie do zerwania z Deksem, czego rozpaczliwie wolałabym uniknąć.

Chwilę później do lokalu wpada Darcy, niosąc swoją wielką czarną torbę Kate Spade, której używa podczas załatwia-
nia poważnych sprawunków, zwłaszcza tych związanych ze
ślubem. I rzeczywiście, dostrzegam wystający z torby pomarańczowy katalog wypełniony wycinkami z magazynów dla
nowożeńców. Czuję ucisk w żołądku. Przygotowałam się na
Darcy, ale nie na ślub.

Na powitanie całuje mnie po europejsku w obydwa policzki, a ja uśmiecham się i próbuję zachowywać normalnie. Zaczyna opowiadać o randce w ciemno, na którą zeszłego wieczoru wybrała się Claire z chirurgiem o imieniu Skip.
Mówi, że nie poszło najlepiej, że Skip był dla Claire zbyt niski i nie zapytał, czy ma ochotę na deser, uruchamiając przez
to jej radar wyczulony na sknerstwo. Myślę sobie, że być może jedynym radarem, który zadziałał, był radar Skipa wykry-
wający męczące snobki. Chyba po prostu chciał iść do domu i się od niej uwolnić. Jednak powstrzymuję się od zasu-
gerowania jej tego, ponieważ Darcy nie lubi, kiedy krytykuję
Claire – chyba że ona zrobi to pierwsza.

– Ona jest po prostu z d e c y d o w a n i e zbyt wybredna
– mówi Darcy, kiedy kelnerka prowadzi nas do boksu. – Jakby
szukała księcia z bajki, wiesz?

– Bycie wybrednym jest w porządku – zauważam. – Ale
ona ma dosyć popieprzony zestaw kryteriów.

– Jak to?

– Bywa trochę płytka.

Darcy posyła mi zdziwione spojrzenie.

– Po prostu chodzi mi o to, że zbyt wielką wagę przywią-
zuje do pieniędzy, wyglądu i koneksji facetów. Trochę zawę-
ża sobie wybór. I szanse na to, że kogoś pozna.

– Chyba nie jest aż t a k wybredna – mówi Darcy. – Twierdzi, że umówiłaby się z Marcusem, a on wcale nie ma do-

brych koneksji. Pochodzi z jakiejś dziury w Wyoming. W dodatku trochę przerzedzają mu się włosy.

– W Montanie – mówię, dziwiąc się temu, jak powierzchownie brzmią słowa Darcy. Chyba jest taka, od kiedy zamieszkała na Manhattanie, a może i przez całe nasze życie, lecz czasami, kiedy dobrze się kogoś zna, nie widzi się go takim, jaki jest w rzeczywistości. Zatem dochodzę do wniosku, że udawało mi się ignorować tę fundamentalną część jej osobowości, ponieważ najwidoczniej nie chciałam widzieć swojej najlepszej przyjaciółki w takim świetle. Jednak od czasu rozmowy z Ethanem odnoszę wrażenie, że jej arogancja i płytkość dodatkowo się spotęgowały i nie można ich nie dostrzegać.

– Montana, Wyoming, mniejsza o to. – Macha dłonią, jak gdyby sama nie pochodziła ze Środkowego Zachodu. Drażni mnie sposób, w jaki lekceważy nasze korzenie, gdy wyśmiewa Indianę, nazywając ją zacofaną i brzydką.

– A mnie podobają się jego włosy – mówię.

– Widzę, że go bronisz. Interesujące. – Uśmiecha się znacząco.

Ignoruję ją.

– Miałaś z nim ostatnio jakiś kontakt?

– Kilka razy. Głównie e-mailowy.

– Jakieś telefony?

– Kilka.

– Widziałaś się z nim?

– Jeszcze nie.

– Do cholery, Rach. Nie trać rozpędu. – Wyciąga z ust gumę i zawija ją w chusteczkę. – Po prostu tego nie schrzań. Lepiej nie będzie.

Wpatruję się w *menu* i czuję, jak wzbierają we mnie oburzenie i złość. Jak można coś takiego powiedzieć! Wcale nie uważam, żeby z Marcusem było coś nie tak, ale dlaczego nie miałoby być lepiej? Co to w ogóle miało znaczyć? Przez wszystkie lata naszej przyjaźni towarzyszyło nam ciche założenie, że Darcy jest tą czarującą pięknością, której sprzyja los. Jednak ukryte założenie to jedna rzecz, a powiedzenie tego tak po prostu – nie stać cię na nikogo lepszego – to już coś zupełnie innego. Jej tupet naprawdę zapiera dech w piersiach. Układam w myślach możliwe odpowiedzi, lecz się powstrzymuję. Ona nie wie, jak podłe jest to, co właśnie powiedziała – ta uwaga wypłynęła z jej wrodzonej bezmyślności. Zresztą, biorąc pod uwagę obecny stan rzeczy, naprawdę nie mam prawa się na nią wściekać.

Podnoszę wzrok znad *menu* i spoglądam na Darcy, bojąc się, że wyczyta z mojej twarzy całą prawdę. Jednak ona o niczym nie ma pojęcia. Moja mama zawsze powtarzała, że moja twarz odzwierciedla wszystkie przeżywane emocje, lecz Darcy niczego nie zauważa – chociaż z nią jest dokładnie odwrotnie.

Podchodzi do nas kelner i przyjmuje zamówienie bez użycia notesu, co zawsze robi na mnie duże wrażenie. Darcy prosi o suchą grzankę i cappuccino, a ja zamawiam grecki omlet z cheddarem zamiast fety, a do tego frytki. Niech nadal będzie sobie tą chudą.

Darcy energicznym ruchem wyciąga pomarańczowy katalog i zaczyna odhaczać różne listy.

– Dobra. Mamy znacznie więcej do zrobienia, niż myślałam. Wczoraj wieczorem zadzwoniła moja mama i zasypała mnie pytaniami w stylu: „Zrobiłaś to?", „Zrobiłaś tamto?". Zaczęłam wpadać w panikę.

Mówię jej, że mamy mnóstwo czasu. Żałuję, że nie więcej.

– To już za trzy miesiące, Rach. Ten dzień nadejdzie, zanim się obejrzymy.

Coś ściska mnie w żołądku i zastanawiam się, ile razy w ciągu tych trzech miesięcy zobaczę się z Deksem. Kiedy z tym skończymy. Lepiej wcześniej niż później. Lepiej już teraz.

Patrzę na Darcy, która dalej przegląda katalog, robiąc na marginesie krótkie notatki, dopóki kelner nie przynosi naszego zamówienia. Zaglądam do środka omleta – cheddar. Zapamiętał. Zaczynam jeść, a Darcy trajkocze o swoim diademie.

Kiwam głową i prawie jej nie słucham. Nadal czuję się urażona jej niemiłymi słowami.

– Słuchasz mnie? – pyta w końcu.

– Tak.

– W takim razie, co przed chwilą powiedziałam?

– Powiedziałaś, że nie masz pojęcia, gdzie znaleźć diadem.

– W porządku. W takim razie słuchałaś. – Odgryza kawałek grzanki i nadal przygląda mi się z powątpiewaniem.

– Przecież powiedziałam – mówię, obsypując frytki solą.

– Wiesz, gdzie można kupić diadem?

– No cóż, widzieliśmy je u Very Wang, na tym oszklonym stoisku na pierwszym piętrze, prawda? I jestem pewna, że są też w Bergdorfie.

Przypominam sobie pierwsze dni po zaręczynach Darcy, kiedy czułam się w to przynajmniej odrobinę zaangażowana. Choć ogarniała mnie zazdrość, że tak łatwo układa się jej w życiu, naprawdę cieszyłam się jej szczęściem i byłam bardzo pracowitą druhną. Pamiętam długie poszukiwania sukni ślubnej. Widziałyśmy chyba każdą suknię w Nowym Jorku. Zrobiłyśmy wyprawę do Kleinfeld na Brooklynie. Obeszłyśmy domy towarowe i małe butiki w Village. Wpadłyśmy do wielkich projektantów na Madison Avenue – do Very Wang, Caroliny Herrery, Yumi Katsury, Amsale.

Jednak Darcy nigdy nie doświadczyła tego uczucia, którego należy spodziewać się w takich sytuacjach, kiedy ogarniają cię emocje i zaczynasz płakać ze wzruszenia w przymierzalni. W końcu zrozumiałam, w czym tkwi problem. Był to ten sam kłopot, który towarzyszy przymierzaniu kostiumów kąpielowych. We wszystkim wyglądała oszałamiająco. Obcisłe suknie podkreślały jej smukłe biodra i wzrost. Rozkloszowane kreacje księżniczek uwydatniały cieniutką talię. Im więcej sukni przymierzała, tym bardziej była niezdecydowana. Zatem kiedy na zakończenie tej długiej męczącej soboty dotarłyśmy do kolejnego sklepu, Wearkstatt w Soho, postanowiłam, że będzie to nasz ostatni przystanek. Młodziutka dziewczyna, nienaznaczona jeszcze piętnem życia i miłości, zapytała Darcy, jak wyobraża sobie siebie w tym szczególnym dniu. Darcy bezradnie wzruszyła ramionami i spojrzała na mnie w poszukiwaniu odpowiedzi.

– To będzie miejskie wesele – zaczęłam.

– U w i e l b i a m wesela na Manhattanie.

– Jasne. I odbędzie się na początku września. W związku z tym liczymy na ładną pogodę... Myślę, że Darcy woli proste suknie bez nadmiernej ilości ozdóbek.

– Ale i niezbyt nudne – wtrąciła Darcy.

– Racja. Nie interesują nas żadne kreacje dla przeciętniaków – powiedziałam. Boże uchowaj.

Dziewczyna przyłożyła palec do skroni, oddaliła się i wróciła z czterema prawie identycznymi suknimi rozszerzanymi ku dołowi. Wtedy postanowiłam, że postaram się, aby spośród nich Darcy wybrała t ę j e d y n ą. Kiedy przymierzyła drugą jedwabną suknię z satynowym połyskiem, w delikatnym białym kolorze, z obniżoną talią i gorsetem obszytym koralikami, wydałam z siebie zduszony okrzyk.

– Och, Darcy. Wyglądasz w niej cudownie – powiedziałam. (Oczywiście, tak właśnie było). – To jest to!

– Tak myślisz? – W jej głosie pobrzmiewało wahanie. – Jesteś pewna?

– Absolutnie. Musisz kupić właśnie t ę.

Chwilę później składałyśmy zamówienie na suknię, rozmawiając o przymiarkach. Darcy i ja przyjaźnimy się od wieków, lecz wtedy po raz pierwszy zdałam sobie sprawę z tego, jak wielki mam na nią wpływ. Wybrałam jej suknię ślubną, najważniejszy strój, jaki kiedykolwiek włoży.

– Nie masz nic przeciwko temu, żeby pozałatwiać dziś ze mną parę spraw? – pyta mnie. – Jedyną rzeczą, na której naprawdę mi zależy, jest znalezienie butów. Potrzebuję ich do następnej przymiarki. Chyba zajrzymy najpierw do Stuarta Weitzmana, a potem wpadniemy do Barneys. Możesz ze mną iść, prawda?

Zanurzam kawałek omleta w ketchupie.

– Jasne... Ale poza tym muszę dziś pójść do pracy – kłamię.

– Zawsze musisz pracować! Nie wiem, kto ma gorzej: ty czy Dex – mówi. – Ostatnio pracuje nad jakimś dużym projektem. Nigdy nie ma go w domu.

Nie podnoszę wzroku znad talerza, lustrując go w poszukiwaniu najlepszej frytki.

– Naprawdę? – dziwię się, myśląc o ostatnich wieczorach, kiedy to ja i Dex zostawaliśmy do późna w pracy, żeby porozmawiać przez telefon. – To kiepsko.

– Mnie nie musisz o tym mówić. Nigdy nie ma go w pobliżu, kiedy potrzebuję pomocy przy organizowaniu ślubu. To naprawdę zaczyna mnie wkurzać.

Po lunchu i dalszych rozmowach na temat ślubu idziemy na Madison i skręcamy w lewo, w stronę Stuarta Weitzmana. Kiedy wchodzimy do sklepu, Darcy zaczyna podziwiać tuzin sandałków, mówiąc mi, że linia tych butów idealnie pasuje do jej wąskich stóp i drobnych pięt. Wreszcie podchodzimy do satynowych butów ślubnych w głębi sklepu. Przygląda się każdej parze po kolei i ostatecznie wybiera cztery do przymiarki. Patrzę, jak paraduje po sklepie krokiem modelki, a na koniec decyduje się na parę z najwyższymi obcasami. Już mam zapytać, czy jest pewna, że są wygodne, lecz powstrzymuję się. Im szybciej podejmie decyzję, tym wcześniej pójdę do domu.

Jednak Darcy jeszcze ze mną nie skończyła.

– Skoro już tu jesteśmy, chodźmy do Elizabeth Arden pooglądać szminki – proponuje, płacąc za buty.

Niechętnie się zgadzam. Idziemy na Piątą i przez cały czas muszę znosić jej trajkotanie na temat wodoodpornego tuszu do rzęs, o którym koniecznie muszę jej przypomnieć przed ślubem, ponieważ w żaden sposób nie uda jej się wytrzymać całej imprezy bez płaczu.

– Jasne – mówię. – Przypomnę ci.

Powtarzam sobie, że powinnam patrzeć na to wszystko okiem bezstronnego obserwatora, równie zdystansowanego jak profesjonalna organizatorka wesel, która ledwie zna pannę młodą, a nie jak najstarsza, lecz zarazem najbardziej nielojalna przyjaciółka. W końcu jeśli będę szczególnie pomocna, mogę odkupić część mojej winy. Wyobrażam sobie chwilę, w której Darcy odkrywa moją zbrodnię, a ja oznajmiam: Tak, to wszystko prawda. Przyłapałaś mnie. Pragnę ci jednak przypomnieć, że nigdy, ani razu, nie zaniedbałam obowiązków druhny!

– Czy mogę paniom w czymś pomóc? – pyta nas kobieta stojąca za ladą w sklepiku Elizabeth Arden.

– Tak. Szukamy różowej szminki. Zdecydowanego i jednocześnie delikatnego, niewinnego różu dla panny młodej – mówi Darcy.

– Czy to pani jest panną młodą?

– Tak, to ja – Darcy posyła ekspedientce jeden ze swoich sztucznych uśmiechów z branży PR.

W odpowiedzi kobieta rozpromienia się i zdecydowanym głosem poleca kosmetyki, zręcznie wyciągając pięć próbek, które następnie kładzie przed nami na ladzie.

– Proszę bardzo. Są doskonałe.

Darcy oznajmia, że będę potrzebowała dopasowanego odcienia, ponieważ jestem pierwszą druhną.

– Jak miło. Są panie siostrami? – Kobieta się uśmiecha. Jej wielkie prostokątne zęby przypominają mi gumę do żucia w drażetkach.

– Nie – odpowiadam.

– Ale ona jest dla mnie jak siostra – mówi Darcy, zwyczajnie i szczerze.

Czuję się podle. Wyobrażam sobie siebie w programie *Ricki Lake* zatytułowanym: „Najlepsza przyjaciółka próbowała ukraść mi narzeczonego". Publiczność wyje i gwiżdże, kiedy próbuję wybąkać przeprosiny i jakoś się usprawiedliwić. Tłumaczę, że nikomu nie chciałam wyrządzić krzywdy, po prostu to było silniejsze ode mnie. Zawsze się zastanawiałam, w jaki sposób znajdują ludzi, którzy dopuścili się tak podłej nielojalności (pomijam to, jak nakłaniają ich do wyznania tego w ogólnokrajowej telewizji). Teraz i ja dołączam do grona tych szumowin, walcząc o pierwsze miejsce z „Brandi przez i".

To się musi skończyć. Natychmiast. W tej sekundzie. Jeszcze nie spałam z Deksem świadomie, na trzeźwo. Co z tego, że znowu się całowaliśmy? To były tylko pocałunki. Przełomowym momentem będzie wybór szminki dla panny młodej. Już. Raz. Dwa. Trzy. Start!

Wtedy zaczynam myśleć o miękkich włosach Dextera, jego pachnących cynamonem ustach i słowach: „Podoba mi się w tobie dosłownie wszystko". Nadal nie mogę uwierzyć, że Dex czuje do mnie coś takiego. I nie potrafię zignorować faktu, że ja czuję dokładnie to samo. Może tak miało być. W głowie wirują mi takie słowa, jak „przeznaczenie" i „bratnia dusza", słowa, z których kpiłam jako dwudziestoparolatka. Dostrzegam w tym pewną ironię – czyż nie mówią, że z wiekiem stajemy się bardziej cyniczni?

– Podoba ci się? – Darcy odwraca się do mnie, układając pełne usta w dzióbek.

– Ładna – mówię.

– Nie jest zbyt jaskrawa?

– Chyba nie. Nie. Jest śliczna.

– Myślę, że może być zbyt jaskrawa. Pamiętaj, będę ubrana na biało. To wiele zmienia. Przypomnij sobie ślubny makijaż Kim Frisby – wyglądała po prostu jak dziwka. Ja chcę wyglądać szałowo, ale jednocześnie uroczo. Wiesz, jak dziewica. Ale mimo to szałowo.

Nagle i niespodziewanie zachciewa mi się płakać – zwyczajnie nie jestem w stanie znieść gadania o ślubie ani sekundy dłużej.

– Darcy, naprawdę muszę iść do pracy. Strasznie mi przykro.

Wydyma dolną wargę.

– Daj spokój, jeszcze tylko chwilę. Bez ciebie sobie nie poradzę! – Następnie zwraca się do sprzedawczyni: – Bez urazy.

Dziewczyna uśmiecha się, jak gdyby doskonale ją rozumiała, nie ma mowy o żadnej urazie. Dostrzega prawdę ukrytą w słowach Darcy i prawdopodobnie zastanawia się, co to za druhna, która porzuca pannę młodą w tak kluczowym momencie.

Biorę głęboki oddech i mówię, że mogę zostać jeszcze kilka minut. Darcy testuje następne szminki, a pomiędzy kolejnymi odcieniami różu wyciera usta mleczkiem do demakijażu.

– A co powiesz o tej?

– Ładna. – Uśmiecham się szczerze.

– Cóż, ładna nie wystarczy! – ucina. – Musi być idealna. Muszę wyglądać idealnie!

Kiedy przyglądam się jej naburmuszonym, jagodowym, pełnym ustom, wyzbywam się wszelkich śladów wyrzutów sumienia. Czuję jedynie prawdziwy wielki żal.

Dlaczego wszystko musi być dla ciebie idealne? Dlaczego wszystko musi być podane w idealnym opakowaniu, przewiązanym wstążką Marthy Stewart? Co takiego zrobiłaś, żeby zasłużyć na Deksa? Ja poznałam go wcześniej niż ty. Przedstawiłam go tobie. Powinnam była się nim zainteresować. Dlaczego tego nie zrobiłam? Och, jasne, myślałam, że nie jestem dla niego wystarczająco dobra. Cóż, myliłam się. Najwidoczniej źle oceniłam sytuację. Zdarza się… zwłaszcza kiedy ma się taką przyjaciółkę jak ty, przyjaciółkę, która zakłada, że ma prawo do tego, co najlepsze, przyjaciółkę, która tak niezmordowanie próbuje cię przyćmić, że sama zaczynasz wątpić w swoją wartość i obniżasz sobie poprzeczkę. To twoja wina, Darcy – zabrałaś coś, co powinno być moje.

Jestem zdenerwowana i rozpaczliwie próbuję się od niej uwolnić. Spoglądam na zegarek i wzdycham. Prawie zaczynam wierzyć, że naprawdę muszę iść do pracy, a Darcy marudzi i jak zwykle trwoni mój cenny czas. Myślę, że moja praca jest trochę ważniejsza niż szminka na imprezę, która odbędzie się dopiero za kilka miesięcy!

– Przykro mi, Darcy. To nie moja wina, że muszę pracować.

– W porządku.

– To nie moja wina – powtarzam.

Nie moja wina.

Moje uczucia do Deksa to nie moja wina.

I jego uczucia do mnie – wiem, że są szczere – to też nie jego wina.

Zanim udaje mi się uciec, Darcy dzwoni do Claire. Czy próbowała pomadek Bobbi Brown? – słyszę pytanie Claire, która, powołując się na autorytet magazynu dla nowożeńców, twierdzi, że mają tam śliczną linię ślubną i ich szminki doskonale nawilżają, a przy tym nie mają zbyt silnego połysku.

– Przyjdziesz się ze mną spotkać? – błaga Darcy przez telefon. Jej egocentryzm nie zna granic.

Odkłada słuchawkę i oznajmia mi, że mogę już iść. Zaraz będzie tu Claire. Macha dłonią. Zostałam oddelegowana.

– Do zobaczenia – mówię. – Pogadamy później?

– Jasne. Czemu nie? Cześć.

Kiedy odwracam się w stronę wyjścia, daje mi ostatnie ostrzeżenie:

– Jeśli nie będziesz się bardziej starać, zdegraduję cię do zwykłej druhny, a twoja zaszczytna rola przypadnie Claire.

I to by było tyle, jeśli chodzi o naszą siostrzaną więź.

Gdy tylko znikam z jej pola widzenia, dzwonię do Deksa. To podłe zagranie – dzwonić do niego, kiedy Darcy załatwia przedślubne sprawunki – lecz cała aż kipię z oburzenia. Taka kara spotyka ją za te wymagania, apodyktyczność i egoizm.

– Gdzie jesteś? – pytam Deksa, kiedy się witamy.

– W domu.

– Aha.

– A ty? Myślałem, że wybrałaś się na zakupy.

– Bo tak było. Ale powiedziałam, że muszę iść do pracy.

Zauważam, że obydwoje unikamy wspominania imienia Darcy.

– A czy r z e c z y w i ś c i e musisz pracować? – pyta nieśmiało.

– Niezupełnie.

– To dobrze. Ja też. Mogę się z tobą zobaczyć?

– Będę w domu za dwadzieścia minut.

Dex dociera do mojego mieszkania wcześniej niż ja i czeka na korytarzu, gawędząc z José o Metsach. Cieszę się, że go widzę, i czuję ulgę, że Darcy jest daleko stąd. Uśmiecham się i mówię cześć, zastanawiając się, czy José kojarzy Deksa z mężczyzną, który wcześniej odwiedzał mnie w towarzystwie Darcy. Mam nadzieję, że nie. Pragnę uznania nie tylko rodziców. Potrzebuję go nawet od mojego dozorcy.

Dex i ja wjeżdżamy windą na górę i idziemy korytarzem do mojego mieszkania. Jestem stremowana i nie mogę się doczekać jego dotyku. Siadamy na kanapie. Bierze mnie za ręce i zaczynamy się całować z namiętnością przywodzącą na myśl romans. To poważne słowo – przerażające słowo. Przypomina mi niedzielną szkółkę i dziesięć przykazań. Ale to nie cudzołóstwo. Nikt nie jest żonaty ani zamężny. Lecz mimo wszystko. Odganiam od siebie te myśli, całując Deksa. Nie będzie już żadnego poczucia winy, przynajmniej w najbliższym czasie.

Nagle siedzenie na kanapie wydaje mi się śmieszne. Na łóżku byłoby znacznie wygodniej. Nic więcej nie musi się wydarzyć tylko dlatego, że będziemy leżeć na łóżku. To założenie godne nastolatki. Jestem dorosłą kobietą z życiowym doświadczeniem (choć nieco ograniczonym) i potrafię nad sobą zapanować we własnym łóżku. Wstaję i prowadzę go na drugi koniec mieszkania. Idzie za mną, nie wypuszczając mojej dłoni. Siadamy na brzegu łóżka. Dex wysuwa stopy z mokasynów. Nie ma skarpetek. Porusza palcami w górę i w dół, a potem ociera jedną stopę o drugą. Ma wysokie, zgrabne podbicie i smukłe kostki.

– Chodź do mnie – szepcze, przyciągając mnie do siebie, a potem kładzie nas na poduszkach. Jest silny, ma ciepłą skórę. Leżymy na boku, nasze ciała się dotykają. Znowu mnie całuje i turlamy się na jego stronę łóżka. Nagle przestaje mnie całować, odchrząkuje i mówi:

– To takie dziwne. Być z tobą w ten sposób. A jednak wszystko wydaje się zupełnie naturalne. Może dlatego że tak długo się przyjaźniliśmy.

Mówię, że doskonale wiem, co ma na myśli. Przypominam sobie czas studiów. Wtedy nie byliśmy bardzo bliskimi przyjaciółmi, lecz przyjaźniliśmy się wystarczająco mocno, aby wiele się o sobie dowiedzieć – fakty, które zapadają w pamięć, nawet jeśli akurat skupiasz się na takich kwestiach, jak wspólne zaniedbanie lub sposoby unieważnienia umowy. Porządkuję w myślach wszystko, czego dowiedziałam się o Deksie, zanim na scenie pojawiła się Darcy. To, że dorastał w Westchester. Że jest katolikiem. Że w liceum grał w koszykówkę i zastanawiał się nad dalszymi treningami w Georgetown. Że ma starszą siostrę o imieniu Tessa, która chodziła do Cornella, a teraz uczy angielskiego w liceum w Buffalo. Że kiedy był mały, jego rodzice się rozwiedli. Że jego ojciec ponownie się ożenił. Że jego matka pokonała raka piersi.

A potem wszystko to, czego dowiedziałam się dzięki Darcy – szczegóły z jego osobistego życia, które przywoływałam i analizowałam w ostatnich dniach. Na przykład to, że rano jest zrzędliwy. Że codziennie przed pójściem spać robi co najmniej pięćdziesiąt pompek i nigdy nie zostawia na stole brudnych naczyń. Że załamał się, kiedy zmarł mu dziadek, i wtedy jedyny raz widziała, jak płacze. Że przed Darcy był w dwóch poważnych związkach, a jedna z dziewczyn, Suzanne Cohen, specjalistka do spraw badań w Goldman Sachs, rzuciła go i złamała mu serce.

Po zebraniu tego wszystkiego wiem całkiem sporo. Ale chcę wiedzieć więcej.

– Opowiedz mi wszystko o sobie – proszę jak osiemnastolatka.

Dex dotyka mojej twarzy i kreśli linię wzdłuż nosa i wokół ust, po czym jego palec zatrzymuje się na brodzie.

– Ty pierwsza. Jesteś bardziej tajemnicza.

Śmieję się.

– Bynajmniej – zaprzeczam, myśląc, że myli nieśmiałość z tajemniczością.

– Tak. Na studiach byłaś nieprzenikniona. Taka cicha, z nikim nie chciałaś się umawiać, chociaż wielu próbowało... Nigdy nie potrafiłem cię rozgryźć.

Znowu się śmieję.

– Co to ma znaczyć? Dużo ci o sobie opowiedziałam.

– Na przykład co?

Wymieniam kilka szczegółów z autobiografii.

– Nie mam na myśli tego typu rzeczy – mówi. – Chodzi mi o to, co naprawdę ważne. O to, co myślisz o różnych sprawach.

– Nienawidziłam Zigmana – rzucam niepewnie.

– Wiem. Strasznie się go bałaś. A kiedy w końcu wywołał cię do odpowiedzi, odwaliłaś kawał dobrej roboty.

– Wcale nie – przypominam sobie, jak jąkając się, brnęłam przez długą i bolesną rundę pytań.

– Owszem. Po prostu tego nie zauważyłaś. Nie widzisz siebie taką, jaka jesteś naprawdę.

Odwracam wzrok i wbijam go w plamę atramentu na kołdrze.

– Uważasz się za bardzo przeciętną, zwyczajną osobę. A w tobie nie ma nic zwyczajnego, Rachel – ciągnie dalej.

Nie jestem w stanie spojrzeć mu w oczy. Moja twarz płonie.

– I wiem, że kiedy coś wprawia cię w zakłopotanie, zaczynasz się rumienić. – Uśmiecha się.

– Wcale nie! – Zakrywam twarz dłonią i przewracam oczami.

– Owszem, tak. Jesteś cudowna. A jednak nie masz pojęcia, co jest w tobie najcudowniejsze.

Nikt, nawet moja matka, nie nazwał mnie nigdy cudowną.

– I jesteś piękna. Absolutnie, zachwycająco piękna w najbardziej świeży i naturalny sposób. Wyglądasz jak jedna z tych dziewcząt z reklam Ivory. Pamiętasz je?... Chociaż pewnie jesteś o wiele młodsza. Przypominasz modelkę J. Crew. Jesteś zupełnie naturalna.

Proszę go, żeby przestał, mimo że jego słowa są bardzo miłe.

– To prawda.

Chcę mu wierzyć.

Całuje mnie po szyi, a jego lewa dłoń spoczywa na moim biodrze.

– Dex.

– Hmmm?

– Kto powiedział, że na studiach nie chciałam się z nikim umawiać?

– Bo nie chciałaś, prawda? Byłaś tam po to, żeby się uczyć, a nie chodzić na randki. To wydawało się jasne.

– Umawiałam się z Nate'em.

– Dopiero na samym końcu.

– Dopiero na samym końcu zaprosił mnie na randkę.

– Odważny koleś.

Przewracam oczami.

– Prawie udało mi się zrobić to samo, wiesz?

Śmieję się.

– To prawda – mówi lekko urażonym tonem.

Patrzę na niego z powątpiewaniem.

– Pamiętasz, jak uczyliśmy się do egzaminu z deliktów?

Przypominam sobie jego kciuk na moim policzku w chwili, gdy ocierał tamtą łzę. A więc to m i a ł o jakieś znaczenie.

– Doskonale wiesz, o czym mówię, prawda?

Czuję, że moją twarz zalewa gorąca fala, kiedy kiwam głową.

– Chyba tak. Tak.

– A kiedy zapytałem, czy mogę odprowadzić cię do domu, powiedziałaś nie. Spławiłaś mnie.

– Wcale cię nie spławiłam!

– Zachowałaś się bardzo oficjalnie.

– Nieprawda. Po prostu wtedy nie sądziłam… – Milknę.

– Tak, a potem przedstawiłaś mnie Darcy. Wtedy byłem już pewien, że wcale cię nie interesuję.

– Po prostu nie sądziłam… Nie wiedziałam, że myślisz o mnie w ten sposób.

– Uwielbiałem spędzać z tobą czas. Nadal uwielbiam. – Patrzy na mnie i ani razu nie mruga.

Mówię, że mruga najrzadziej ze wszystkich osób, które znam. Uśmiecha się i odpowiada, że nigdy nie przegrał w bitwie na spojrzenia. Staję do walki, otwierając oczy równie szeroko jak on. Zauważam, że na lewej tęczówce ma ciemną plamkę przypominającą pieg na oku.

Kilka sekund później mrugam. Posyła mi krótki radosny uśmiech i znowu zaczyna mnie całować. Zmienia intensywność, nacisk i ruchy języka – elementy pocałunku, o których w długotrwałych związkach często się zapomina. Całowanie Deksa nigdy mi nie spowszednieje. On nigdy nie przestanie mnie tak całować.

– Opowiedz mi o Suzanne – mówię, kiedy w końcu się od siebie odsuwamy. – I o twojej dziewczynie z liceum.

– O Alice? – Śmieje się i zawija mi za ucho kosmyk włosów. – Co chcesz o niej wiedzieć? To stara historia.

Każdy wie, że w początkowej fazie związku nie rozmawia się o wcześniejszych sympatiach. Chociaż już na samym początku umierasz z ciekawości, żeby poznać szczegóły, poruszasz ten temat znacznie później. Nie trzeba być Dziewczyną z Zasadami jak Claire, żeby o tym wiedzieć. Umawianie się z nową osobą to początek świeżej historii dla obydwu stron. Odgrzewanie przeszłych – i z definicji nieudanych – związków nie może przynieść nic dobrego. Jednak w porównaniu z faktem jego zaręczyn dawne dziewczyny stanowią niewinny temat. W moim bezpiecznym mieszkaniu nie ma potrzeby stosowania żadnych strategii. Te zasady nie mają racji bytu. Możliwe, że to jedyna korzyść wynikająca z naszej sytuacji.

– Kochałeś je? – Z jakiegoś powodu muszę to wiedzieć.

Przewraca się na plecy i zamyśla się, wbijając wzrok w sufit. Podoba mi się to, że zastanawia się nad moimi pytaniami, dokładnie tak jak podczas egzaminów na studiach. Pamiętam, jak przez pierwsze czterdzieści pięć minut patrzył przed siebie. Nie pisał w swoim niebieskim zeszycie ani słowa, dopóki nie przemyślał całej odpowiedzi.

Odchrząkuje.

– Alice nie. Ale Suzanne tak.

Nic dziwnego, że myśl o Suzanne nigdy nie dawała Darcy spokoju. Ona pragnie być jedyną miłością w jego życiu. Pamiętam, jak w liceum gnębiła Blaine'a: „Nie kochałeś Cassandry, prawda? Prawda?" – dopóki w końcu nie powiedział: „Nie, kocham tylko ciebie, Darcy".

– Dlaczego nie Alice? – pytam. Najpierw wolę usłyszeć o tej, której nie kochał.

– Nie wiem. Była słodką dziewczyną. Tak słodką, jak to tylko możliwe. Nie wiem, dlaczego jej nie kochałem. Tego nie można tak naprawdę kontrolować.

Dex ma rację. To nie ma nic wspólnego z wewnętrzną wartością tej osoby, z sumą jej zalet. Nie można zmusić się siłą woli, żeby to poczuć. Albo żeby nie czuć. Chociaż przez te wszystkie lata całkiem nieźle mi się to udawało. Wystarczy wspomnieć Joeya. Byłam z nim dwa lata, a nigdy nie czułam nawet ułamka tego co teraz.

– Oczywiście, to działo się jeszcze w liceum – ciągnie Dex. – Czy w tym wieku można coś traktować naprawdę poważnie?

Kiwam głową, myśląc o słodkim małym Brandonie. Potem pytam Deksa o Suzanne.

– Kochałeś ją?

– Tak. Ale na dłuższą metę to nie mogło się udać. Ona jest Żydówką i nigdy nie kryła przede mną swoich wymagań. Chciała, żebym zmienił wyznanie, żeby nasze dzieci wychowywały się w judaizmie i tak dalej. Może nawet by mi to nie przeszkadzało... Nie jestem zbyt religijny... Ale nie podobało mi się, że zrobiła z tego wszystkiego świętą zasadę. Miałem wrażenie, że przez całe życie będzie mnie zmuszać do uległości. Dokładanie jak jej matka zmuszała ojca. Zresztą byliśmy zbyt młodzi, żeby naprawdę się zaangażować... Mimo to po jej odejściu byłem zdruzgotany.

– Wyszła za mąż?

– Zabawne, że o to pytasz. Niedawno nasz wspólny przyjaciel powiedział mi, że się zaręczyła. Jakiś miesiąc po... – Urywa, wygląda na speszonego.

– Po twoich zaręczynach?

– Tak – szepcze. Przyciąga mnie do siebie i mocno całuje, wymazując z mojej głowy wszelkie myśli o Darcy. Rozbieramy się i wślizgujemy pod kołdrę. – Jesteś zimna.

– Zawsze mi zimno, kiedy się denerwuję.

– Dlaczego się denerwujesz? Nie denerwuj się.

– Dex – szepczę do jego szyi.

– Tak, Rach?

– Nieważne.

Przykrywa mnie ciałem. Już nie jest mi zimno.

Długo się całujemy i dotykamy.

Nie wiem, która jest godzina, ale właśnie się ściemnia.

Prawie go powstrzymuję, ze wszystkich oczywistych powodów. Jednak również dlatego że moim zdaniem powinniśmy poczekać do chwili, w której będziemy mogli spędzić razem noc. Z drugiej strony, mogę się nie doczekać. I możliwe, że nigdy nie weźmiemy razem prysznica, nie będę patrzeć, jak się goli rano. Ani nie będę czytała z nim niedzielnego „Timesa" przy kawie, patrząc, jak upływają kolejne godziny. Nigdy nie będziemy szli, trzymając się za ręce, przez Central Park ani tulili się na kocu na błoniach. Ale mogę mieć go teraz. Nic nie odbierze nam tej chwili.

Kiedy nasze ciała poruszają się w zgodnym rytmie, widzę tylko niewielką część jego postaci – baczek z maleńkim śladem siwizny, silne ramię, płatek ucha. Moje palce gładzą jego obojczyk, a potem mocno zaciskają się na jego ciele.

ROZDZIAŁ 10

Nie mogę przestać myśleć o Deksie. Wiem, że ostatecznie nie będziemy razem, że we wrześniu ożeni się z Darcy. Jednak cieszę się, żyjąc chwilą, i codziennie pozwalam sobie na przyjemność popadania w obsesję. Tłumaczę sobie, że nic nie trwa wiecznie. Zwłaszcza coś, co jest dobre. Chociaż zazwyczaj nie ma tak wyraźnie wytyczonego końca. Myślę o innych przykładach konkretnych, z góry zaplanowanych końców. Weźmy taki *college*. Wiedziałam, że spędzę w nim cztery lata, zgromadzę przyjaciół, wspomnienia i wiedzę i że to wszystko zakończy się w określonym terminie. Wiedziałam, że pewnego dnia odbiorę dyplom i zapakuję dobytek do ciężarówki jadącej do Indiany, a przygoda o nazwie Duke dobiegnie końca. Tamten rozdział zamknie się na zawsze. Jednak ta świadomość nie odebrała mi radości z pobytu w *college*'u, z którego czerpałam to, co najlepsze.

Z Deksem zamierzam postąpić identycznie. Nie chcę rozmyślać o końcu kosztem tego, co dzieje się tu i teraz.

Gdy wieczorem siedzę w domu, dzwoni Dex, żeby zapytać, co słychać, i powiedzieć, że za mną tęskni. Jak chłopak, który dzwoni do swojej dziewczyny. Nie ma w tym żadnej tajemnicy ani komplikacji. Udaję, że naprawdę jesteśmy razem. Kiedy odkładam słuchawkę, znowu dzwoni telefon.

– Cześć – mówię tym samym ściszonym głosem, myśląc, że to tylko dalszy ciąg rozmowy z Deksem.

– Co to za głos? – pyta Darcy, brutalnie przywracając mnie do rzeczywistości.

– Jaki głos? – pytam. – Po prostu jestem zmęczona. O co chodzi?

Zaczyna opowiadać o szczegółach swojego ostatniego kryzysu w pracy, które zazwyczaj sprowadzają się jedynie do wcięcia papieru przez kserokopiarkę. Tym razem jest podobnie. Literówka na ulotce informującej o otwarciu klubu. Powstrzymuję się od zapewnienia jej, że docelowi odbiorcy i tak niczego nie zauważą, i zamiast tego pytam, kto jedzie do Hamptons w najbliższy weekend. Czuję, jak moje zmysły wytężają się w oczekiwaniu na imię Deksa. Już mi mówił, że jedzie, i przekonywał, że ja również powinnam. Powiedział, że będzie niezręcznie, ale warto. Musi się ze mną zobaczyć.

– Nie jestem pewna. Możliwe, że Claire będzie miała gości. Dex jedzie.

– Naprawdę? Nie musi iść do pracy? – pytam nieco zbyt zdziwionym tonem. Czuję ukłucie niepokoju, lecz Darcy nie zauważa fałszu w moim głosie.

– Nie. Właśnie skończył pracować nad jakąś dużą sprawą – mówi.

– Jaką sprawą?

– Nie wiem. Jakąś.

Praca Dextera nudzi Darcy. Zauważyłam, jak wtrąca się i przerywa mu w środku opowieści, kierując rozmowę na swoje, błahe sprawy: „Jestem gruba? Dobrze w tym wyglądam? Pójdziesz tam ze mną? Zrób to dla mnie. Pociesz mnie. Ja. Ja. Ja".

Jak gdyby na zawołanie mówi mi, że zastanawia się nad wysłaniem kasety do *Big Brothera*, że fajnie będzie wystąpić w tym programie. Dla ekshibicjonistów rzeczywiście fajnie. Niewiele rzeczy przeraża mnie równie mocno jak pokazanie się w telewizji, w programie, w którym cały świat ocenia, osądza i rozrywa na strzępy.

– Myślisz, że mnie wybiorą? – pyta.

– Masz spore szanse.

Jest wystarczająco ładna, żeby ją wybrali, i ma wyrazistą osobowość – dokładnie tego potrzebują programy typu *reality show*. Przyglądam się własnej twarzy w lustrze, myśląc o słowach Deksa porównującego mnie do modelki J. Crew. Być może jestem atrakcyjna, ale bardzo daleko mi do Darcy i jej regularnych rysów, niewiarygodnych kości policzkowych i zmysłowych ust.

Teraz głośno śmieje się w słuchawkę, opowiadając mi kolejne wydarzenie dnia. Bolą mnie uszy. Przychodzi mi na myśl słowo „wrzaskliwa" i kiedy znowu wpatruję się w moje odbicie, dochodzę do wniosku, że choć daleko mi do piękności, to być może posiadam subtelność, której jej brakuje.

Jest czwartek, dzień przed wyjazdem do Hamptons. Przyszedł Dex. Zamierzaliśmy poczekać do przyszłego tygodnia, żeby spotkać się sam na sam, lecz obydwoje wcześniej skończyliśmy pracę. No i cóż, znowu jesteśmy razem. Już raz się kochaliśmy. Teraz opieram głowę o jego pierś. Kiedy oddycha, lekko unosi moją twarz. Długo milczymy i nagle on pyta:

– Co my właściwie r o b i m y?

Oto jest Pytanie.

Myślałam o tym setki razy, formułowałam identyczne słowa z taką samą intonacją i naciskiem na „robimy". Jednak za każdym razem odpowiadam inaczej:

Idziemy za głosem serca.

Korzystamy z naszej szansy.

Jesteśmy szaleni.

Doprowadzamy się do zguby.

Poddajemy się pożądaniu.

Jesteśmy zagubieni.

Buntujemy się.

Dex boi się małżeństwa.

Ja boję się samotności.

Zakochujemy się w sobie.

Już się kochamy.

I najczęstsza odpowiedź: Nie mamy bladego pojęcia.

Właśnie tak odpowiadam:

– Nie wiem.

– Ja też nie – mówi łagodnym głosem. – Powinniśmy o tym porozmawiać?

– Chcesz?

– Niezupełnie.

Cieszę się, że nie. Bo ze mną jest podobnie. Za bardzo boję się decyzji, którą moglibyśmy podjąć. Każda jest przerażająca.

– W takim razie nie rozmawiajmy. Nie teraz.

– Więc kiedy? – pyta.

Z jakiegoś powodu mówię:

– Po czwartym lipca.

Brzmi to arbitralnie, lecz zawsze była to jakaś graniczna data – środek lata. Pomimo że po czwartym lipca zostaje jeszcze większa część lata, płynie ona szybciej i zawsze ulatuje w mgnieniu oka. Czerwiec, choć dzień krótszy, wydaje się o wiele dłuższy niż sierpień.

– Dobrze – zgadza się.

– Nie będziemy niczego analizować przed czwartym lipca. – Ustanawiam tę zasadę jasno, jak na początku egzaminu z prawa. Mówię zdecydowanym tonem, chociaż tak naprawdę nie wiem, co właściwie postanowiłam. Że rozstaniemy się czwartego lipca? A może... nie, chyba nie pomyślał, że miałam na myśli dzień, w którym powie Darcy, że nie może jej

155

poślubić. Nie, nie tego dotyczy nasza decyzja. Po prostu postanowiliśmy, że nie będziemy niczego postanawiać. I tyle.

Mimo to wybór tej daty budzi we mnie strach. Wyobrażam sobie gigantyczne odliczanie dni, godzin, minut, sekund. Jak zegary nastawione w tysiąc dziewięćset dziewięćdziesiątym dziewiątym roku na odliczanie czasu, który pozostał do nowego tysiąclecia. Pamiętam, jak w grudniu mijały sekundy na jednym z nich, umiejscowionym na poczcie obok Grand Central Station. Ten zegar mnie denerwował, wprawiał w gorączkowy nastrój. Chciałam rzucić się na moją listę spraw do załatwienia, posprzątać na biurku, wykonać zaległe telefony, natychmiast to wszystko skończyć. Jednocześnie patrzenie na mijające sekundy zupełnie mnie paraliżowało. Miałam zbyt wiele do zrobienia, więc po co w ogóle zaczynać?

Próbuję policzyć godziny dzielące mnie od czwartego lipca. Ile zostało nam wspólnych nocy. Ile razy będziemy się kochać.

Burczy mi w brzuchu. A może Deksowi. Trudno powiedzieć, bo leżymy przytuleni.

– Jesteś głodny? Możemy zamówić coś do jedzenia – proponuję i całuję jego pierś. – Albo coś dla nas przygotuję.

Wyobrażam sobie, że wyczarowuję jakąś smaczną przekąskę. Nie potrafię gotować, ale się nauczę. Będę doskonałą, troskliwą żoną.

Mówi, że nie chce marnować czasu na jedzenie. Może coś przekąsić w drodze do domu. Albo po prostu pójdzie spać głodny. Chce leżeć przy mnie, dopóki nie przyjdzie pora, żeby wracać.

Następnego dnia pytam Deksa, czy po powrocie do domu miał jakieś kłopoty. To mało precyzyjne pytanie, ale wie, co mam na myśli. Mówi, że kiedy przyszedł, Darcy nie było w domu, więc miał czas, żeby wziąć prysznic i niechętnie zmyć z siebie mój zapach. Dodaje, że Darcy zostawiła mu wiadomość: „Jest jedenasta, a ty nie odbierasz komórki ani telefonu w pracy. Pewnie masz romans. Wychodzę z Claire".

To jej typowe żartobliwe oskarżenie, kiedy Dex pracuje do późna. Pyta, czy ma romans, choć nigdy nie wierzy, że mógłby coś takiego zrobić. Za każdym razem zmienia podejrzaną osobę, wybierając na chybił trafił jakąś kobietę z jego biura. Im mniej atrakcyjna jest nowa oskarżona, tym lepszą ma zabawę.

– Wiedziałam, że kochasz się w Ninie – mówi, wiedząc, że Nina to pucołowata dziewczyna ze Staten Island, która zajmuje się korektą tekstów i ozdabia sztuczne paznokcie błyskotkami.

Myślę o wieczornym powrocie Deksa do domu. W moim umyśle rozgrywa się cała scena – Dex wkrada się do swojego mieszkania, biegnie pod prysznic i wskakuje do łóżka, gdzie nasłuchuje odgłosu klucza przekręcanego w zamku, udając, że śpi, gdy Darcy wchodzi do pokoju. A ona pochyla się nad nim, przyglądając mu się w ciemności.

– Jak było na randce z Niną? – pyta szyderczym donośnym głosem.

Dex przeciera oczy zaciśniętymi dłońmi jak ludzie w telewizji obudzeni z głębokiego snu.

– Cześć – mamrocze zmęczonym głosem i udaje, że znowu zapada w sen.

Darcy przytula się do niego i rzuca:

– Kocham cię.

Dex zaciska zęby, ale mówi jej to samo. Czy ma inne wyjście? Zasypia, myśląc o mnie. Myśląc, że jej broda za bardzo kłuje go w pierś.

Obserwuję ich na plaży, nad brzegiem oceanu.

Darcy i Dex stoją obok siebie w niezbyt gorącym czerwcowym słońcu. W ten weekend widzę ich razem po raz pierwszy po tym, jak Dex i ja na trzeźwo i świadomie uprawialiśmy seks. Włożyłam ciemne okulary przeciwsłoneczne, więc mogę leżeć na ręczniku i przyglądać im się niepostrzeżenie, podczas gdy Claire trajkocze o – a jakże! – zbliżającym się ślubie. Co będzie, jeśli wieczór okaże się chłodny? Czy powinnyśmy kupić jednakowe okrycia, lekkie zwiewne sweterki? Kiwam głową i mruczę, że to dobry pomysł.

Dex właśnie wyszedł z krótkiej kąpieli, pomimo że woda jest lodowato zimna. Teraz rozmawiają, stojąc blisko siebie. Być może informuje ją o temperaturze wody. Darcy nieśmiało podchodzi do brzegu, pozwalając, aby woda obmyła jej stopy. Obydwoje się uśmiechają. Dex opryskuje jej łydki, a ona piszczy, odwraca się i ucieka kilka metrów dalej. Widzę, jak napinają się mięśnie jej długich opalonych nóg. Ma na sobie beżowe bikini. Rozpuściła włosy, które unoszą się wokół jej twarzy. Śmieje się i grozi mu palcem, jak gdyby chciała go skarcić, po czym znowu do niego podchodzi. Bawią się na całego. Patrzenie na nich sprawia mi ból, ale nie mogę się powstrzymać. Nie potrafię odwrócić wzroku.

Czuję się tak, jak gdyby grali w jakimś przedstawieniu. Cóż, Darcy zawsze robi przedstawienie. Jednak Dex chętnie w nim uczestniczy. Z pewnością wie, że wszyscy na nich patrzymy. Że ja patrzę. Zawsze tak jest, kiedy idzie się na plażę całą paczką i ktoś postanawia popływać albo podejść do wody. Ocean przypomina ogromną scenę. To naturalne, że inni patrzą, choćby przez chwilę. Dex musi o tym wiedzieć, a jednak nadal z zaangażowaniem gra w przedstawieniu „radosna para". Powinien tkwić w zadumie na ręczniku, drzemać albo czytać jakąś powieść – coś mrocznego, co wskazywałoby na to, że jest zagubiony, przybity, rozdarty. A zamiast tego pryska na Darcy wodą i szeroko się uśmiecha.

Marcus przykłada dłonie do ust i krzyczy do nich:

– Zimna woda?

– Cholernie lodowata! – oznajmia Darcy, gładząc po plecach Deksa, który rzuca mężne:

– E tam, jest w porządku. Chodź!

Wściekłość miesza się z żalem. Po raz pierwszy naprawdę żałuję, że przespałam się z Deksem. Jest mi głupio i nagle nabieram pewności, że dla niego nie miało to żadnego znaczenia. Do oczu napływają mi łzy i zmuszam się do odwrócenia od nich wzroku. Wkładam słuchawki. Rozkazuję sobie
powstrzymać się od płaczu.

Zanim udaje mi się wcisnąć przycisk startu, Marcus pyta,
czego słucham. Od czasu naszej randki widziałam się z nim
tylko raz, podczas szybkiego lunchu w środku tygodnia w kawiarni obok mojej kancelarii, lecz kilka razy ze sobą gawę-
dziliśmy, a jedna rozmowa trwała ponad godzinę. Jedynym
widocznym powodem, dla którego randka numer dwa nie
doszła do skutku – przynajmniej z jego perspektywy – jest
zwykły przypadek. On jest zajęty, ja jestem zajęta. Byliśmy
zawaleni pracą. Tą całą rutyną. Zatem drzwi nadal są szeroko
otwarte, co ogromnie mnie cieszy. Muszę bardziej się na nim
skupić. Kiedy zapomnę o Deksie, mogą pojawić się uczucia
do Marcusa. Uśmiecham się i mówię:

– Tracy Chapman. To dobra płyta. Chcesz posłuchać?

Podaję mu słuchawki, widząc, że Dex i Darcy idą w naszą
stronę. Marcus słucha przez kilka sekund.

– Fajne. – Oddaje mi słuchawki i wyjmuje colę z turystycz-
nej lodówki. – Chcesz łyka? – pyta w chwili, w której Dex
i Darcy stają nad naszymi głowami.

Odpowiadam, że oczywiście, biorę puszkę i upijam łyk, po
czym przecieram wieczko brzegiem ręcznika.

Mówi z sugestywnym durnowatym spojrzeniem:

– Nie mam nic przeciwko twoim zarazkom. Jeśli wiesz, co
mam na myśli.

Śmieję się i kręcę głową, jak gdybym chciała powiedzieć:
Marcus, ty wariacie.

Marcus puszcza do mnie oczko. Znowu się śmieję.

Doskonałe wyczucie czasu. Dex słyszy całą rozmowę. Nie
patrzę w jego stronę. Nie zrobię tego.

– Czy ktoś jeszcze ma ochotę popływać? – pyta.

Claire udziela swojej standardowej odpowiedzi:

– Jeszcze nie teraz. Nie jestem wystarczająco rozgrzana.

Marcus obwieszcza, że nie cierpi pływać, zwłaszcza w lodowatej wodzie.

– Proszę, wytłumacz mi, co w tym zabawnego.

– To w c a l e nie jest zabawne. To męczarnia! – Darcy chichocze.

Nie odzywam się słowem i wciskam przycisk z napisem „start".

– A ty, Rachel? – pyta Dex, pochylając się nade mną.

Ignoruję go, udając, że muzyka jest za głośna, abym mogła go usłyszeć.

Dex i Darcy siadają na ręcznikach rozłożonych za Claire. Darcy strzepuje piasek ze stóp i kostek, a Dex siedzi po turecku i patrzy na ocean. Kątem oka widzę jego ramię i plecy. Próbuję nie myśleć o jego gładkiej skórze i dotyku jego ciała. Już nigdy więcej go nie poczuję. Tłumaczę sobie, że to nie koniec świata. Tak będzie lepiej.

Tamtego wieczoru, kiedy przebieram się przed kolacją, do mojego pokoju przychodzi Darcy, żeby zapytać, czy wzięłam ze sobą zalotkę. Mówię, że nie, w ogóle nie mam zalotki. Może ma ją Hillary, ale ona właśnie bierze prysznic. Darcy siada na moim łóżku i wzdycha, a jej twarz przybiera rozmarzony wyraz.

– Właśnie przeżyłam najlepszy seks w życiu – informuje.

Rozpaczliwie staram się zachować zimną krew.

– Och, naprawdę? – Wiem, że zostawiam jej otwartą furtkę do dalszych zwierzeń, ale nie jestem pewna, co innego mogłabym powiedzieć. Moja twarz płonie. Mam nadzieję, że Darcy niczego nie zauważy.

– Tak, było fenomenalnie. Nie słyszałaś nas? – Dzielenie się takimi szczegółami jest w jej stylu. Zawsze była konkretna w swoich seksualnych sprawozdaniach. Jest w stanie powiedzieć, jakie słowa padły w chwili orgazmu. Kiedyś jej wysłuchiwałam, zwykle się śmiejąc, a czasami nawet dobrze się przy tym bawiłam. Ale tamte dni dawno minęły.

– Nie. Widocznie byłam pod prysznicem – mówię.

– Tak, my też. – Przeczesuje palcami mokre włosy, po czym potrząsa głową. – Jeju. Takiego seksu nie miałam od miesięcy.

Myślę o ich mokrych przytulonych ciałach i sama nie wiem, którego z nich nienawidzę bardziej.

Jest późno, minęła druga w nocy. Unikałam Deksa przez cały wieczór, najpierw w domu, a potem podczas kolacji. Teraz jesteśmy w Talkhouse. Właśnie zamówiłam dwa piwa – jedno dla mnie, drugie dla Hillary – gdy Dex podchodzi do mnie przy barze.

– Cześć, Rach – mówi.

Jestem podchmielona i bezczelna. Alkohol wysuszył moje serce, pozostawiając jedynie gorycz i złość. Z tymi emocjami łatwiej sobie poradzić, są prostsze.

– Tak?

– Co się dzieje? – pyta beztrosko.

– Nic – ucinam i odwracam się, żeby odejść.

– Poczekaj chwilę. Dokąd idziesz?

– Zanieść Hillary jej piwo.

– Chcę z tobą porozmawiać.

– O czym? – pytam lodowatym tonem.

– Co się stało?

– Nic się nie stało. – Żałuję, że nie potrafię wymyślić czegoś uszczypliwego i mściwego. Nigdy nie specjalizowałam się w podłości, ale ton mojego głosu najwidoczniej zdaje egzamin, ponieważ Dex wygląda na urażonego. Choć nie tak bardzo jak ja podczas dzisiejszej wycieczki na plażę albo wysłuchiwania seksssprawozdania Darcy. Nie zraniłam go wystarczająco mocno. Unoszę brwi, patrząc na niego z lekką odrazą, jak gdybym chciała powiedzieć: Tak? Mogę coś jeszcze dla ciebie zrobić?

– Czy... jesteś na mnie wściekła? – pyta.

Śmieję się – nie, to bardziej przypomina pogardliwe prychnięcie.

– J e s t e ś? – pyta ponownie.

– Nie, Dex, nie jestem na ciebie wściekła – odpowiadam. – W ogóle mnie nie obchodzisz. Ani to, co robisz z Darcy.

Teraz wie, że ja wiem.

– Rachel... – zaczyna zakłopotany. Potem próbuje mi wmówić, że to zdarzyło się z jej inicjatywy, że ona to wszystko zaczęła.

– Powiedziała, że to był najlepszy seks w jej życiu – mówię, po czym oddalam się, pozostawiając go samego przy barze. – Dobra robota. Gratulacje.

Nawet w tym stanie alkoholowego zamroczenia wiem, że nie mam prawa atakować go w ten sposób. Po prostu kochał się ze swoją narzeczoną. Niczego mi nie obiecywał – mieliśmy nawet powstrzymać się od wszelkich dyskusji aż do czwartego lipca. Nikt nikogo nie wprowadzał świadomie w błąd. Tak naprawdę nieświadomie też nie. Znalazłam się w tej sytuacji na własne życzenie, nie zostałam wrobiona. Lecz mimo to go nienawidzę.

Lustruję tłum, próbując znaleźć Hillary. Dex idzie za mną i chwyta mnie za rękę, tuż poniżej łokcia. Upuszczam jedno z piw. Butelka roztrzaskuje się na podłodze.

– Świetnie. Patrz, co narobiłeś – mówię, patrząc na powstały bałagan.

– Kupię ci następne.

– Nie rób sobie kłopotu.

– Rachel, proszę... Nic nie mogłem na to poradzić. To przez Darcy, przysięgam.

Nagle obok nas pojawia się Hillary.

– Co się dzieje?

Nie jestem pewna, czy usłyszała coś z naszej rozmowy.

– Nic – szybko odpowiada Dex. – Rachel wścieka się, że przeze mnie upuściła piwo.

– Możesz wypić moje – mówi Hillary.

– Nie, weź je – podaję jej butelkę.

Bierze ją niepewnie i pyta, gdzie jest Darcy.

– Właśnie jej szukamy – mówię.

Zerkam na Deksa. Próbuje zamaskować swoje uczucia przed Hillary, ale nie najlepiej mu to wychodzi. W jego szeroko otwartych oczach widać niepokój, a usta układają się w niepewny uśmiech. Założę się, że pod prysznicem miał inną minę.

To koniec, mówię sobie w myślach z dramatyczną emfazą zranionej kobiety. Potem odwracam się w poszukiwaniu Marcusa. Słodkiego Marcusa, który na plaży poczęstował mnie własną colą i nie jest z nikim zaręczony.

ROZDZIAŁ 11

– Aaa. Historia jak z *Fatalnego zauroczenia* – mówi Ethan, kiedy zdaję mu relację w poniedziałek rano.

– To nie ma nic wspólnego z *Fatalnym zauroczeniem*! – protestuję, przypominając sobie, że oglądałam ten film razem z Darcy i Ethanem. Darcy miała wiele zastrzeżeń do całej fabuły. Ciągle powtarzała, że to wszystko jest mało realistyczne – żaden mężczyzna nie zdradzałby żony ze znacznie mniej atrakcyjną kobietą. Chyba obalam jej teorię.

– Nie? – pyta Ethan z udawaną powagą. – Cóż, może tylko wariacje na ten temat. Jednak bardziej subtelne. Ty zastosowałaś tylko lekki nacisk… i dałaś mu do zrozumienia, że kontynuowanie związku z narzeczoną jest nie do przyjęcia.

– Mniejsza z tym… to koniec. – Zdaję sobie sprawę, że te dwa słowa wpychają mnie w liczne grono naiwnych kobiet, które mówią, że to koniec, chociaż modlą się, by było inaczej. Szukają najmniejszego cienia nadziei i upierają się, że chcą z tym skończyć, podczas gdy tak naprawdę pragną odbyć kolejną rozmowę pod przykrywką próby zakończenia romansu, a cały czas pracują nad tym, żeby romans trwał dalej. Żałosna prawda jest taka, że r z e c z y w i ś c i e chcę, aby to trwało da-

164

lej. Żałuję, że nie mogę cofnąć sprzeczki w Talkhouse. Nie powinnam była powiedzieć mu złego słowa. Czuję dotkliwy lęk, martwiąc się, że w ogóle przestanie się ze mną widywać. Prawdopodobnie uzna, że nie warto, że sytuacja jest po prostu zbyt skomplikowana.

– Więc to już koniec? – pyta Ethan z powątpiewaniem.

– Tak.

– Brawo – mówi z doskonałym brytyjskim akcentem. – Cóż za zdecydowanie!

– Mniejsza z tym – ucinam, jak gdyby zmiana tematu przychodziła mi z łatwością.

– Tak, mniejsza z tym. Przylecisz do Londynu w tygodniu, w którym wypada czwarty lipca? – pyta.

Wspomniałam o takiej możliwości w jednym z niedawnych e-maili, zanim jeszcze ustaliliśmy z Deksem naszą datę. Teraz nie chcę wyjeżdżać. Na wypadek gdyby nie wszystko było stracone.

– Hmm... Wątpię. Obiecałam już, że będę w Hamptons – wymawiam się.

– A czy nie będzie tam Deksa?

– Będzie, ale mimo to chcę wykorzystać pieniądze, które zapłaciłam za domek.

– Jasne. U-hmm.

– Nie zachowuj się w ten sposób.

– Dobra – zmienia ton głosu. – Ale czy kiedykolwiek mnie odwiedzisz? Po egzaminie adwokackim też mnie olałaś. Przez tego Nate'a.

– O d w i e d z ę cię. Obiecuję. Może we wrześniu.

– Dobra... Ale czwartego lipca byłoby miło.

– W Anglii to nawet nie jest święto – mówię.

– Tak, zabawne, że Brytole nie świętują dnia, w którym ogłosiliśmy od nich niezależność... Ale w moim sercu to jest święto, Rachel.

Śmieję się i zapewniam, że sprawdzę loty na jesień.

– W porządku. Prześlę ci e-mail z moimi wolnymi week-
endami – wszystkie info.

Wie, że nie cierpię słowa „info". Podobnie jak nie cierpię
ludzi, którzy robią „rez" w restauracji. Albo mówią „pozdro".
Nie cierpię również ulubionego słówka Ethana, które stworzył
specjalnie po to, żeby mnie drażnić: „jejaje", czyli: „Jesteś, jaka jesteś".

– Brzmi w porzo. – Uśmiecham się.

– No to super.

Gdy tylko kończę rozmawiać z Ethanem, dzwoni telefon. Na
wyświetlaczu pokazuje się imię Lesa. Rozważam zignorowanie
go, ale zdążyłam się już nauczyć, że techniki unikania nie zdają egzaminu w kancelarii prawniczej. Wspólnicy są po prostu
bardziej rozdrażnieni, kiedy w końcu uda im się dodzwonić.

– Jak załatwiłaś sprawę papierów IXP? – warczy w słuchawkę, gdy tylko kończę powitanie. Les zawsze pomija uprzejmości.

– Co masz na myśli?

– W jaki sposób je dostarczyłaś? Pocztą? Osobiście?

Przybiłam je gwoździem do drzwi jego domu, dupku, myślę, przypominając sobie przestarzały sposób praktykowany
przez nowojorską palestrę.

– Pocztą – informuję, zerkając na sfatygowany egzemplarz
Nowojorskiego Kodeksu Postępowania Cywilnego.

– Wspaniale, cholera. Wspaniale – mówi swoim zwykłym
złośliwym tonem.

– O co chodzi?

– Jak to: „O co chodzi"? – wrzeszczy do telefonu. Odsuwam słuchawkę od ucha, lecz teraz słyszę jego głos w stereo.
Wypełnia cały korytarz: – Spieprzyłaś sprawę! O to chodzi!
Te papiery trzeba doręczać osobiście! Nie zadałaś sobie trudu, żeby przeczytać zalecenia sądu?

Przebiegam wzrokiem po piśmie od sędziego. Do diabła,
ma rację.

– Masz rację – mówię poważnym głosem. Les nie cierpi usprawiedliwień, a ja i tak nie mam żadnego w zanadrzu.

– Spieprzyłam sprawę.

– Kim ty jesteś? Jakąś cholerną początkującą prawniczką?

Gapię się na blat biurka. Doskonale wie, że pracuję tu już piąty rok.

– Chryste, Rachel, to błąd w sztuce – warczy. – Pozwą tę firmę, a jeśli nie wygrzebiesz się z tego gówna, wylecisz z pracy.

– Przykro mi – mówię i w tej samej chwili przypominam sobie, że jeśli jest ci przykro, Les nienawidzi cię jeszcze bardziej.

– Niech ci nie będzie przykro! Po prostu napraw tę pieprzoną sprawę! – Odkłada słuchawkę. Nie sądzę, żeby kiedykolwiek zakończył rozmowę zwyczajnym „Do widzenia", nawet kiedy jest w przyzwoitym nastroju.

Nie, nie jestem początkującą prawniczką, dupku. Dlatego twoje gadanie nie robi na mnie żadnego wrażenia. No, dalej, zwolnij mnie. Kogo to obchodzi?, myślę. Przypominają mi się czasy, kiedy zaczęłam pracować w kancelarii. Wystarczyło, że jakiś wspólnik uniósł brwi, a już leciałam do gabinetu ze łzami w oczach, panikując na myśl o utracie pracy albo przynajmniej rocznej premii. Z upływem czasu nieco się uodporniłam i obecnie wcale się nie przejmuję. Mam ważniejsze sprawy na głowie niż ta kancelaria i moja kariera prawnicza. Nie, wykreślić słowo „kariera". Kariery są dla ludzi, którzy pragną awansować. Ja chcę jedynie przetrwać i dostać wypłatę. To tylko praca. Mogę tu zostać albo odejść. Wyobrażam sobie, że rzucam pracę i poświęcam się mojej – jak dotąd nieznanej – pasji. Mogłabym uznać, że chociaż w moim życiu brakowało prawdziwego, poważnego związku, to jednak miałam wymarzoną pracę.

Dzwonię do adwokata strony przeciwnej, rozważnego czterdziestoparolatka z lekką wadą wymowy, do którego przełącza mnie jego współpracownik. Mówię mu, że nasze papiery dostarczono w niewłaściwy sposób i że przywiozę je osobiście, lecz dotrą z jednodniowym opóźnieniem. Przerywa mi uprzejmym śmiechem i sepleniąc, oznajmia, że to żaden problem, że oczywiście nie wykorzysta tego przeciwko nam. Założę się, że nienawidzi swojej pracy równie mocno jak ja. Gdyby ją lubił, z pewnością wytknąłby nam ten błąd. Les miałby niezłą radochę, gdyby strona przeciwna spóźniła się z dostarczeniem dokumentów.

Wysyłam do Lesa e-mail, jedno krótkie zdanie: „Adwokat strony przeciwnej powiedział, że nie ma nic przeciwko temu, aby papiery zostały dostarczone osobiście w dniu dzisiejszym". To go uciszy. Potrafię być równie szorstka i pewna siebie jak facet.

Około wpół do drugiej, kiedy wydrukowałam już nowy zestaw dokumentów i przekazałam go kurierowi, do mojego gabinetu przychodzi Hillary i pyta, czy mam jakieś plany na lunch.

– Nie mam żadnych planów. Chcesz, żebyśmy poszły razem?

– Tak. Możemy pójść do jakiegoś miłego lokalu? Zjemy coś dobrego. Stek czy kuchnia włoska?

Uśmiecham się i kiwam głową, wyciągając torebkę z szuflady biurka. Hillary potrafi codziennie zjadać duży lunch, ale ja robię się potem zbyt senna. Pewnego razu, po zamówieniu kanapki z indykiem na ciepło z ziemniaczanym purée i groszkiem, pojechałam metrem do domu, żeby się zdrzemnąć. Po powrocie czekało na mnie sześć wiadomości głosowych, w tym jedna od wściekłego Lesa. To była moja ostatnia popołudniowa drzemka, chyba że uwzględni się te przypadki, kiedy odwracam fotel do okna i kładę sobie na kolanach jakieś dokumenty. Ta technika jest niezawodna – jeśli ktoś wpada do gabinetu, wyglądasz tak, jakbyś akurat czytała. Przewieszam torebkę przez ramię i właśnie wtedy zza uchylonych drzwi zagląda do mnie Kenny, nasz wewnętrzny posłaniec z działu przesyłek.

– Cześć, Kenny, wejdź.

– Ra-chelle. – Wymawia moje imię z francuskim akcentem. – To dla ciebie. – Uśmiecha się znacząco i pokazuje szklany wazon wypełniony czerwonymi różami. Mnóstwem róż. Ponad tuzinem. Raczej dwoma tuzinami, chociaż nie liczę. Na razie.

– O kurczę! – Hillary wytrzeszcza oczy. Czuję, że powstrzymanie się od chwycenia karteczki kosztuje ją wiele wysiłku.

– Gdzie je postawić? – pyta Kenny.

Robię miejsce na biurku i kiwam w jego stronę.

– Tu będzie dobrze.

– Fiu, fiu, Rachel. Spodobałaś się komuś. – Kenny pociera nadgarstki, wyolbrzymiając ciężar wazonu, i gwiżdże.

Macham dłonią, lecz nie mogę zaprzeczyć, że przysłał je ktoś o bardzo romantycznych zamiarach. Gdyby nie były to czerwone róże, mogłabym zwalić winę na jakąś rodzinną okazję, powiedzieć, że to dla mnie szczególny dzień albo moi rodzice chcą mnie podnieść na duchu, ponieważ dowiedzieli się o błędzie z dostarczeniem dokumentów. Jednak nie dość, że są to róże, to na dodatek czerwone. I jest ich bardzo dużo. Z pewnością nie pochodzą od nikogo z rodziny.

Kenny wychodzi i na pożegnanie zauważa, że te kwiaty musiały kogoś kosztować fortunę. Próbuję wyjść w ślad za nim, lecz nigdzie się nie ruszymy, dopóki Hillary nie dostanie wszystkich informacji.

– Kto je przysłał?

– Nie mam pojęcia. – Wzruszam ramionami.

– Nie zamierzasz przeczytać karteczki?

Boję się ją przeczytać. Kwiaty muszą być od Deksa – co będzie, jeśli się podpisał? To zbyt ryzykowne.

– Wiem, od kogo są.

– Od kogo?

– Od Marcusa. – To jedyna inna możliwość.

– Od Marcusa? Podczas weekendu prawie ze sobą nie rozmawialiście. O co chodzi? Ukrywasz coś przede mną? Lepiej tego nie rób!

Uciszam ją, mówiąc, że nie chcę, żeby cała kancelaria wiedziała o moich prywatnych sprawach.

– Dobra, w takim razie mi powiedz. Co jest napisane na karteczce? – Znajduje się w nastroju do przesłuchania. Chociaż nie znosi tej kancelarii, idealnie nadaje się do prowadzenia sporów sądowych.

Wiem, że nie uda mi się wymigać od przeczytania karteczki. Zresztą sama umieram z ciekawości. Zdejmuję białą kopertę z plastikowych widełek umieszczonych w wazonie i bardzo wolno ją otwieram, podczas gdy mój umysł szybko wymyśla jakąś historyjkę o Marcusie. Wysuwam ze środka kartkę i cicho czytam dwa zdania: „Bardzo mi przykro. Proszę, spotkajmy się dziś wieczorem". Są napisane drukowanymi literami, dłonią Dextera, co oznacza, że musiał pójść do kwiaciarni osobiście. Tym lepiej. Nie podpisał się, ponieważ prawdopodobnie przewidział taki scenariusz. Serce bije mi jak szalone, lecz w towarzystwie Hillary staram się powstrzymać szeroki uśmiech. Te róże sprawiają mi ogromną radość. Liścik chyba jeszcze większą. Wiem, że nie odrzucę jego zaproszenia. Zobaczę się z nim dziś wieczorem, chociaż nigdy bardziej się nie bałam, że zostanę zraniona. Oblizuję usta i próbuję sprawiać wrażenie opanowanej.

Hillary wpatruje się we mnie.

– Daj zobaczyć – mówi, sięgając po liścik.

– Po prostu napisał, że o mnie myśli. – Odsuwam go i wkładam do torebki.

Zawija włosy za uszy i pyta podejrzliwie:

– Byliście na kolejnych randkach? Chcę poznać całą historię.

Wzdycham i wychodzę na korytarz, w pełni gotowa wykorzystać biednego Marcusa.

– Dobra, w zeszłym tygodniu byliśmy na randce, o której ci nie powiedziałam – zaczynam, kiedy idziemy w stronę windy. – I, hmm, powiedział mi, że jego uczucia przybierają na sile...

– Tak powiedział?

– Coś w tym rodzaju. Tak.

– Co mu odpowiedziałaś? – Analizuje moje słowa.

– Że nie jestem pewna, co czuję i, hmm, że moim zdaniem podczas weekendu nie powinniśmy się za bardzo afiszować.

Do windy wpada Frieda z księgowości. Mam nadzieję, że Hillary powstrzyma się z dalszym wypytywaniem do chwili wyjścia z windy. Jednak kiedy drzwi się zamykają, pyta dalej:

– Zbliżyliście się do siebie?

Kiwam głową, żeby Frieda, która stoi do nas tyłem, nie słuchała o moich osobistych sprawach. Powiedziałabym nie, ale czerwone róże wydałyby się wtedy trochę bez sensu.

– Ale nie spaliście ze sobą, prawda? – Przynajmniej to pytanie zadaje szeptem.

– Nie. – Posyłam jej spojrzenie mówiące, żeby była cicho.

Otwierają się drzwi windy i Frieda pędzi w swoją stronę.

– No więc? Powiedz mi coś więcej! – Hillary nie rezygnuje.

– Nie wydarzyło się nic ważnego. Daj spokój, Hill. Jesteś natrętna!

– Cóż, gdybyś od razu opowiedziała mi całą historię, nie musiałabym być natrętna. – Na jej twarzy znów zagościł wyraz ufności. Niebezpieczeństwo zażegnane. W drodze na Drugą Aleję rozmawiamy o innych rzeczach. Lecz później, już znad steku w Palm Too, Hillary mówi:

– Pamiętasz jak upuściłaś to piwo, kiedy w sobotę wieczorem rozmawiałaś z Deksem?

– Kiedy? – pytam, czując, jak ogarnia mnie panika.

– No wiesz, kiedy rozmawialiście i do was podeszłam, pod koniec wieczoru?

– A, tak. Chyba tak. No i co? – Próbuję nadać mojej twarzy zupełnie neutralny wyraz.

– Co się wtedy stało? Dlaczego Dex był taki smutny?

– Był smutny? Nie przypominam sobie. – Spoglądam na sufit i marszczę brwi. – Chyba nie był smutny. Dlaczego pytasz?

Gdy wpadasz w pułapkę, dobrą taktyką zawsze okazuje się odpowiadanie pytaniem na pytanie.

– Bez konkretnego powodu. Po prostu wydało mi się to dziwne, i tyle.

– Dziwne?

– Nie wiem. To szalone...

– Co takiego?

– To szalone, ale... Wyglądaliście jak para.

– To r z e c z y w i ś c i e szalone! – Śmieję się nerwowo.

– Wiem, ale kiedy patrzyłam, jak rozmawiacie, pomyślałam sobie, że o wiele lepiej pasowałabyś do Deksa. No wiesz, lepiej niż Darcy.

– Och, daj spokój. – Znowu zaczynam się nerwowo śmiać. – Oni wyglądają razem świetnie.

– Jasne. Tak. Obydwoje świetnie się prezentują. Ale czegoś im brakuje. – Unosi szklankę z wodą do ust i przygląda mi się.

Doskonale nadajesz się do tej roboty, Hillary.

Mówię jej, że zwariowała, chociaż jej słowa bardzo mnie ucieszyły. Mam ochotę zapytać, dlaczego tak myśli. Dlatego że byliśmy razem na studiach? Bo mamy pewną wspólną cechę: większą głębię i godność niż Darcy? Jednak nic więcej nie mówię, bo zawsze lepiej milczeć, kiedy jest się winnym.

Po lunchu Les wpada do mojego gabinetu, żeby zapytać o kolejną sprawę dotyczącą tego samego klienta. W ciągu tych wszystkich lat nauczyłam się, że to jego sposób na przeprosiny. Zagląda do mnie tylko po jakimś wybuchu – takim jak ten z dzisiejszego ranka.

Obracam się na krześle i przekazuję mu najnowsze wieści.

– Sprawdziłam wszystkie sprawy w Nowym Jorku. I sprawy federalne.

– Dobra, ale nie zapominaj, że to wyjątkowe okoliczności – poucza mnie Les. – Nie jestem pewien, czy sąd przejmie się precedensami.

– Wiem. Ale moim zdaniem orzeczenie ramowe, na które powołujemy się w pierwszej części wystąpienia, nadal pozostaje w mocy. Zatem to dobry pierwszy krok.

A nie mówiłam?

– No cóż, pamiętaj o tym, żeby sprawdzić orzecznictwo z innych obszarów – mówi. – Musimy przewidzieć ich wszystkie argumenty.

– Dobra – zgadzam się.

Kiedy odwraca się w stronę drzwi, rzuca przez ramię:

– Ładne róże.

Jestem zdumiona. Les i ja nigdy ze sobą nie gawędzimy. Nigdy nie pozwolił sobie na komentarz, który dotyczyłby czegoś poza pracą, nawet: „Jak minął ci weekend?" w poniedziałek rano czy: „Dosyć zimno, prawda?", kiedy sypie śnieg i jedziemy razem windą.

Być może dwa tuziny czerwonych róż czynią ze mnie bardziej interesującą osobę. J e s t e m bardziej interesująca, myślę. Ten romans nadał mojemu życiu nowy wymiar.

Wyłączam komputer i szykuję się do wyjścia z pracy, planując spotkanie z Deksem. Dziś jeszcze ze sobą nie rozmawialiśmy – wymieniliśmy jedynie serię pojednawczych wiadomości, w których między innymi podziękowałam mu za piękne kwiaty.

W moich drzwiach pojawia się Hillary, która również idzie do domu.

– Ty też wychodzisz?

173

– Tak – mówię, żałując, że nie udało mi się wymknąć wcześniej. Często pyta, czy poszłabym na drinka po pracy, nawet w poniedziałki, które z zasady uznaje się za jedyny dzień tygodnia, kiedy pracuje się do późna. Nie jest tak rozrywkowa jak Darcy. Po prostu nie należy do osób bezczynnie siedzących w domu.

I rzeczywiście, pyta, czy nie miałabym ochoty na margaritę w Tequilaville, naszym ulubionym lokalu w pobliżu pracy – ulubionym pomimo czerstwych chipsów i tłumów turystów (a może właśnie dlatego). To zawsze miły azyl wśród sztampowych nowojorskich lokalów.

Mówię, że nie, nie mogę.

Oczywiście, domaga się podania przyczyny. Każdy powód, jaki przychodzi mi do głowy, może z łatwością odrzucić i z pewnością to zrobi: jestem zmęczona (daj spokój, to tylko jeden drink!), muszę iść na siłownię (olej to!), próbuję ograniczyć alkohol (zaskoczone, niedowierzające spojrzenie). Zatem mówię, że mam randkę. Rozpromienia się.

– Zatem kwiatki od starego Marcusa podziałały, co?

– Zgadłaś – mówię i zerkam na zegarek.

– Idziecie na miasto czy zostajecie w domu?

Mówię, że wychodzimy.

– Dokąd?

– Do Nobu – oznajmiam, ponieważ niedawno tam jadłam.

– Nobu w poniedziałkowy wieczór, co? N a p r a w d ę mu się podobasz.

Żałuję tego wyboru. Powinnam była zdecydować się na bezimienną włoską restaurację w okolicy.

– Jeśli randka skończy się przed drugą, zadzwoń i zdaj mi relację – mówi.

– Jasna sprawa – odpowiadam.

Idę do domu i zupełnie zapominam o Marcusie i Hillary.

– Bardzo ci dziękuję, że zgodziłaś się na to spotkanie – mówi Dex, kiedy otwieram drzwi. Jest ubrany w ciemny garnitur i białą koszulę. Nie ma krawata, który prawdopodobnie wepchnął do teczki. Kładzie ją teraz na podłodze tuż obok drzwi. Ma zmęczone oczy. – Myślałem, że tego nie zrobisz.

Nawet nie przyszło mi do głowy, żeby odmówić. Informuję go o tym, zdając sobie sprawę, że to nadwątli moją przewagę. Nie obchodzi mnie to. Taka jest prawda.

Podchodzimy do siebie niezręcznie, nieśmiało. Bierze moją dłoń i ściska ją. Jego dotyk jest kojący i elektryzujący zarazem.

– Bardzo cię za to wszystko przepraszam – mówi powoli.

Zastanawiam się, czy wie, że powinien przeprosić również za plażę, czy to też wchodzi w skład „wszystkiego". Przypominałam sobie tę scenę bez końca, przeważnie w sepii, jak teledysk *Boys of Summer* Dona Henleya. Mrugam, wypędzając te obrazy z mojej głowy. Pragnę się z nim pogodzić. Chcę o tym zapomnieć.

– Ja też przepraszam – mówię. Biorę jego drugą dłoń, lecz nadal dzieli nas spora przestrzeń. Wystarczająco duża, aby pomieścić jeszcze jedną osobę albo nawet dwie.

– Nie masz za co przepraszać.

– Owszem, mam. Nie miałam prawa się na ciebie złościć. To było bardzo nie na miejscu... Mieliśmy o niczym nie rozmawiać aż do czwartego lipca. Taka była umowa...

– To nie w porządku wobec ciebie – przerywa. – Ta umowa jest popieprzona.

– Dobrze mi tak, jak jest – wyznaję. To niezupełnie prawda, lecz boję się, że jeśli zażądam czegoś więcej, stracę go. Oczywiście, równie mocno przeraża mnie myśl o związaniu się z nim na poważnie.

– Muszę ci opowiedzieć o tamtym popołudniu z Darcy – zaczyna Dex.

Wiem, że chodzi mu o epizod pod prysznicem i że nie mogłabym tego słuchać. Igraszki na plaży w kolorze sepii to jedna rzecz, a kolorowa scena porno w dużym zbliżeniu to coś zupełnie innego. Nie chcę od niego żadnych szczegółów na ten temat.

– Proszę, nie. Naprawdę niczego nie musisz mi wyjaśniać.

– Ja po prostu... chcę, żebyś wiedziała, że to ona wszystko zaczęła... Naprawdę... Unikałem tego od bardzo dawna i po prostu nie mogłem się wykręcić. – Jego twarz wykrzywia się, upodabniając się do maski, która przedstawia poczucie winy i zakłopotanie.

– Nie musisz niczego tłumaczyć – powtarzam bardziej zdecydowanym tonem. – To twoja narzeczona.

Kiwa głową. Wygląda na to, że mu ulżyło.

– Pamiętasz, jak byliście razem na plaży? – pytam cicho, zaskoczona, że poruszam ten temat.

– Tak – odpowiada, jak gdyby wiedział, o co chodzi, po czym spuszcza wzrok. – Kiedy wróciłem na ręcznik, wiedziałem. Wiedziałem, że jesteś smutna.

– Skąd wiedziałeś?

– Słyszałaś, jak do ciebie mówię, i mnie zignorowałaś. Byłaś taka zimna. Oschła. Czułem się okropnie.

– Przepraszam. Po prostu wydawałeś się przy niej taki szczęśliwy. Czułam się taka... taka... – Próbuję znaleźć odpowiednie słowo. – No cóż, niepotrzebna, wykorzystana.

– Nie jesteś niepotrzebna, Rachel. Myślę tylko o tobie. W nocy nie mogłem spać. Dzisiaj nie mogłem pracować. Z pewnością nie jesteś niepotrzebna. – Ścisza głos do szeptu i przyjmujemy pozycję tancerzy w wolnym tańcu. Oplatam rękami jego szyję. – I musisz wiedzieć, że wcale cię nie wykorzystuję – szepcze mi do ucha. Czuję, jak moje ciało pokrywa się gęsią skórką.

– Wiem – mruczę przytulona do jego ramienia. – Ale to takie dziwne. Patrzeć na was razem. Chyba nie powinnam już jeździć do Hamptons.

– Tak mi przykro – mówi znowu. – Po prostu chciałem spędzić z tobą trochę czasu.

Całujemy się. To miękki pocałunek z zamkniętymi ustami, które ledwie się dotykają. Nie ma żadnego związku z pożądaniem, seksem ani namiętnością. To druga strona romansu, ta, którą lubię najbardziej.

Przenosimy się na moje łóżko. Dex siada na brzegu, a ja obok niego. Zakładam nogę na nogę.

– Chcę tylko, żebyś wiedziała – patrzy mi prosto w oczy – że nigdy bym tego nie robił, gdyby naprawdę mi na tobie nie zależało.

– Wiem – mówię.

– I... wiesz... traktuję to wszystko bardzo poważnie.

– Nie rozmawiajmy o tym przed czwartym lipca – przerywam szybko. – Taka była umowa.

– Jesteś pewna? Bo jeśli chcesz, możemy porozmawiać o tym teraz.

– Jestem pewna. Najzupełniej.

I rzeczywiście tak jest. Boję się tego, co może powiedzieć na temat naszej przyszłości. Nie potrafię znieść myśli, że go stracę, lecz jak dotąd nie zastanawiałam się jeszcze nad tym, jak to będzie stracić Darcy. Wyrządzić mojej najlepszej przyjaciółce tak wielką, totalną i nieodwołalną krzywdę.

Dex mówi, że przeraża go to, jak wiele dla niego znaczę. Czy wiem, ile dla niego znaczę?

Kiwam głową. Wiem.

Znowu mnie całuje, tym razem namiętnie. Potem po raz pierwszy w życiu przeżywam naprawdę niewiarygodny seks na zakończenie kłótni.

Nazajutrz Hillary odwiedza mnie w drodze do swojego gabinetu. Pyta, jak udała się randka. Mówię, że wspaniale. Opada na jedno z krzeseł dla gości i kładzie na moim biurku butelkę wody Poland Spring i obwarzanka z sezamem. Odchyla się do tyłu i łokciem zamyka drzwi. Ma bardzo oficjalną minę.

Okazuje się, że Marcus rzeczywiście zdecydował się na bezimienną włoską restaurację w swojej okolicy. Na tę samą bezimienną restaurację, która wczoraj wieczorem z jakiegoś powodu zainteresowała również Hillary. W mieście z milionami mieszkańców Hillary i Marcus wylądowali dwa stoliki od siebie, przy identycznych talerzach z ravioli, w przypadkowy poniedziałkowy wieczór. Witamy na Manhattanie – wyspie mniejszej niż można by przypuszczać.

– Jedyną sprawą, w której mnie nie okłamałaś – mówi Hillary, grożąc mi palcem – było to, że Marcus rzeczywiście był na randce. Tylko nie z tobą, ty kłamliwa wiedźmo, chociaż tamta dziewczyna miała podobne usta i brodę.

– Jesteś na mnie wściekła?

– Nie jestem wściekła. Nie.

– Więc o co chodzi?

– Cóż, po pierwsze, jestem w szoku. Nie sądziłam, że możesz być zdolna do takiego oszustwa. – Wygląda na to, że cała sprawa zrobiła na niej spore wrażenie. – Poza tym przykro mi, że nie chciałaś mi zaufać. Lubię myśleć, że jestem twoją najlepszą przyjaciółką, nie jakimś symbolicznym reliktem z czasów liceum, najlepszą przyjaciółką obecnie. A to nasuwa mi na myśl kolejną sprawę... – Patrzy na mnie porozumiewawczo. Czeka, aż przerwę milczenie.

Spoglądam na zszywacz, potem na klawiaturę i znowu na zszywacz.

Chociaż wielokrotnie wyobrażałam sobie, że sprawa się wyda, zawsze myślałam, że przyłapie mnie Darcy. Ponieważ jeśli już zaczynasz snuć takie fantazje, wybierasz najgorszy scenariusz, a nie żadną pośrednią wersję potępienia. To jak martwienie się tym, że twój chłopak będzie miał wypadek pod wpływem alkoholu – nie myślisz, że walnie w skrzynkę na listy i rozetnie sobie wargę. Od razu wyobrażasz sobie lilie przy otwartej trumnie.

Zatem wyobrażałam sobie, że przyłapie nas Darcy. Nie na gorącym uczynku, nagich, w łóżku – to byłoby za bardzo naciągane, zwłaszcza w budynku z dozorcą – lecz nieco bardziej subtelnie. Darcy wpada nieoczekiwanie, a José wpuszcza ją na górę bez uprzedzenia (zapisuję w pamięci: powiedzieć mu, żeby nigdy tego nie robił). Otwieram drzwi, zakładając, że to tylko goniec z chińskiej restauracji, który przywiózł dla mnie i Deksa kartoniki z zupą wonton i krokietami, ponieważ – co zrozumiałe – po naszych szaleństwach poczuliśmy głód (druga sprawa do zapisania w pamięci: zawsze najpierw zerkać przez wizjer). Darcy stoi, a jej wielkie oczy chłoną całą scenę. Zaniemówiła z przerażenia. Biegiem opuszcza moje mieszkanie. Dex wyskakuje na korytarz w kraciastych bokserkach, wykrzykując jej imię – zachowuje się jak Marlon Brando w *Tramwaju zwanym pożądaniem*.

Następna scena: Darcy pośród kartonowych pudeł, pakuje swoje płyty CD razem ze wspierającą ją Claire, która co rusz podaje jej chusteczkę. Przynajmniej Dex dostanie wszystkie albumy Springsteena, nawet *Greetings from Asbury Park*, który ktoś podarował Darcy w prezencie. Zatrzyma również większość książek, ponieważ Darcy nie dodała zbyt wielu egzemplarzy do wspólnej kolekcji. Tylko kilka lśniących albumów.

Czytałam kiedyś – jak na ironię, właśnie w jednym z magazynów Darcy – że kiedy masz romans, powinnaś wykonywać ćwiczenie oparte na wizualizacji, wyobrażając sobie, że zostaniesz przyłapana i ciąg dalszy będzie okropny. Takie wizje powinny przywrócić ci zdrowy rozsądek, sprawić, że znowu zaczniesz racjonalnie myśleć i zrozumiesz, co możesz stracić. Artykuł zakładał oczywiście romans oparty na pożądaniu i nie był skierowany do samotnej osoby uwikłanej w trójkąt, lecz raczej do takiej, która zdradza, choć jest zaangażowana w poważny związek. Autor zakładał również, że ta trzecia osoba nie będzie pierwszą druhną na zbliżającym się ślubie pozostałej dwójki. Najwidoczniej nasza sytuacja nie pasuje do typowych ram cudzołóstwa.

W każdym razie nie wiem, jak bym się poczuła, gdyby Darcy nas przyłapała i moja przyjaźń z nią dobiegłaby końca.

Nie potrafię sobie tego wyobrazić. Prawda jest taka, że Darcy nie ma o nas bladego pojęcia i nadal jest zaręczona z Deksem. Prawdopodobnie tak już zostanie. Wezmą ślub i nigdy nie odkryje prawdy o naszym romansie.

Hillary to zupełnie co innego.

– No więc? – pyta.

– No więc co?

– Z kim n a p r a w d ę spotkałaś się wczoraj wieczorem? Kto naprawdę ci je przysłał? – Wskazuje moje róże.

– Ktoś inny.

– Co ty p o w i e s z?

Przełykam ślinę.

– Dobra, słuchaj, nie urodziłam się wczoraj. Kłócisz się z Deksem w Talkhouse, obydwoje milkniecie, kiedy do was podchodzę. Nazajutrz wyjeżdżasz z samego rana, zupełnie zdołowana, i wciskasz nam jakieś teksty o wiszących nad tobą terminach: znam twój rozkład pracy, Rach, i wiem, że niczego nie musiałaś na wczoraj przygotować. A potem pojawiają się te kwiaty. – Wskazuje róże, nadal w pełnym rozkwicie. – Wymieniasz Marcusa, którego ignorowałaś przez cały weekend. I to jest dziwne, nawet jeśli postanowiliście się nie afiszować. Potem mówisz, że masz randkę z Marcusem, a ja spotykam go bez ciebie, za to w towarzystwie innej kobiety! – Kończy swój katalog dowodów radosnym uśmiechem.

– Ładna była? – pytam.

– Ta kobieta?

– Tak. Dziewczyna, z którą Marcus umówił się na randkę.

– Szczerze mówiąc, tak. Była całkiem atrakcyjna. Jak gdyby to cię obchodziło.

Ma rację – nie obchodzi mnie.

– A teraz skończ grać na zwłokę i odpowiedz na moje pytanie – żąda.

– Jakie pytanie?

– Rachel!

– Sytuacja wygląda zdecydowanie kiepsko – nadal ociągam się z wyznaniem prawdy.

– Rachel. Komu miałabym o tym powiedzieć? Jestem twoją przyjaciółką. A nie przyjaciółką Darcy. Do diabła, nawet jej za bardzo nie lubię...

Podnoszę podajnik taśmy klejącej, odrywam pięciocentymetrowy kawałek i trzymam go między palcem wskazującym a kciukiem. Z jakiegoś powodu wyznanie prawdy przychodzi mi z większym trudem niż podczas rozmowy z Ethanem. Być może dlatego że ja i Hillary rozmawiamy twarzą w twarz. A może dlatego że jej przeszłość nie była tak pokręcona jak życie Ethana.

– Dobra – Hillary próbuje jeszcze raz. – W takim razie ja powiem to za ciebie, a ty tylko kiwnij głową. – Zwraca się do mnie jak matka do dziecka.

Nerwowo bawię się taśmą, owijając ją wokół kciuka. Za chwilę Hillary to powie, a ja mam dwa wyjścia – przyznać się albo zaprzeczyć. Przyznanie się mogłoby sprawić mi wielką ulgę. Zaprzeczeniu powinna towarzyszyć odpowiednia oburzona mina i okrzyk w rodzaju: „Jak mogłaś tak pomyśleć? Zwariowałaś?", i tak dalej. Nie jestem w nastroju na taką farsę.

– Dex zdradza Darcy – mówi. – Z tobą.

Rozlega się dudnienie werbla.

Unoszę twarz i spoglądam jej w oczy. Potem wykonuję najsubtelniejszy w historii gest potaknięcia, ledwie poruszając głową.

– Wiedziałam!

Zastanawiam się nad powiedzeniem jej, że nie chcę o tym rozmawiać, ale w rzeczywistości p o t r z e b u j ę tej rozmowy. Chcę usłyszeć, że nie jestem okropnym człowiekiem. Chcę, żeby rozwinęła swoją wcześniejszą opinię, że pasowałabym do Deksa lepiej niż Darcy. A przede wszystkim pragnę po prostu porozmawiać o Deksie.

– Kiedy to wszystko się zaczęło?

– Na mojej imprezie urodzinowej.

Przez chwilę wpatruje się w sufit i kiwa głową, jak gdyby teraz wszystko nabierało sensu.

– Dobra, zacznij od początku. Nie pomijaj żadnych faktów. – Sadowi się na krześle i odrywa kawałek obwarzanka.

– Po raz pierwszy przespałam się z nim przez przypadek.

– Po raz p i e r w s z y? S p a ł a ś z nim? Wielokrotnie?

Posyłam jej karcące spojrzenie.

– Przepraszam, mów dalej. Po prostu nie mogę w to uwierzyć!

– Dobra. Więc tak: w wieczór moich urodzin imprezowaliśmy dłużej niż pozostali... poszliśmy na drinka i tak krok za krokiem, aż w końcu przespaliśmy się ze sobą w moim mieszkaniu. Przez przypadek. To znaczy obydwoje byliśmy pijani. W każdym razie ja.

– Och, pamiętam. Tamtego wieczoru byłaś trochę podchmielona.

– Tak. Byłam. Ale co ciekawe, Dex twierdzi, że nie był aż tak pijany. – Ten szczegół nie tylko spycha odpowiedzialność na jego stronę, lecz jednocześnie sprawia, że początek romansu nabiera większego znaczenia.

– Więc jak? Wykorzystał cię?

– Nie! Nie to miałam na myśli... Wiedziałam, co robię.

– Dobra. – Gestem dłoni zachęca mnie do kontynuowania opowieści.

Opowiadam jej, jak obudziłam się następnego dnia. O gorączkowych wiadomościach Darcy, naszej panice i o tym, że Dex wykorzystał Marcusa jako alibi.

– I to wszystko – kończę.

– Jak to „to wszystko"? Nie wygląda mi na to. – Kieruje znaczące spojrzenie w stronę róż.

– To znaczy przez jakiś czas nie działo się nic więcej. Obydwoje mieliśmy poczucie winy i...

– Jak wielkie było to poczucie winy?

– Było zwyczajne, Hillary! To oczywiste! – Przypominam sobie tamten pierwszy dzień i zupełny brak wyrzutów sumienia. – I tyle. Dla mnie to był koniec.

– Ale dla niego nie, prawda?

Starannie dobieram słowa i opowiadam jej o jego poniedziałkowym telefonie i o tym, co mi powiedział. A potem o tym, co wydarzyło się w Hamptons. I o naszym pierwszym pocałunku na trzeźwo. O pocałunku, który okazał się punktem zwrotnym. O tym, jak po raz pierwszy naprawdę ze sobą spaliśmy.

– Więc o co chodzi? To czysto fizyczna sprawa? A może naprawdę go lubisz? – Odgryza kolejny duży kawałek obwarzanka.

– Naprawdę go lubię – mówię.

Zastanawia się.

– Czy w takim razie zamierza zerwać zaręczyny?

– Jeszcze o tym nie rozmawialiśmy.

– Jak to możliwe, że jeszcze o tym nie rozmawialiście? Poczekaj, czy właśnie o to pokłóciliście się w Talkhouse?

Mówię jej, że tak naprawdę wcale się nie kłóciliśmy, tylko byłam smutna, że uprawiał z Darcy seks. Stąd te róże.

– Dobra. Zatem skoro przeprosił cię za to, że spał ze swoją narzeczoną, to chyba skłania się ku zerwaniu z nią, prawda?

– Nie wiem. Naprawdę jeszcze o tym nie rozmawialiśmy.

– A kiedy zamierzacie to zrobić? – Wygląda na zdezorientowaną.

– Uzgodniliśmy, że porozmawiamy o tym czwartego lipca.

– Dlaczego akurat wtedy?

– Bez konkretnego powodu. Nie wiem.

Pociąga łyk wody.

– No cóż, ale t y myślisz, że zamierza ją rzucić, prawda?

– Nie wiem. Nie wiem nawet, czy naprawdę tego chcę.

Posyła mi kompletnie zaskoczone spojrzenie.

– Zapominasz o bardzo ważnym elemencie tej historii, Hillary. Darcy to moja najstarsza, najbliższa przyjaciółka. I jestem jej pierwszą druhną.

– Drobiazg. – Przewraca oczami.

– Po prostu jej nie lubisz.

– Nie jest moją ulubioną znajomą, ale to nie o nią tutaj chodzi.

– Moim zdaniem, chodzi przede wszystkim o nią. Jest moją przyjaciółką. Zresztą nawet gdyby nie była, gdyby była przypadkową kobietą, czy nie uważasz, że musiałabym stawić czoło złej karmie wynikającej z tej całej sytuacji?

Zastanawiam się, dlaczego argumentuję przeciwko sobie.

Hillary prostuje się na krześle i mówi wolno:

– Świat nie jest czarno-biały, Rachel. Nie ma żadnych moralnych absolutów. Gdybyś sypiała z Deksem dla samej przyjemności, być może martwiłabym się o twoją karmę. Ale ty coś do niego czujesz. To nie znaczy, że jesteś złym człowiekiem.

Próbuję zapamiętać jej przemowę. „Nie ma moralnych absolutów". Brzmi całkiem nieźle.

– Gdyby sytuacja była odwrotna – ciągnie – Darcy postąpiłaby tak samo bez mrugnięcia okiem.

– Tak myślisz? – pytam, zastanawiając się nad tym.

– A ty nie?

– Może masz rację – mówię. W końcu Darcy ma za sobą długą historię brania. Ja daję, ona bierze. Zawsze tak było.

Aż do teraz.

Hillary uśmiecha się i kiwa głową.

– Radzę ci, idź na całość.

Mniej więcej to samo powiedział Ethan. To dwa głosy na mnie, zero na Darcy.

– Będę się z nim spotykać najczęściej, jak się da. Zobaczymy, co się stanie – zgadzam się i zdaję sobie sprawę, że „zobaczenie, co się stanie" to tylko moja wersja „pójścia na całość".

ROZDZIAŁ 12

Lecimy z Darcy do Indianapolis na przyjęcie z okazji zbliżających się narodzin dziecka Annalise i tkwię na znienawidzonym środkowym miejscu. Z początku miała na nim siedzieć Darcy, ale wyłudziła ode mnie miejsce przy oknie, twierdząc, że jeśli nie będzie mogła przez nie patrzeć, zrobi jej się niedobrze. Chciałam jej powiedzieć, że ta reguła odnosi się do podróży samochodem i nie ma zastosowania w samolotach, ale ostatecznie nie zadałam sobie trudu i po prostu uległam jej żądaniu. W przeszłości zrobiłabym to bez zastanowienia, lecz teraz czuję rozgoryczenie. Myślę o Ethanie i Hillary, o ich niedawnych opiniach na temat Darcy, że jest samolubna, płytka i ograniczona. I tak jest naprawdę, bez względu na to, co czuję do Deksa.

Siedzenie przy przejściu po mojej lewej stronie zajmuje czterdziestoparoletni mężczyzna obcięty na jeża. Przykleił prawe przedramię do naszego wspólnego oparcia, od łokcia aż po koniuszki palców. Pije i przewraca strony jakiegoś magazynu lewą ręką, żeby nie stracić oparcia po prawej stronie.

Pilot oznajmia, że niebo jest bezchmurne i wylądujemy przed czasem. Darcy informuje mnie, że się nudzi. Jest jedyną

185

ze znanych mi osób, które z wyjątkową regularnością mówią, że się nudzą, chociaż już dawno skończyły dwanaście lat.

– Przeczytałaś już porady Marthy Stewart na temat ślubu?
– Podnoszę wzrok znad książki.

– Od deski do deski. Nie ma tam nic nowego. Zresztą to ty powinnaś ją czytać. Jest tam artykuł o upominkach dla gości. Obiecałaś, że pomożesz mi wymyślić coś oryginalnego – mówi, odchylając swój fotel do tyłu, po czym z powrotem prostuje oparcie.

– Może pudełeczka zapałek?

– Miało być coś oryginalnego! – Darcy splata ręce na piersi. – Wszyscy rozdają pudełka zapałek. To oczywiste. Ja potrzebuję jakiegoś odpowiedniego upominku, ale nie zapałek.

– Co proponuje Martha? – pytam, zaznaczając kciukiem miejsce w książce.

– Nie wiem, jakieś skomplikowane ręcznie robione rzeczy. Bardzo pracochłonne. – Posyła mi rozpaczliwe spojrzenie. – Musisz mi pomóc! Wiesz, że nie jestem mistrzynią rękodzieła.

– Podobnie jak ja.

– Idzie ci lepiej niż mnie!

Wracam do czytania książki i udaję, że jestem zupełnie pochłonięta lekturą.

Wzdycha i przystępuje do bardziej energicznego żucia gumy. A kiedy to nie pomaga, uderza w grzbiet mojej książki.

– Raa-chel!

– Dobra! Dobra!

Uśmiecha się, nie okazując żadnego speszenia, jak dziecko, które nie przejmuje się tym, że zasmuca matkę, dbając tylko o to, aby postawić na swoim.

– Myślisz, że powinniśmy zrobić coś, co ma związek z literą D?

– Z literą D? – pytam, udając, że nie rozumiem.

– No wiesz, D… jak Dex i Darcy. A może to tandetne?

– Tandetne – mówię i miałabym identyczne zdanie na ten temat, nawet gdyby chodziło o D i R.

– Dobra. W takim razie co? – Sprawdza liczbę gramów tłuszczu w mieszance przekąsek, po czym wsuwa ją do kieszeni fotela.

– No cóż, możesz zdecydować się na migdały w cukrze zapakowane w tiul i przewiązane pastelową wstążką... albo miętowe pastylki w puszce z datą waszego ślubu – mówię, wywierając lekki nacisk lewym łokciem, aby wepchnąć go w małą szczelinkę na oparciu. Kątem oka widzę, jak Jeż napina biceps, żeby stawić opór. – Oprócz tego masz do wyboru uniwersalne pamiątki z ornamentami w rodzaju bożonarodzeniowych choinek...

– Nie da rady. Mamy zbyt wielu żydowskich przyjaciół. I szczerze mówiąc, będzie też chyba parę osób, które świętują Kwanzę*– przerywa mi, dumna z tak urozmaiconej listy gości.

– Dobra, ale rozumiesz, o co mi chodzi. O coś w tym rodzaju. Uniwersalne pamiątki: ozdoby, płyty CD z waszymi ulubionymi piosenkami.

– Podoba mi się ten pomysł z płytami! Ale czy to nie będzie zbyt drogie? – Ożywia się.

Posyłam jej spojrzenie, które mówi: jasne, ale jesteś tego warta. Łyka to.

– Cóż znaczy kilkaset dolarów więcej w zestawieniu z kosztem całej imprezy, nie? – pyta.

Jestem pewna, że jej rodzicom bardzo spodoba się takie podejście.

– Jasne – przytakuję.

– W takim razie moglibyśmy zrobić coś w rodzaju „Ścieżki dźwiękowej Darcy i Deksa" i umieścić na niej nasze ulubione utwory – mówi.

---

* Siedmiodniowe święto obchodzone w grudniu przez Afroamerykanów (przyp. tłum.).

Wzdrygam się.

– Jesteś pewna, że to nie będzie tandetne? Powiedz mi prawdę.

– Nie, podoba mi się. Podoba mi się. – Mam ochotę zmienić temat, ale boję się, że to zapoczątkuje dyskusję o moim braku zaangażowania w wypełnianie obowiązków pierwszej druhny. Zatem zamiast tego robię zadumaną minę i mówię, że chociaż płyty będą wymagały dużo czasu i pieniędzy, staną się uroczą i szczególną pamiątką. Potem pytam ją, czy taki pomysł spodoba się Deksowi.

Patrzy na mnie, jak gdyby chciała powiedzieć: A kogo obchodzi, czego chce Dex? Pan młody się nie liczy.

– Dobra. Teraz pomóż mi wybrać jakieś piosenki.

Słyszę, jak Shania Twain śpiewa: „Pod czyim łóżkiem stały twoje buty?" albo Diana Ross krzyczy: „Zatrzymaj się! W imię miłości!". Nie, wszystko źle, myślę. Obydwie piosenki stawiają Darcy w sytuacji szlachetnej ofiary.

– Nie potrafię wymyślić ani jednego utworu. Mam w głowie zupełną pustkę. Pomóż mi – prosi Darcy, trzymając pióro wymierzone w serwetkę. – Może coś Prince'a? Van Halen?

– Nic n i e przychodzi mi na myśl – mówię z nadzieją, że Bruce Springsteen nie wpadnie jej do głowy.

– Jesteś pewna, że to nie tandetne? – pyta.

– To n i e jest tandetne – odpowiadam, a następnie dodaję szeptem: – Ten facet obok naprawdę mnie wnerwia. Nie da mi nawet kawałka oparcia. – Odwracam się, żeby szybko zerknąć na pewny siebie profil Jeża.

– Przepraszam pana! – Darcy opiera się o moje kolana i stuka faceta w ramię. Raz, drugi, trzeci. – Proszę pana? Proszę pana!

Koleś rzuca jej pogardliwe spojrzenie.

– Proszę pana, czy mógłby pan podzielić się oparciem z moją przyjaciółką? – Darcy posyła mu swój najbardziej uwodzicielski uśmiech.

Przesuwa łokieć o jakiś centymetr. Mamroczę podziękowania.

– Widzisz? – pyta mnie z dumą Darcy.

W tym momencie powinnam podziwiać jej podejście do mężczyzn.

– Po prostu musisz wiedzieć, jak prosić o to, czego chcesz – szepcze. Moja mentorka w kwestii radzenia sobie z płcią przeciwną.

Myślę o Deksie i czwartym lipca.

– Chyba rzeczywiście będę musiała spróbować.

Rodzice dzwonią do mnie chwilę po lądowaniu, żeby upewnić się, że ojciec Darcy odebrał nas z lotniska, i zapytać, czy jadłam w samolocie. Mówię, że tak, pan Rhone się zjawił, i nie, na trasie z Nowego Jorku do Indy przestali serwować obiady już jakieś dziesięć lat temu.

Kiedy zatrzymujemy się na naszej uliczce, dostrzegam ojca, który czeka na mnie na werandzie naszego dwupiętrowego, obitego białym aluminium domu z zielonymi okiennicami. Ma na sobie brzoskwiniowo-szarą koszulę w kratę z krótkimi rękawami i szare dockersy do kompletu. Bez wątpienia jest to odświętny strój i od razu widać w nim rękę mojej matki. Dziękuję panu Rhone'owi za podwiezienie i mówię Darcy, że zadzwonię do niej później. Cieszę się, że nie proponuje wspólnej kolacji. Już dosyć nasłuchałam się o ślubie, a wiem, że pani Rhone nie jest w stanie rozmawiać o niczym innym.

Kiedy przecinam podwórko Darcy i kieruję się w stronę własnego, mój ojciec wyrzuca rękę w górę i z przesadnym zaangażowaniem macha nią nad głową, jak gdyby wzywał widniejący na horyzoncie statek.

– Witaj, prawniczko! – krzyczy z szerokim uśmiechem. W dalszym ciągu nie może się nacieszyć, że jego córka została adwokatem.

– Cześć, tato! – Całuję go, a potem mamę, która wisi na jego ramieniu i lustruje mnie w poszukiwaniu ewentualnych oznak anoreksji, co uważam za absurd. Daleko mi do wychudzenia, lecz moja mama nie uznaje nowojorskiej definicji chudości.

Kiedy odpowiadam na ich pytania o podróż, zauważam, że zmieniła się tapeta w korytarzu. Odradzałam mamie tapetowanie, mówiąc, że farba znacznie lepiej odświeżyłaby to wnętrze. Ona jednak uparła się przy tapecie, zmieniając drobny kwiecisty wzorek na jeszcze drobniejszy kwiecisty wzorek. Gusta moich rodziców przestały ewoluować mniej więcej w okresie zamachu na Ronalda Reagana. W naszym domu nadal można znaleźć liczne wiejskie akcenty – wyszywane krzyżykami radosne sentencje w rodzaju „Gość w dom, Bóg w dom", mnóstwo drewnianych krów, świń i ananasów oraz wytłaczanych wzorków.

– Ładna tapeta – staram się, aby zabrzmiało to szczerze.

Mama nie daje się nabrać.

– Wiem, nie lubisz tapet, ale ja i twój ojciec owszem – odpowiada, kierując mnie w stronę kuchni. – A to my tu mieszkamy.

– Nigdy nie twierdziłem, że lubię tapety – mówi tata, puszczając do mnie oczko.

Mama rzuca mu wyćwiczone spojrzenie poirytowanej żony.

– Jestem absolutnie pewna, że mówiłeś, John. – Następnie dodaje szeptem, który jest przeznaczony również dla jego uszu, że tak naprawdę nową tapetę wybrał właśnie ojciec.

Tata rzuca mi spojrzenie mówiące: „Kto? Ja?".

Ta rutyna nigdy ich nie męczy. Ona odgrywa nieustraszoną przywódczynię, która stara się okiełznać niesfornego męża, dobrodusznego głupka. Chociaż przez większość nastoletniego życia irytowała mnie monotonia tych zachowań, zwłaszcza gdy wpadali do mnie znajomi, to w ostatnich latach zaczęłam ją doceniać. W jednakowości ich interakcji jest coś kojącego. Jestem dumna, że nadal są razem, podczas gdy tak wielu rodziców moich przyjaciół zdecydowało się na rozwód, wzięło kolejny ślub i z różnym powodzeniem próbowało scalić dwie rodziny w jedną.

Mama wskazuje talerz z cheddarem, krakersami Ritza i czerwonymi winogronami.

– Jedz – podsuwa mi winogrona.

– Są bez pestek? – upewniam się. Winogrona z pestkami zwyczajnie nie są warte wysiłku.

– Tak, są bez pestek – odpowiada mama. – Mam coś upichcić czy wolisz zamówić pizzę?

Wie, że wybiorę pizzę. Po pierwsze, uwielbiam pizzę Sal's, którą mogę zamówić tylko podczas pobytu w domu. Po drugie, „upichcenie czegoś" idealnie odzwierciedla istotę kulinarnych możliwości mojej mamy – asortyment jej przypraw ogranicza się do soli i pieprzu, a za pierwszorzędny przepis kulinarny uznaje pomidorówkę z krakersami. Nic nie budzi w moim sercu takiego strachu jak widok mamy zakładającej kuchenny fartuszek.

– Wybieramy pizzę! – Tato odpowiada za nas wszystkich. – Chcemy pizzę!

Mama sięga po ulotkę Sal's przyczepioną do drzwi lodówki, wybiera numer i zamawia dużą pizzę z pieczarkami i kiełbasą. Zakrywa słuchawkę dłonią.

– Dobrze, Rachel?

Pokazuję jej skierowane w górę kciuki. Rozpromienia się, dumna, że zapamiętała moją ulubioną kombinację.

Jeszcze przed odłożeniem słuchawki zaczyna wypytywać o moje życie uczuciowe. Jak gdyby wszystkie telefony informujące ich na bieżąco, że w tej sferze nic się u mnie nie dzieje, były jedynie podstępem, który pozwalał mi ukryć całą prawdę aż do tej chwili. Ojciec zakrywa uszy z udawanym zakłopotaniem. Odpowiadam powściągliwym uśmiechem, myśląc sobie, że te dochodzenia stanowią jedyny element związany z powrotem do domu, którego nie lubię. Czuję, że są rozczarowani. Sprawiam im zawód. Jestem ich jedynym dzieckiem, jedyną nadzieją na wnuki. Dosyć łatwo to policzyć: jeśli nie urodzę dzieci w ciągu kolejnych pięciu lat, są niewielkie szanse na to, że rodzice dożyją chwili ukończenia przez nie *college*'u. Nie ma jak dodanie lekkiego dopingu do już i tak stresującego wyścigu.

– Nie wpadł ci w oko ani jeden chłopak? – pyta mama, podczas gdy tato szuka idealnego plasterka sera. Patrzy na mnie szeroko otwartymi oczami, wzrokiem pełnym nadziei. Takie pytanie mogłoby się wydać niestosowne, chyba że rzeczywiście sądzi, że kręcą się koło mnie całe tabuny chłopaków i jedyne, co powstrzymuje mnie od obdarowania jej wnukami, to moja nerwica. Nie rozumie tego, że niełatwo znaleźć tak prostą, zwyczajną i odwzajemnioną miłość, którą ona darzy mojego ojca.

– Nie – odpowiadam, spuszczając wzrok. – Mówię ci, znalezienie odpowiedniego chłopaka w Nowym Jorku jest trudniejsze niż gdziekolwiek indziej. – To banał dotyczący życia singli na Manhattanie, lecz taka jest prawda.

– Rozumiem – mówi tata, z powagą kiwając głową. – Zbyt wiele osób uczestniczy tam w wyścigu szczurów. Może powinnaś wrócić do domu. Albo przynajmniej przeprowadzić się do Chicago. To znacznie czystsze miasto. Wiesz, to dlatego że w Chicago są zadrzewione alejki. – Za każdym razem, kiedy mój tato odwiedza Nowy Jork, zadręcza mnie wywodami na temat ich braku. Na co komu miasto bez zielonych alejek?

– Na przedmieściach są same małżeństwa z dziećmi. Rachel nie mogłaby tam zamieszkać. – Mama kręci głową.

– Mogłaby, gdyby zechciała – mówi tata z ustami pełnymi krakersów.

– No cóż, ale nie chce – ripostuje mama. – Prawda, Rachel?

– Tak – przyznaję ze skruchą. – Na razie dobrze mi w Nowym Jorku.

Tata marszczy brwi, jak gdyby chciał powiedzieć: „No cóż, w takim razie nie widzę żadnego innego rozwiązania".

W kuchni zapada milczenie. Rodzice wymieniają smętne spojrzenia.

– No cóż. Tak naprawdę to jest pewien mężczyzna... – wypalam, żeby trochę podnieść ich na duchu.

Rozpromieniają się i prostują plecy.

– Naprawdę? Wiedziałam! – Mama radośnie klaszcze w dłonie.

– Tak. To bardzo miły facet. Bardzo inteligentny.

– Jestem pewna, że do tego przystojny.

– Czym się zajmuje? – wtrąca się tata. – Jego wygląd nie ma znaczenia.

– Pracuje w marketingu. W finansach – informuję go. Nie jestem pewna, czy opowiadam mu o Marcusie czy o Deksie. – Ale...

– Ale co? – pyta mama.

– Ale niedawno rozpadł się jego związek, więc możliwe, że to... niezbyt idealny moment.

– Nic nie jest idealne – mówi moja mama. – Wszystko jest takie, jakim je stworzysz.

Poważnie kiwam głową, myśląc sobie, że powinna wyszyć tę cenną maksymę krzyżykami i powiesić na górze nad moim jednoosobowym łóżkiem.

– W skali od jednego do dziesięciu jak bardzo boisz się tej imprezy z okazji zbliżających się narodzin dziecka? – pyta mnie Darcy następnego dnia, kiedy jedziemy na przyjęcie do Annalise należącą do mojej mamy camry z osiemdziesiątego szóstego roku, na której trenowałam przed egzaminem na prawo jazdy. – Dziesięć to totalna, absolutna katastrofa. Jeden to: nie mogę się doczekać, będzie naprawdę zabawnie.

– Sześć – mówię.

Darcy wydaje z siebie odgłos zrozumienia i otwiera puderniczkę, żeby skontrolować stan szminki na ustach.

– Tak naprawdę – dodaje – myślałam, że bardziej.

– Dlaczego? A jak bardzo ty się boisz?

Zamyka puderniczkę, przygląda się swojemu niemal dwu-ipółkaratowemu pierścionkowi i mówi:

– Mmmm... Nie wiem... Cztery i pół.

Aaa, rozumiem, myślę sobie. Ja mam więcej powodów do strachu. To ja wejdę do pokoju pełnego zamężnych i ciężarnych kobiet – z których wiele chodziło ze mną do klasy w liceum – nie mając nawet chłopaka. Tylko jedna z nas ma trzydzieści lat i jest zupełnie sama, co na przedmieściach zawsze stanowi tragiczną kombinację. Właśnie tak myśli Darcy. Jednak chcę, żeby powiedziała to na głos, więc pytam, dlaczego uważa, że ja boję się tej imprezy o całe półtora punktu bardziej.

Bezwstydnie i nie przejmując się odpowiednim doborem słów, odpowiada:

– Dlateeego że jesteś sama.

Uparcie patrzę przed siebie, lecz czuję na sobie jej wzrok.

– Jesteś wściekła? Powiedziałam coś złego?

Kręcę głową i włączam radio. Na jednej z zaprogramowanych stacji mojej mamy zawodzi Lionel Richie.

Darcy ścisza radio.

– Nie chciałam powiedzieć, że to coś złego. Przecież wiesz, że absolutnie doceniam bycie singlem. Nigdy nie chciałam wychodzić za mąż przed ukończeniem trzydziestu trzech lat. Mówiłam o nich. Są takie ograniczone. Wiesz, co mam na myśli?

Dodatkowo pogorszyła sytuację, mówiąc mi, że wcale nie chciała tych szalonych zaręczyn. Wolałaby kolejne trzy lata panieńskiego życia. A to wszystko tak po prostu na nią spadło. Cóż może zrobić dziewczyna w takiej sytuacji?

– Są takie ograniczone, że nawet nie wiedzą, iż są ograniczone – ciągnie Darcy.

Oczywiście, ma rację. Grono dziewczyn, do których należy Annalise, od czasu ukończenia *college*'u żyje jak kobiety z lat pięćdziesiątych. Przed dwudziestymi pierwszymi urodzinami kompletują posag, wychodzą za swojego pierwszego chłopaka, kupują dom z trzema sypialniami w odległości kilku kilometrów – jeśli nie przecznic – od rodziców i zabierają się do budowania rodziny.

– Racja – mamroczę.

– I tylko to miałam na myśli – mówi niewinnie. – A w głębi duszy strasznie ci zazdroszczą. Jesteś świetną prawniczką w wielkomiejskiej kancelarii.

Mówię, że to szalone – żadna z tych dziewczyn nie marzy o takiej karierze jak moja. Większość z nich nie pracuje.

– Cóż, nie chodzi jedynie o karierę. Jesteś wolna i do wzięcia. Przecież oglądają *Seks w wielkim mieście*. Wiedzą, jak wygląda twoje życie. Jest wspaniałe, wypełnione zabawą, wystrzałowymi facetami, kosmopolitami, ciekawymi doświadczeniami! Ale nie pozwolą ci ujrzeć niepewności, którą w związku z tym odczuwają. To by sprawiło, że ich życie wydałoby się jeszcze bardziej żałosne, wiesz? – Uśmiecha się, dumna ze swojej przemowy. – Tak. Twoje życie jest takie jak w *Seksie w wielkim mieście*.

– Tak. Jestem bardzo podobna do Carrie Bradshaw – potakuję beznamiętnie.

Tyle że bez fantastycznych butów, cudownej figury i pełnej zrozumienia najlepszej przyjaciółki.

– Właśnie! – wykrzykuje. – Wreszcie zaczynasz rozumieć.

– Słuchaj, tak naprawdę wcale mnie nie obchodzi to, co o mnie myślą – przerywam, wiedząc, że to nie do końca prawda. Zależy mi o tyle, o ile się z nimi zgadzam. A jakaś część mnie wierzy, że samotność w wieku trzydziestu lat j e s t smutna. Nawet jeśli ma się dobrą pracę. Nawet na Manhattanie.

– To dobrze – zgadza się, dla zachęty klaszcząc. – To dobrze. O to chodzi.

Docieramy pod dom Jessiki Pell – naszej dalekiej znajomej z liceum – dokładnie o wyznaczonej porze. Darcy zerka na zegarek i upiera się, żeby pokrążyć jeszcze kilka minut i zjawić się z modnym spóźnieniem.

Mówię jej, że modne spóźnienie nie jest potrzebne na przyjęciu z okazji zbliżających się narodzin dziecka, lecz przystaję na jej żądanie. Jedziemy do McDonalda dla zmotoryzowanych. Wychyla się przez okno po stronie kierowcy i krzyczy do mikrofonu, że „bardzo chętnie napiłaby się dietetycznej pepsi". Doskonale wie, że w McDonaldzie podają coca-colę. Wspominała wcześniej, że lubi ich testować, sprawdzać, czy w ogóle poruszą ten temat. Że ludzie od Pepsi zawsze informują o różnicy, jeśli zamawia się coca-colę, ale ci z Coca-Coli nie zdają sobie tego trudu.

To okazja, żeby wywołać jakieś zamieszanie, doprowadzić do konfrontacji. Pryszczaty Drobnomieszczanin spotyka Supermodelkę z Wielkiego Miasta.

– Może być dietetyczna coca-cola? – mamrocze chłopak.

– Wygląda na to, że musi – odpowiada Darcy z dobrotliwym śmiechem.

Dopija dietetyczną colę, kiedy zatrzymujemy się pod domem Jessiki.

– Widzisz, nic się nie dzieje – mówi, poprawiając włosy, jak gdyby to ona była gwiazdą imprezy, a nie Annalise i jej nienarodzone dziecko.

Kiedy wchodzimy do środka, widzimy, że reszta gości zgromadziła się już w starannie urządzonym, niebiesko-żółtym salonie Jessiki. Annalise piszczy, podchodzi bliżej, kiwając się jak kaczka, i wita się z nami, ściskając nas obie jednocześnie. Pomimo dzielących nas różnic, nadal jesteśmy jej najlepszymi przyjaciółkami. Wyraźnie widać, że przypadła nam rola gości honorowych, która mnie wprawia w lekkie zakłopotanie, a Darcy w zachwyt.

– Tak dobrze was widzieć, dziewczyny! Dziękuję, że wpadłyście! – mówi Annalise. – Obydwie wyglądacie cudownie. Cudownie. Z każdą wizytą w domu robicie się coraz bardziej eleganckie!

– Ty też świetnie wyglądasz – odwzajemniam komplement. – Ciąża ci służy. Masz ten błysk w oku.

Podobnie jak moi rodzice, Annalise również opiera się wszelkim modom. Nadal ma tę samą fryzurę – włosy do ramion i podwiniętą grzywkę – która świetnie wyglądała w latach osiemdziesiątych, okropnie w połowie lat dziewięćdziesiątych i, za sprawą zwykłego zrządzenia losu, obecnie stała się nieco mniej straszna. Uchodzi za ładną fryzurkę przyszłej matki. A jej twarz, zawsze okrągła jak księżyc w pełni, przestała wydawać się pucołowata i dopasowała się do ślicznej, ciężarnej reszty. Annalise należy do tego rodzaju kobiet w ciąży, którym z chęcią odstępuje się własne miejsce w metrze.

Darcy głaszcze brzuch Annalise lewą dłonią ozdobioną pierścionkiem. Od diamentu odbija się światło, które razi mnie w oczy.

– Ojej – grucha Darcy. – Tam jest jakiś malutki golasek!

Annalise śmieje się i mówi:

– No cóż, rzeczywiście, można tak powiedzieć! – Przedstawia nas kilku gościom, znajomym nauczycielkom i terapeutkom ze szkoły, w której pracuje, oraz innym przyjaciółkom z sąsiedztwa. – A pozostałych oczywiście już znacie!

Wymieniamy uściski z Jess i innymi koleżankami z liceum. Jest tam Brit Miller (która bezwstydnie czciła i naśladowała Darcy w liceum). Tricia Salerno. Jennifer McGowan. Kim Frisby. Z ewentualnym wyjątkiem Kim, energicznej cheerleaderki, która, o dziwo, uczęszczała również na zajęcia z nauk ścisłych i matematyki dla zaawansowanych, żadna z tych dziewczyn nie była szczególnie bystra, interesująca ani popularna w liceum. Kiedy jednak zostały żonami i matkami, ich przeciętność przestała mieć znaczenie.

Siedząca na kanapie Kim odsuwa się nieco na bok i oferuje mi sąsiednie miejsce. Pytam, co słychać u Jeffa (który również chodził z nami do klasy i grał w bejsbol razem z Brandonem i Blaine'em) i ich synów. Mówi, że wszyscy mają się wyśmienicie, Jeff właśnie dostał awans, co bardzo ją cieszy, i że kupują nowy dom, a chłopcy są po prostu idealni.

– A czym zajmuje się Jeff? – pytam.

Mówi, że pracuje w handlu.

– I macie bliźnięta, prawda?

– Tak, dwóch chłopców: Stanleya i Bricka.

No cóż, wiem, że Brick to panieńskie nazwisko jej matki, ale zastanawiam się, jak mogła zrobić coś takiego własnemu dziecku. A Stanley? Kto daje dziecku na imię Stanley czy nawet Stan? Stanley i Stan to imiona dla dorosłych mężczyzn. Nikt w wieku poniżej trzydziestu pięciu lat nie powinien się tak nazywać. I nawet jeśli można przeboleć te imiona oddzielnie, to w duecie kompletnie do siebie nie pasują, czego wyjątkowo nie znoszę. Nie twierdzę, że bliźniętom należy nadawać imiona, które się rymują czy zaczynają na tę samą literę, jak Brick i Brock albo Brick i Brack. Niech to będą Stanley i Frederick – imiona dla dorosłych mężczyzn – lub Brick i Tyler – obydwa równie pretensjonalne. Ale Stalney i Brick? Litości.

– Przyniosłaś ze sobą zdjęcia chłopców? – zadaję obowiązkowe pytanie.

– Prawdę mówiąc, tak – Kim wydobywa mały album z wykonanym dużymi fioletowymi literami napisem „Album pamiątkowy". Uśmiecham się i przerzucam kolejne strony, starając się nie robić tego zbyt szybko. Brick w wannie. Stanley z plastikową piłką. Brick z babcią i dziadkiem Brickami.

– Urocze zdjęcia – mówię, zamykając album i oddając go właścicielce.

– Też tak uważamy – Kim kiwa głową z uśmiechem. – Chyba je zachowamy.

Kiedy wkłada album z powrotem do torebki, słyszę, jak Darcy opowiada Jennifer i Tricii historię swoich zaręczyn.

Sekunduje jej Brit.

– Opowiedz im o różach – zachęca.

Zupełnie zapomniałam o różach – być może wyparłam je z pamięci, kiedy dostałam własne.

– Tak, tuzin czerwonych róż – mówi Darcy. – Po oświadczynach czekały na mnie w mieszkaniu.

Ale nie dwa tuziny.

– Gdzie ci się oświadczył? – dopytuje się Tricia.

– Cóż, wybraliśmy się na bardzo miły lunch, a potem zaproponował spacer po Central Parku...

– Podejrzewałaś coś? – pytają jednocześnie obydwie dziewczyny.

– Ani trochę...

To kłamstwo. Pamiętam, jak dwa dni wcześniej powiedziała mi, że coś się szykuje. Jednak przyznanie się do tego umniejszyłoby dramatyzm całej opowieści oraz nadwątliłoby jej wizerunek kobiety, o którą należy zabiegać.

– Jak to powiedział? – pyta Brit.

– Przecież już znasz tę historię! – śmieje się Darcy. Dzięki gorliwości Brit pozostają w sporadycznym kontakcie. Nadal nie minęła jej fascynacja idolką z młodzieńczych lat.

– Opowiedz to jeszcze raz! – mówi Brit. – Moje zaręczyny były takie niewydarzone: sama wybrałam sobie pierścionek w centrum handlowym! Pozostaje mi cieszyć się twoim szczęściem.

Na twarzy Darcy pojawia się wyraz sztucznej skromności.

– Powiedział: „Darcy, nie wyobrażam sobie niczego, co uszczęśliwiłoby mnie bardziej niż poślubienie ciebie".

Z wyjątkiem bycia z twoją najlepszą przyjaciółką.

– A potem dodał: „Proszę, dziel ze mną życie".

I podziel się ze mną twoją najlepszą przyjaciółką.

Rozlega się chór ochów i achów. Myślę sobie, że Darcy ubarwia całą historię, że tak naprawdę rzucił standardowe: „Wyjdziesz za mnie?".

– Zdejmij pierścionek – domaga się Brit. – Chcę go przymierzyć.

Kim ostrzega, że zdejmowanie pierścionka w okresie narzeczeństwa przynosi pecha.

Zdejmij go!

Darcy wzrusza ramionami, żeby pokazać, że nadal ma w sobie ducha wolności. A może chce dać do zrozumienia, że Darcy Rhone nie musi obawiać się pecha. Zsuwa pierścionek z palca i podaje go spragnionym kobietom, które przekazują go sobie z rąk do rąk. W końcu dociera do mnie.

– Przymierz go, Rach – mówi Brit.

To bardzo zabawna zagrywka zamężnej dziewczyny. Nakłoń samotną koleżankę do włożenia diamentowego pierścionka, żeby choć przez chwilę zakosztowała nieznanej euforii zaręczyn. Grzecznie kręcę głową, jak gdybym odmawiała skosztowania drugiej dokładki potrawki z kurczaka.

– Nie trzeba – mówię.

– Jakieś perspektywy, Rachel? – nieśmiało pyta Tricia, jak gdyby chodziło jej o wynik tomografii.

Już mam odpowiedzieć zdecydowanym „nie", kiedy ubiega mnie Darcy.

– Setki – oznajmia. – Ale żaden kandydat nie jest wyjątkowy. Rachel jest bardzo wybredna.

Próbuje mi pomóc. Jednak dziwnym trafem jej komentarz przynosi odwrotny efekt i jeszcze bardziej czuję się jak początkująca stara panna. Zresztą nie mogę powstrzymać myśli, że zwyczajnie się nade mną lituje, ponieważ wyraźnie widać, że odstaję od reszty grupy, jestem wśród nich największą fajtłapą. Gdybym była zaręczona z, powiedzmy, Bradem Pittem, z pewnością darowałaby sobie takie przechwałki w moim imieniu. Dąsałaby się w jakimś kącie owładnięta duchem rywalizacji, a w toalecie powiedziałaby Brit, że owszem, Brad to Brad, ale Dex jest o wiele fajniejszy – tylko odrobinę mniej przystojny. Rzecz jasna, z tym akurat się zgadzam.

– Nie powiedziałabym, że jestem bardzo wybredna – stwierdzam rzeczowo.

Po prostu jestem rozpaczliwie samotna i mam romans z przyszłym mężem Darcy. Ale chyba wiecie, że ukończyłam jeden z dziesięciu najlepszych wydziałów prawa i zgarniam sześciocyfrową pensję? I że wcale nie potrzebuję mężczyzny, do cholery! Ale kiedy już go znajdę i urodzę dziecko, z pewnością dam mu lepsze imię niż Brick!

– A właśnie że jesteś – odpowiada Darcy na użytek swej publiczności. Upija łyk ponczu. – Weźmy na przykład Marcusa.

– Kto to jest Marcus? – pyta Kim.

– Marcus to facet, z którym Dex chodził do Georgetown. Miły, inteligentny, zabawny – mówi Darcy, machając dłonią. – Ale Rachel nie zwraca na niego uwagi.

Jeśli za chwilę nie zamilknie, zaczną się zastanawiać, czy przypadkiem nie jestem lesbijką. A wtedy uznałyby mnie za prawdziwego dziwoląga. Ich wyobrażenie o odmienności to dziewczyna, która wybrała uczelnię w innym stanie i nie marzyła o dołączeniu do korporacji studentek.

– W czym problem? Brakuje tej chemii? – pyta Kim ze współczuciem. – Chemia jest potrzebna. Ja i Jeff poczuliśmy chemię w jedenastej klasie i czujemy ją nadal.

– Racja – zgadzam się. – Chemia jest potrzebna.

– Zdecydowanie – mamrocze Brit.

Ich kolektywna rada: nie dawaj za wygraną. Szukaj dalej. Znajdź Pana Odpowiedniego. Tak jak one wszystkie. Jestem święcie przekonana, że naprawdę w to wierzą. Ponieważ nikt, kto wychodzi za mąż w dojrzałym wieku dwudziestu trzech lat, nie daje za wygraną. To przydarza się wyłącznie kobietom po trzydziestce.

– Podjęłaś już ostateczną decyzję w sprawie imienia dla dziecka? – pytam Annalise, rozpaczliwie pragnąc zmienić temat. Wiem, że myśli o Hannah lub Grace w przypadku dziewczynki, a jeśli urodzi chłopca, chce go nazwać Michael albo David. Porządne, klasyczne i solidne imiona. Bez zbędnej przesady.

– Tak – mówi Annalise. – Ale to tajemnica. – Puszcza do mnie oczko.

Wiem, że podobnie jak w przypadku poprzedniej decyzji, powie mi o tym później. Ufa mi. Jestem przyjaciółką, która nigdy, przenigdy nie wypaple imienia twojego dziecka.

Moją specjalnością jest uwodzenie cudzych narzeczonych.

Gramy w kilka głupkowatych zabaw, typowych dla tego typu imprez, po czym Annalise zaczyna otwierać prezenty. Jest tam mnóstwo żółtych ubranek, ponieważ Annalise nie wie, czy urodzi chłopca czy dziewczynkę. Nie ma zatem żadnych różowych prezentów z wyjątkiem porcelanowego króliczka od Tiffany'ego, podarunku Darcy, która z przekonaniem twierdzi, że ma wyczucie w tych sprawach i Annalise z pewnością urodzi dziewczynkę. Widzę, że Annalise rzeczywiście ma taką nadzieję.

– Zresztą – mówi Darcy – nawet gdybym się pomyliła (chociaż z pewnością się nie mylę), to czy wiecie, że na przełomie wieków różowy kolor był dla chłopców, a niebieski dla dziewczynek?

Odpowiadamy chórem, że nie miałyśmy o tym pojęcia. Zastanawiam się, czy przypadkiem tego nie zmyśliła.

Annalise przechodzi do mojego prezentu. Najpierw otwiera liścik, mrucząc pod nosem. Do oczu napływają jej łzy, gdy czyta moje słowa – że będzie najcudowniejszą matką na świecie i że nie mogę się doczekać, kiedy to zobaczę. Przywołuje mnie gestem dłoni, podobnie jak moje poprzedniczki, i mocno przytula.

– Dziękuję, skarbie – szepcze. – To było takie miłe.

Następnie otwiera mój prezent, kaszmirowy kocyk w kolorze złamanej bieli obszyty pluszem. Wydałam na niego fortunę, lecz patrząc na twarz Annalise, cieszę się, że tak się wykosztowałam. Wydaje z siebie stłumiony okrzyk, rozwija go, przytula do policzka i mówi, że jest idealny i przyniesie w nim dziecko ze szpitala do domu.

– Przylecę znowu, kiedy się urodzi! – obiecuje Darcy. – Lepiej, żeby to nie było w czasie mojego miesiąca miodowego!

Bez względu na to, czy robi to celowo, czy może taka właśnie jest i nic nie może na to poradzić, Darcy zawsze potrafi się wtrącić. Zazwyczaj nie mam nic przeciwko temu, ale po tym jak spędziłam całe wieki na szukaniu prezentu dla mojej drugiej najstarszej przyjaciółki, marzę o tym, aby Darcy się przymknęła i chociaż na jedną nanosekundę przestała przyćmiewać mnie i Annalise.

Annalise, jak zawsze dyplomatka, posyła jej szybki uśmiech, po czym znowu skupia się na mnie i na nowym kocyku. Podaje go każdej koleżance po kolei i wszystkie zgadzają się, że prezent idealnie nadaje się na przyniesienie dzidziusia do domu – jest taki śliczny i mięciutki. Przynajmniej tak właśnie twierdzą. Jednak coś mi mówi, że w głębi serca myślą: „Niezły wybór jak na prawniczkę z wątpliwym instynktem macierzyńskim".

ROZDZIAŁ 13

Kiedy wracam do domu z imprezy u Annalise, mama idzie za mną do salonu i bombarduje mnie pytaniami. Streszczam jej najważniejsze wydarzenia, ale jest nienasycona. Chce znać każdy szczegół o każdym gościu, prezencie i rozmowie. Przypominają mi się czasy liceum, kiedy wracałam do domu po całym dniu szkolnego i społecznego napięcia, a ona wypytywała mnie, jak spisał się zespół Ethana podczas debaty, jak poszło Darcy na eliminacjach do drużyny cheerleaderek albo o czym rozmawialiśmy na lekcji angielskiego. Jeśli nie przejawiałam wystarczającego entuzjazmu, sama wypełniała chwile milczenia, perorując o swojej pracy na pół etatu w gabinecie ortodontycznym, o tym, jak niegrzecznie zachował się Bryant Gumble w programie *Today*, albo o przypadkowym spotkaniu w sklepie spożywczym z moją nauczycielką z trzeciej klasy. Moja mama jest niepoprawną gadułą i od innych ludzi oczekuje tego samego – zwłaszcza od swojego jedynego dziecka.

Kończy przesłuchanie w sprawie imprezy u Annalise i przechodzi do – jakżeby inaczej? – ślubu Darcy.

– Czy Darcy zdecydowała się już na jakiś welon? – Poprawia stos „Newsweeków" leżący na stoliku do kawy i czeka na wyczerpującą odpowiedź.

– Tak.

– Długi? – Przysuwa się bliżej.

– Do kostek.

– Och, będzie wyglądać cudownie. – Radośnie klaszcze w dłonie.

Moja matka jest – i zawsze była – wielką fanką Darcy. W liceum nie miało to większego sensu, zważywszy, że Darcy nigdy nie przejmowała się nauką i propagowała pewien rodzaj chorej obsesji na punkcie chłopców. Mimo to moja matka po prostu ją uwielbiała. Być może dlatego że Darcy dostarczała jej szczegółów z naszego życia, których tak bardzo pragnęła. Po wymianie wstępnych uprzejmości Darcy rozmawiała z moją matką jak z koleżanką. Po szkole przychodziła do mnie do domu, opierała się o kuchenny blat i zaczynała mówić, chrupiąc markizy przygotowane dla nas przez moją matkę. Opowiadała o chłopakach, którzy jej się podobają, o zaletach i wadach każdego z nich. Mówiła coś w stylu: „Ma za wąskie usta, założę się, że nie potrafi całować", a moja mama wpadała w zachwyt i domagała się kolejnych szczegółów, którymi Darcy ochoczo się dzieliła, podczas gdy ja wychodziłam z pokoju, żeby zabrać się do pracy domowej z geometrii. Czy to nie było dziwne?

Pamiętam, że pewnego razu, w siódmej klasie, odmówiłam wzięcia udziału w dorocznym konkursie talentów, chociaż Darcy nieustannie namawiała mnie na wystąpienie w roli jednej z tancerek towarzyszących jej podczas cudacznej interpretacji piosenki *Material Girl*. Pomimo swej nieśmiałości Annalise szybko ugięła się pod jej naciskami, lecz ja byłam niewzruszona i zupełnie nie obchodziło mnie to, że opracowany przez Darcy układ choreograficzny wymaga udziału trzech dziewczyn, ani to, że Darcy oskarżyła mnie o pozbawianie jej szansy na wygraną. Często dawałam jej się namawiać na różne rzeczy, lecz nie tym razem. Powiedziałam, żeby nie strzępiła sobie języka, ponieważ moja noga nigdy nie postanie na scenie. Kiedy Darcy ostatecznie dała za wygraną i zaprosiła na moje miejsce Brit, matka wygłosiła mi wykład na temat zwiększenia zaangażowania w różne zabawne przedsięwzięcia.

– Nie wystarczy ci, że mam same piątki? – zapytałam.

– Po prostu chcę, żebyś się dobrze bawiła, skarbie – powiedziała.

– Po prostu chcesz, żebym była taka jak ona! – Zaatakowałam ją.

Powiedziała, żebym nie była śmieszna, lecz jakaś część mnie w to wierzyła. Teraz czuję się identycznie.

– Mamo, bez obrazy dla ciebie i drugiej córki, której nigdy nie miałaś, ale...

– Och, nie zaczynaj tych nonsensów! – Przygładza popielate włosy, które od dwudziestu lat farbuje tym samym odcieniem l'oréala.

– W porządku – mówię. – Ale naprawdę, mam już potąd rozmów na temat ślubu Darcy. – Unoszę dłoń dziesięć centymetrów nad głową, a potem sięgam jeszcze wyżej.

– To niewłaściwe podejście ze strony kogoś, kto ma być druhną. – Zaciska usta i pociera palce wskazujące.

Wzruszam ramionami.

Mama zaczyna się śmiać jak dobroduszna rodzicielka, która nie bierze swojej jedynaczki zupełnie poważnie.

– No cóż, można się było domyślić, że Darcy będzie bardzo wymagającą panną młodą. Z pewnością chce, żeby wszystko wypadło idealnie...

– Tak, zasługuje na to – parskam z sarkazmem.

– Cóż, z a s ł u g u j e – mówi moja mama. – Podobnie jak ty... I na ciebie przyjdzie pora.

– Uhmm.

– Czy to dlatego tak cię to drażni? – pyta, starannie naśladując minę kobiety, która obejrzała zbyt wiele programów poświęconych dostrzeganiu własnych uczuć i pielęgnowaniu związków.

– Niezupełnie – zaprzeczam.

– W takim razie dlaczego? Czy Darcy jest dla ciebie wrzodem na wiesz czym? O co ja pytam, o c z y w i ś c i e, że tak! Taka jest Darcy! – Znowu wybucha dobrodusznym śmiechem.

– Taa...

– Co tak, skarbie? O czym myślisz?

– Tak, ona jest jak wrzód na dupie – mówię, sięgając po pilota, żeby podgłośnić telewizor.

– A co takiego robi? – spokojnie drąży moja mama.

– Jest sobą – odpowiadam. – Wszystko musi się kręcić wokół niej.

– Wiem, kochanie. – Mama posyła mi współczujące spojrzenie.

Wtedy wyrzucam z siebie, że Darcy nie zasługuje na Dextera, że on jest dla niej za dobry. Mama uważnie mi się przygląda. O cholera, myślę. Czy ona wie? Ethan i Hillary to jedna sprawa, ale moja matka to już coś zupełnie innego. W liceum nie chciałam jej powiedzieć, którzy chłopcy mi się podobają, więc coś takiego z pewnością jest dla niej zaskoczeniem. Nie potrafię znieść myśli, że mogłabym ją zawieść. Mam trzydzieści lat, lecz nadal bardzo zależy mi na opinii rodziców. A moja matka, która odnajduje życiowe mądrości w wyszywanych krzyżykami sentencjach, nigdy nie zrozumiałaby takiego zakończenia przyjaźni.

– Jego też doprowadza do szału. Jestem tego pewna – mówię, próbując odwrócić jej uwagę.

– On ci to powiedział?

– Nie, nie rozmawiałam na ten temat z Deksem. – Technicznie rzecz biorąc, to prawda. – Po prostu to widać.

– Cóż, bądź cierpliwa. Nigdy nie pożałujesz bycia dobrą przyjaciółką.

Zastanawiam się nad tą złotą myślą mojej matki. Trudno się z nią nie zgodzić. Postępowałam tak przez całe życie. Za wszelką cenę dążyłam do tego, żeby niczego nie żałować. Bez względu na wszystko byłam dobra. Dobra uczennica. Dobra córka. Dobra przyjaciółka. Jednak nagle do mnie dotarło, że żal działa w obie strony. Mogę również żałować tego, że poświęciłam samą siebie, własne pragnienia, na rzecz Darcy, w imię naszej przyjaźni, w imię bycia dobrym człowiekiem. Dlaczego właśnie ja muszę być męczennicą? Wyobrażam sobie siebie jako samotną trzydziestopięciolatkę, samotną czterdziestolatkę. Albo jeszcze gorzej, u boku nudnej, niedoskonałej wersji Deksa. Deksa ze słabo zarysowanym podbródkiem i IQ niższym o dwadzieścia punktów. Już zawsze będę musiała żyć z pytaniem: „Co by było gdyby?".

– Tak, mamo. Wiem. Postępuj tak, żeby innym było dobrze. Bla, bla, bla. Będę dobrą przyjaciółką dla naszej drogiej Darcy.

Mama spuszcza wzrok, przygładza spódnicę. Zraniłam jej uczucia. Powtarzam sobie, że muszę być miła jeszcze tylko przez jeden wieczór. Przynajmniej tyle mogę zrobić. Nie mam rodzeństwa, które mogłoby przejąć pałeczkę i pobyć dobrym dzieckiem, kiedy mnie się odechce. Uśmiecham się i zmieniam temat.

– Gdzie jest tata?

– Poszedł do sklepu z narzędziami. Znowu.

– Po co tym razem? – pytam, wciągając ją w klimat pod tytułem „Tata nigdy nie ma dosyć sklepów z narzędziami i salonów samochodowych".

– A któż to wie? Któż to wie? – Kręci głową i znowu jest szczęśliwa.

Zasypiam, rozmyślając o Deksie, kiedy dzwoni moja komórka. Położyłam ją obok łóżka, z naładowaną baterią i głośnym dzwonkiem, w nadziei, że zadzwoni Dex. Na wyświetlaczu pokazuje się jego numer. Przyciskam słuchawkę do ucha.

– Cześć, Dex.

– Cześć – mówi ściszonym głosem. – Obudziłem cię?

– Hmm, tak jakby. Ale nie szkodzi.

Nie przeprasza i to mi się podoba.

– Boże, tęsknię za tobą – mówi. – Kiedy wracasz do domu?

Wie, kiedy wracam do domu. Wie, że jego narzeczona ma identyczny plan podróży. Ale nie przeszkadza mi to, że pyta. Jego pytanie jest skierowane do mnie. Chce, żebym to ja – a nie Darcy – wróciła do jego strefy czasowej.

– Jutro po południu. Lądujemy o czwartej.

– Wpadnę do ciebie – mówi.

– Dobrze.

Zapada milczenie.

Pytam go, gdzie teraz jest.

– Na kanapie.

Wyobrażam go sobie w moim mieszkaniu, na mojej kanapie, chociaż wiem, że siedzi na rozkładanej sofie Pottery Barn, którą Darcy zamierza zastąpić „bardziej wyszukanym meblem", gdy tylko wezmą ślub.

– Aha – mówię. Nie chcę odkładać słuchawki, lecz z powodu senności nie mogę wymyślić niczego innego.

– Jak było na imprezie?

– Nie otrzymałeś relacji?

– Otrzymałem. Dzwoniła Darcy.

Cieszę się, że to ona zadzwoniła do niego, i zastanawiam się, czy wspomniał o tym celowo.

– Ale pytałem, jak podobało się t o b i e – podkreśla.

– Cudownie było zobaczyć się z Annalise... Ale poza tym było okropnie.

– Dlaczego?

– Na takich imprezach zawsze jest okropnie.

Szepczę, że chciałabym mieć go teraz przy sobie. Zazwyczaj nie mówię tego typu rzeczy, chyba że on powie to pierwszy. Ale ciemność i odległość dodają mi odwagi.

– Naprawdę? – pyta tonem, który stosuję sama, kiedy chcę usłyszeć coś więcej. Faceci wcale tak bardzo się od nas nie różnią, myślę. Ilekroć to dostrzegam, zawsze mam wrażenie, że dokonałam wielkiego odkrycia.

– Tak. Chciałabym, żebyś teraz był przy mnie.

– W twoim łóżku w rodzinnym domu, gdzie w pokoju obok śpią rodzice?

– To otwarci ludzie. – Śmieję się.

– W takim razie też chciałbym tam być.

– Tylko że mam wąskie łóżko – dodaję. – Niewiele tu miejsca.

– Przy tobie wąskie łóżko wydaje się całkiem niezłe – mówi cichym, seksownym głosem.

Wiem, że obydwoje myślimy o tym samym. Słyszę jego oddech. Nic nie mówię. Dotykam się tylko i myślę o nim. Pragnę, żeby robił to samo. Robi. Czuję ciepło telefonu i jak zawsze, kiedy rozmawiam przez komórkę, zastanawiam się nad promieniowaniem, na które właśnie mogę być narażona. Ale dziś wieczorem ta odrobina promieniowania wcale mi nie przeszkadza.

Następnego dnia zamawiamy z Darcy taksówkę na lotnisku LaGuardia i jedziemy do domu. Ja wysiadam pierwsza i dzwonię do Deksa, gdy tylko staję na chodniku. Jest w biurze. Pracuje i czeka na mój telefon. Wpadnij, kiedy chcesz, zaprasza, ciesząc się, że ogoliłam nogi jeszcze w Indianie. Mówi, że będzie u mnie, gdy tylko Darcy zadzwoni do jego biura. „No wiesz", wydaje się zakłopotany swoją nową taktyką. Rozumiem. Przez chwilę jest mi źle, że moje życie składa się z takich podłych cudzołożnych strategii. Ale tylko przez chwilę. Potem tłumaczę sobie, że ze mną i Deksem jest inaczej. Że – powtarzam sobie słowa Hillary – życie nie jest czarno-białe. Czasami cel uświęca środki.

Tego wieczoru, kiedy w towarzystwie Deksa spędzam kilka godzin, spostrzegam, że nasze spotkania zaczynają zlewać się w mieszankę rozmów, dotyków, drzemania i zwyczajnego bycia razem w ciepłej prostej ciszy. Jak podczas idealnego urlopu nad morzem z niczym niezakłóconą i tak błogą rutyną, że kiedy po powrocie do domu przyjaciele pytają, jak udała się wycieczka, tak naprawdę nie jesteś w stanie sobie przypomnieć, czym dokładnie wypełniałaś te wszystkie godziny. Właśnie takie jest bycie z Deksem.

Nie liczę już, jak często się kochaliśmy, ale wiem, że zdarzyło się to grubo ponad dwadzieścia razy. Zastanawiam się, ile razy był z Darcy. O takich rzeczach teraz myślę. Zatem twierdzenie, że Darcy nie ma z nami nic wspólnego, to nieprawda. Mówienie, że nie chodzi tu o żadną rywalizację, wydaje się niedorzeczne. Ona jest dla mnie punktem odniesienia. Porównuję się z nią. Kiedy jesteśmy w łóżku, zastanawiam się: Czy ona też robi to w ten sposób? Jest lepsza ode mnie? Zdążyli popaść w rutynę czy ciągle wymyśla coś nowego? (Ze smutkiem stawiam na to drugie. A jeszcze smutniejsze jest to, że kiedy ma się idealne ciało, nudny seks „po bożemu" to raczej niewielki problem). Gdy jest już po wszystkim, też o niej myślę. Wtedy często wstydzę się własnego ciała. Wciągam brzuch, układam piersi, kiedy Dex nie widzi, i nigdy nie paraduję po mieszkaniu nago. Zastanawiam się, ile razy będziemy musieli się ze sobą przespać, zanim dam sobie spokój z seksowną bielizną i przerzucę się na szare dresy albo flanelowe spodnie od piżam, które wkładam, kiedy jestem sama. Chyba nie mamy wystarczająco dużo czasu, żeby dojść do tego etapu. Przynajmniej przed ślubem. Czas ucieka. Powtarzam sobie, że nie należy wpadać w panikę, że trzeba cieszyć się chwilą.

Ale czuję, że niedawno coś się zmieniło. Już pozwalam sobie myśleć o przyszłości. Nie robi mi się słabo, kiedy wyobrażam sobie, jak Dex odwołuje ślub. Przestałam uważać, że lojalność wobec Darcy powinna być ważniejsza niż wszystko pozostałe, a mianowicie moje pragnienia. Nadal nie jestem pewna, dokąd to wszystko zmierza, dokąd chcę, żeby zmierzało, lecz poczucie łamania jakichś zasad nieco ustąpiło, podobnie jak odruch nakazujący mi stawiać dobro Darcy ponad moim.

Dziś wieczorem Dex mówi o pracy. Często opowiada mi o swoich transakcjach i chociaż interesuje mnie ich mechanizm, najbardziej podoba mi się sposób, w jaki przedstawia najważniejsze osoby w firmie, ludzi, którzy wypełniają jego codzienne życie. Wiem na przykład, że lubi pracować dla Rogera Bollingera, szefa zespołu. Dex jest pupilkiem Rogera, a Roger jego wzorem. Kiedy opowiada o Rogerze, naśladuje jego bostoński akcent w taki sposób, że gdybym kiedyś spotkała Rogera, uznałabym, że naśladuje Deksa, który naśladuje Rogera. Roger ma zaledwie metr sześćdziesiąt wzrostu (moje spostrzeżenie – faceci zazwyczaj nie przytaczają szczegółów dotyczących wyglądu innych facetów i znacznie częściej wspominają o poczuciu humoru lub inteligencji), lecz zdaniem Deksa wzrost zupełnie nie przeszkadza mu w kontaktach z kobietami. Nawiasem mówiąc, Dex wspomniał o tym fakcie rzeczowym tonem, bez cienia podziwu, co utwierdza mnie w przekonaniu, że nie ma skłonności do romansów. Kobieciarze czują wobec innych kobieciarzy albo A: podziw, albo B: chęć rywalizacji.

Dex kończy opowiadać mi jakąś historię o Rogerze, po czym pyta:

– Mówiłem ci, że Roger był dwukrotnie zaręczony?

– Nie – odpowiadam, myśląc, że on również wie, iż o tym nie wspominał. Nie jest to szczegół, o którym się zapomina, zwłaszcza w naszej sytuacji. Nagle robi mi się chłodno i przykrywam nas kołdrą.

– Tak. W obydwu przypadkach zerwał zaręczyny. Ciągle powtarza mi coś w stylu: „Nie mów koniec, dopóki wszystko nie jest skończone" albo: „Gruba śpiewaczka nie wyszła jeszcze na scenę".

Zastanawiam się, czy Roger coś o mnie wie, czy po prostu jest to jego typowa kawalerska gadka.

– A kiedy? – pytam Deksa.

– Kiedy na scenie pojawi się gruba śpiewaczka? – Dex przytula się do mnie całym ciałem.

– No tak. Coś w tym rodzaju. – Wchodzimy na niebezpieczny teren i cieszę się, że Dex nie widzi moich oczu. – Kiedy zerwał zaręczyny?

– Nie jestem pewien, jak było za pierwszym razem. Ale po raz drugi zrobił to tuż przed ceremonią.

– Żartujesz?

– Nie. Panna młoda właśnie się ubierała, a on udał się do jej pokoju. Zapukał do drzwi i oznajmił jej to przy jej matce, babce i dziewięćdziesięciopięcioletniej prababce.

– Była zaskoczona? – pytam, zdając sobie sprawę, że to głupie pytanie. Żadna kobieta nie spodziewa się tego, że narzeczony wpadnie do pokoju i odwoła ślub.

– Najwidoczniej. Ale nie powinna była a ż t a k się dziwić... Musiała wiedzieć, że kiedyś już to zrobił.

– Miał kogoś innego? – pytam nieśmiało.

– Nie sądzę. Nie.

– W takim razie dlaczego tak postąpił?

– Powiedział, że ten związek nie miał przyszłości.

– Aha.

– O czym myślisz?

Z pewnością wie, o czym myślę.

– O niczym.

– Powiedz mi.

– O niczym.

– Powiedz mi.

Dialog świeżo upieczonej pary. Z upływem czasu takie pytanie staje się reliktem.

– Chyba nie wierzę w odwoływanie ślubu w stylu Julii Roberts w *Uciekającej pannie młodej*.

– Nie wierzysz w to?

Ostrożnie dobieram słowa.

– Po prostu myślę, że to zbędne... niepotrzebne okrucieństwo – mówię. – Jeśli ktoś zamierza odwołać ślub, powinien to zrobić wcześniej.

Moje przesłanie jest niezbyt subtelne.

– Cóż, zgadzam się, ale nie sądzisz, że lepiej zerwać zaręczyny, niż popełnić błąd? Czy człowiek nie jest winny tej drugiej osobie, sobie samemu i całej instytucji małżeństwa słowa wyjaśnienia, nawet jeśli trochę za późno zaczyna wszystko rozumieć?

– Absolutnie nie popieram popełniania tego rodzaju błędów. Po prostu mówię, że człowiek powinien do tego dojść trochę wcześniej niż w dniu ślubu. Po to są zaręczyny. A według mnie w dzień ślubu jest już za późno. Trzeba zacisnąć zęby i spojrzeć na wszystko w pozytywny sposób. To wyrachowane posunięcie: zerwać zaręczyny, kiedy kobieta ma już na sobie suknię.

Wyobrażam sobie Darcy w tej upokarzającej scenie i zdecydowanie jej współczuję.

– Tak sądzisz? Nawet jeśli miałoby się to zakończyć rozwodem? – pyta.

– Nawet jeśli. Zapytaj którąś dziewczynę, czy wolałaby się rozwieść, czy dostać kosza, stojąc w ślubnej sukni przed tymi wszystkimi ludźmi.

Wydaje z siebie dwuznaczne westchnienie, więc nie jestem pewna, czy się ze mną zgadza. Zastanawiam się, co to wszystko oznacza dla nas. Czy on w ogóle o nas myśli. Pewnie tak. Czuję, jak napinają mi się mięśnie, moja stopa nerwowo drży. Powtarzam sobie, że nie nadszedł jeszcze czwarty lipca. W ogóle nie chcę o tym więcej myśleć.

Sięgam ponad Deksem i podgłaśniam stereo. Creedence Clearwater Revival śpiewa *Lookin' Out My Back Door*. W sam raz – żywa, szybka piosenka. Właśnie tego mi trzeba, żeby pozbyć się wizji ślubu Deksa i Darcy. Wyobrażam sobie podróż z Deksem. Siedzimy w kabriolecie z opuszczonym dachem, mamy na nosach przeciwsłoneczne okulary i suniemy zupełnie pustą autostradą.

Pognęb mnie jutro, dziś nie jest mi smutno,
Duu, duu, dii, wyglądam przez tylne drzwi...

ROZDZIAŁ 14

Co roku w święto czwartego lipca następuje masowy exo-
dus z Manhattanu. Ludzie jadą do Hamptons, Cape, Martha's
Vineyard, a nawet do New Jersey. Nikt nie zostaje w mieście.
Nawet Les. Przed egzaminem adwokackim, kiedy zostaliśmy
z Nate'em w Nowym Jorku, żeby się uczyć, byłam zdumiona,
jak innym i niezwykle spokojnym miejscem jest moje miasto
bez tych wszystkich ludzi. Oczywiście, w tym roku również
zamierzam zostać w domu – nie mogę znieść myśli o ujrzeniu
Deksa razem z Darcy. Dzwonię do niego i mówię mu o tym.
Otrzymuję taką odpowiedź, jaką miałam nadzieję usłyszeć.

– Ja też zostanę.

– Naprawdę? – Już na samą myśl o wspólnym spędzeniu
nocy moje serce zaczyna gwałtownie bić.

– Tak. Zróbmy to.

Zatem opracowujemy plan. W ostatniej chwili obydwoje mamy „odkryć", że musimy pracować. Będziemy psioczyć
i jęczeć, ale jednocześnie uprzemy się, że Darcy powinna pojechać i zabawić się sama. Wtedy będzie już miała świeżo
zrobiony pedikiur, nowe ubrania, zaplanowane imprezy i re-
zerwacje w jej ulubionych restauracjach. Nie ma zatem szans,

żeby została w domu, a ja spędzę ten czas z Deksem i przez kilka dni nikt nam nie przeszkodzi. Będziemy razem zasypiać, budzić się i jadać posiłki. I chociaż Dex niczego jeszcze nie potwierdził, domyślam się, że w pewnym momencie przeprowadzimy naszą poważną rozmowę.

Dzielę się tymi planami z Hillary, która wiele się po nich spodziewa. Jest przekonana, że ten długi weekend będzie przełomowym punktem w moim związku z Deksem. Kiedy w południe kończy pracę na drugim piętrze, wpada do mojego gabinetu, aby życzyć mi wspaniałego weekendu.

– Powodzenia. – Zaciska kciuki.

– Co masz na myśli? Uważasz, że ktoś nas przyłapie?

– Nie, nie o to mi chodziło. Życzyłam ci powodzenia podczas waszej poważnej rozmowy. Bo zamierzasz porozmawiać z Deksem o tym, co się między wami dzieje, prawda?

– Tak. Chyba tak.

– Chyba tak?

– Na pewno. Taki jest plan.

– Dobra.

– Tylko nie zapomnij. To najwyższy czas.

Krzywię się.

– Rachel, nie stchórz. Jeśli chcesz z nim być, nadszedł czas, żeby mu o tym powiedzieć.

– Wiem. Rozumiem – mówię. I przez chwilę wyobrażam sobie, że jestem taka jak Hillary. Silna, odważna i pewna siebie.

– Zadzwonię, jeśli wasza koleżanka zacznie coś podejrzewać.

Kiwam głową i mam poczucie winy, że knujemy przeciwko Darcy.

Hillary odgaduje moje myśli.

– Masz zrobić to, co trzeba – mówi. – Nie możesz dać teraz za wygraną.

Punktualnie o siódmej, zgodnie z planem, pod moimi drzwiami zjawia się Dexter w nowej fryzurze, która uwydatnia jego kości policzkowe. Trzyma w dłoni butelkę czerwonego wina, małą torbę podróżną i bukiecik białych lilii, które można kupić we wszystkich koreańskich sklepikach za jedyne trzy dolce. Pomimo że są niedrogie i nieco przywiędłe, podobają mi się równie mocno jak kosztowne róże.

– To dla ciebie – mówi. – Przepraszam. Teraz są już w kiepskim stanie.

– Śliczne. Dziękuję.

Idzie za mną do kuchni, gdzie szukam jakiegoś wazonu. Wskazuję mój ulubiony, niebieski, który stoi na najwyższej półce, poza moim zasięgiem.

– Możesz go stamtąd ściągnąć?

Sięga po wazon i stawia go na blacie, a ja zaczynam przycinać łodyżki i układać kwiaty. W jego oczach muszę przypominać boginię domowego ogniska.

– Udało nam się – szepcze mi do ucha.

Moje ramiona pokrywają się gęsią skórką. Zanim odwracam się, żeby go pocałować, udaje mi się wsadzić kwiaty do wazonu i nalać odrobinę wody. Ma ciepły kark, a włosy z tyłu głowy nadal są nieco wilgotne po wizycie u fryzjera. Pachnie wodą kolońską, której zazwyczaj nie używa. Oczywiście, ja również skropiłam się perfumami, których zazwyczaj nie używam. Ale to szczególna okazja. Komuś, kto przywykł do cieszenia się krótkimi chwilami, tych kilka dni może wydać się wiecznością. To uczucie przypomina mi wyskakiwanie z autobusu ostatniego dnia szkoły, tuż przed wakacjami. Żadnych zmartwień – jedynie pytanie, czym zająć się najpierw: pojeździć na rowerze, iść na basen czy może zagrać z Darcy i Annalise w „prawda czy wyzwanie" w chłodnej niewykończonej piwnicy mojego domu. Dzisiaj wiem, co chcę zrobić najpierw, i jestem całkiem pewna, że niedługo się tym zajmiemy. Całuję szyję Deksa, wdychając słodki zapach jego skóry i woń lilii.

– Ten weekend będzie niesamowity – uśmiecha się, ściągając mój bezrękawnik przez głowę. Upuszcza go na podłogę. Rozpina mi stanik, bierze w dłonie moje piersi, a potem twarz. Jego palce przywierają do mojego karku.

– Tak się cieszę, że tu jesteś – mówię. – Jestem taka szczęśliwa.

– Ja też – odpowiada, rozpinając guziki mojego rozporka.

Prowadzę Deksa do łóżka i zdejmuję z niego ubranie, podziwiając jego ciało, całując w nowych miejscach. Z tyłu kolan. W łokcie. Mamy czas.

Kochamy się powoli, powstrzymując się nawzajem w różnych momentach, aż w końcu nie możemy już dłużej wytrzymać i stajemy się coraz bardziej nienasyceni, niecierpliwi. Jeszcze nigdy tak wyraźnie nie czułam, że Dex jest mój, i chyba wiem dlaczego. Dziś wieczorem do niej nie wraca. Nie będzie musiał zmywać z siebie mojego zapachu ani zacierać śladów naszej bliskości. Zatapiam paznokcie w jego plecach i przyciskam go do siebie jeszcze mocniej.

Kiedy kończymy się kochać, zamawiamy jedzenie z małej restauracyjki i przy blasku świec jemy burgery. Potem z powrotem wdrapujemy się do łóżka, gdzie rozmawiamy i słuchamy muzyki, walcząc z falami zmęczenia, aby móc delektować się wspólnie spędzanymi chwilami i nie tracić czasu na sen.

Jedyny zgrzyt pojawia się około północy, kiedy Dex mówi, że chyba powinien zadzwonić do Darcy. Odpowiadam, że to dobry pomysł, zastanawiając się, czy powinnam wyjść z pokoju, czy może zostać obok niego w łóżku. Postanawiam pójść do łazienki i pozwolić mu zrobić to, co musi. Odkręcam wodę, żeby nie słyszeć urywków ich rozmowy. Minutę później woła mnie Dex.

– Skończyłeś? – Uchylam drzwi.

– Tak. Chodź do mnie. Nie musiałaś wychodzić.

Kładę się obok, odnajduję jego dłoń.

– Przykro mi z tego powodu – mówi.

– Nic się nie stało. Rozumiem.

– To tak na wszelki wypadek... Teraz pewnie nie zadzwoni. Powiedziałem jej, że jadę do domu, żeby położyć się spać.

– A co robi Darcy?

– Wszyscy są w Talkhouse. Pijani i szczęśliwi.

Ale my jesteśmy trzeźwi i szczęśliwi, zaplątani w moją pościel, a nasze głowy spoczywają na jednej poduszce. Kiedy Dex siada na łóżku, żeby zdmuchnąć świeczkę stojącą na moim parapecie, zauważam, że ścinki włosów przeniosły się z jego szyi na białą poszewkę. Te maleńkie czarne włoski mają w sobie coś, co przepełnia mnie takim szczęściem, że mam ochotę płakać.

Zamykam oczy, żeby tego nie zrobić.

I w którejś chwili zasypiamy.

Potem nadchodzi ranek.

Budzę się, przypominając sobie naszą pierwszą wspólną pobudkę, panikę, która ogarnęła mnie tamtej niedzieli, kiedy skończyłam trzydzieści lat. Teraz czuję coś zupełnie innego. Spokojną radość.

– Cześć, Rachel.

– Cześć, Dex.

Obydwoje szeroko się uśmiechamy.

– Wszystkiego dobrego z okazji czwartego lipca – mówi. Jego dłoń spoczywa po wewnętrznej stronie mojego uda.

– Wszystkiego dobrego.

– To nietypowe święto czwartego lipca. Nie wybieramy się na żadne pokazy sztucznych ogni, na żadne pikniki ani na plażę. Nie przeszkadza ci to? – pyta.

– Nie. Nie przeszkadza – odpowiadam.

Kochamy się, a potem bierzemy razem prysznic. Na początku jestem onieśmielona, ale po kilku minutach odprężam się i pozwalam, aby Dex umył mi plecy. Stoimy pod gorącą wodą (on też lubi gorące prysznice), nie zważając na dawno pomarszczone palce. Potem wychodzimy z domu i idziemy Trzecią Aleją na kawę w Starbucks. Dzień jest wilgotny i pochmurny, bardzo możliwe, że zacznie padać. Ale my nie potrzebujemy dobrej pogody. Czuję, jak wypełnia mnie szczęście.

Jesteśmy jedynymi klientami w kolejce, z głośników płynie utwór Marvina Gaye'a. Zamawiam latte z chudym mlekiem. Dex mówi:

– Poproszę to samo w dużym kubku z... ze zwykłym mlekiem.

Podoba mi się to, że odrzuca terminologię Starbucks i pomijając słowo „grande", zamawia kawę w męskim stylu.

Energiczna dziewczyna wykrzykuje treść naszego zamówienia do koleżanki, która natychmiast oznacza nasze kubki czarnym flamastrem. Pracownicy Starbucks zawsze znajdują się w stanie dziwacznego rozradowania, nawet w godzinach największego porannego ruchu, kiedy muszą obsługiwać całe hordy marudnych ludzi niecierpliwie czekających na swoją dawkę kofeiny.

– Chwileczkę – mówi rozpromieniona dziewczyna. – Płacą państwo razem czy osobno?

Dex szybko odpowiada:

– Jesteśmy... płacimy razem.

Uśmiecham się, słysząc to przejęzyczenie. „Jesteśmy razem".

– Coś jeszcze?

– Mmm... Tak. Poproszę o jagodową babeczkę – dodaje Dex, po czym spogląda na mnie. – Rachel?

– Tak. Dla mnie to samo – mówię, powstrzymując się od zamówienia niskokalorycznej wersji. Nie chcę upodabniać się do Darcy.

– W takim razie dwie jagodowe babeczki. – Dex płaci i wrzuca resztę do słoika przy kasie. Dziewczyna uśmiecha

221

się do mnie, jak gdyby chciała powiedzieć: „Twój facet jest nie tylko przystojny, ale i hojny".

Obydwoje wsypujemy do kawy brązowy cukier z torebek, mieszamy i zajmujemy przy kontuarze miejsce z widokiem na ulicę. Na chodnikach jest pusto.

– Podoba mi się Nowy Jork w takim wydaniu – mówię, próbując pianki. Patrzymy na samotną żółtą taksówkę, która sunie Trzecią Aleją. – Posłuchaj... nie słychać klaksonów.

– Tak. Miasto naprawdę zamarło – zgadza się. – Założę się, że dziś wieczorem moglibyśmy zarezerwować miejsce w dowolnej restauracji. Chciałabyś gdzieś wyskoczyć?

– Nie możemy tego zrobić. – Patrzę na niego.

Wyjście na kawę to jedna sprawa. Kolacja to coś zupełnie innego.

– Możemy robić wszystko, na co mamy ochotę. Nie zauważyłaś? – Puszcza oczko i upija łyk kawy.

– Co będzie, jeśli ktoś nas zobaczy?

– Wszyscy wyjechali. – Wykonuje gest w stronę pustej ulicy. – Zresztą co by się stało? Chyba możemy wyjść razem coś zjeść, prawda? Do diabła, mógłbym nawet powiedzieć Darcy, że idziemy coś razem przekąsić. Przecież wie, że obydwoje utknęliśmy tu z powodu pracy, prawda?

– Chyba tak.

– Zgódź się. Chcę cię zaprosić na kolację. Nigdy nie zabrałem cię na porządną randkę. Źle mi z tym. Co ty na to?

Unoszę brwi i znacząco się uśmiecham.

– Co to za spojrzenie? – pyta Dex. Jego pełne usta stykają się z brzegiem kubka.

– Po prostu kiedy o nas myślę, raczej nie przychodzą mi do głowy takie słowa jak „porządny".

– A, o to ci chodzi – Dex macha dłonią, jak gdybym wspomniała o jakimś nieistotnym szczególe dotyczącym naszego związku. – Cóż, nic nie można na to poradzić... To znaczy, owszem, okoliczności są... dalekie od ideału.

– Mało powiedziane. Nazwijmy rzeczy po imieniu, Dex. Mamy romans.

To najodważniejsze określenie, jakiego dotychczas użyłam w odniesieniu do tego, co robimy. Wiem, że Hillary nie dałaby mi nagrody za bezpośredniość, lecz mimo to łomocze mi serce. Jak na mnie to odważny komentarz.

– Chyba tak – przyznaje z wahaniem. – Ale kiedy jestem przy tobie, wcale nie myślę o niestosowności naszego… związku. Będąc z tobą, nie czuję, że postępuję źle.

– Wiem, co masz na myśli – odpowiadam, myśląc sobie, że jest kilka osób, które miałyby odmienne zdanie na ten temat.

Czekam, aż powie o tym coś więcej. O nas. O naszej przyszłości. Albo przynajmniej o przewrocie, który ma się dokonać w ten weekend. Nie robi tego. Proponuje tylko, żebyśmy zabrali kawę do domu i poczytali w łóżku gazetę.

– Brzmi super – mówię, zastanawiając się, od jakiej kolumny zaczyna lekturę. Chcę wiedzieć o nim wszystko.

Pada z przerwami przez cały dzień, więc zostajemy w domu i przenosimy się z łóżka na kanapę i z powrotem na łóżko, rozmawiając godzinami i nie patrząc na zegarek. Rozmawiamy o wszystkim, o liceum, *college*'u, studiach, naszych rodzinach, przyjaciołach, książkach, filmach. Ale nie o Darcy i naszej sytuacji. Nawet kiedy dzwoni na jego komórkę, żeby zapytać, co słychać. Przyglądam się skórkom wokół paznokci, podczas gdy Dex mówi jej, że właśnie wyskoczył z biura, żeby coś przekąsić, i że tak, odwalił kawał roboty i przez cały dzień haruje jak wół. Pod koniec ich krótkiej rozmowy mamrocze: „Ja ciebie też", i wiem, co jej właśnie powiedział. Tłumaczę sobie, że wiele par kończy rozmowy, mówiąc „kocham cię" w równie automatyczny sposób, jak inni mówią „do widzenia". To nie ma żadnego znaczenia.

Kiedy Dex z rozgoryczoną miną zamyka klapkę telefonu, dzwoni moja komórka. To Darcy. Dex wybucha śmiechem.

– Właśnie mi powiedziała, że musi już lecieć. Jasne! Żeby zadzwonić do ciebie!

Nie odbieram, ale potem odsłuchuję jej wiadomość. Psioczy na pogodę, ale mówi, że i tak świetnie się bawią, że za mną tęskni. Że beze mnie i Deksa to nie jest to samo. Nie będę miała poczucia winy. Nie będę.

Tamtego wieczoru rozstajemy się z Deksem na kilka godzin, żeby mógł pójść do domu i przebrać się przed kolacją, ponieważ spakował tylko dżinsy, szorty i podstawowe kosmetyki. Tęsknię za nim, ale podoba mi się to, że dzięki rozłące nasza kolacja bardziej przypomina randkę. Zresztą cieszę się, że mam szansę wystroić się w samotności. Mogę robić rzeczy, których nowy facet nie powinien widzieć – wydepilować brwi, rozpylić perfumy w strategicznych miejscach (z tyłu kolan, pomiędzy piersiami) i zrobić makijaż, który wygląda tak, jakby prawie go nie było.

Dex wpada po mnie za piętnaście ósma i jedziemy taksówką do jednej z moich ulubionych restauracji na Manhattanie, do Balthazara, gdzie zazwyczaj nie można zarezerwować stolika, chyba że zadzwoni się kilka tygodni wcześniej albo postanowi zjeść kolację o szóstej wieczorem lub przed północą. My jednak docieramy tam punktualnie o ósmej i dostajemy idealny, przytulny boks. Pytam Deksa, czy wie, że Jerry Seinfeld oświadczył się tu Jessice Sklar. Być może właśnie w tym miejscu poprosił ją o rękę, wyjmując pierścionek od Tiffany'ego.

– Nie wiedziałem o tym – mówi Dex, zerkając znad karty win.

– Wiesz, że rzuciła dla Jerry'ego swojego męża, którego poślubiła cztery miesiące wcześniej?

– Tak, o tym chyba słyszałem. – Śmieje się.

– Nooo... Wygląda na to, że skandaliści uwielbiają jadać w Balthazarze.

Kręci głową i posyła mi nerwowy uśmiech.

– Proszę, przestań tak o nas myśleć.

– Spójrz na fakty, Dexter. To skandal... Jesteśmy tacy sami jak Jerry i Jessica.

– Posłuchaj, nic nie poradzimy na to, co czujemy – poważnie mówi Dex.

Tak. Możliwe, że to samo szepnęła Jessica do Jerry'ego, kiedy rozmawiała z nim przez komórkę, a z sąsiedniego pokoju dobiegał rechot jej męża, który właśnie oglądał telewizję.

Kiedy przeglądam *menu*, zaczynam zdawać sobie sprawę, że moje zdanie na temat Jerry'ego i Jessiki może się zmieniać. Dawniej podpisywałam się pod opinią, że on był bezdusznym facetem, który bez wahania zburzył czyjeś małżeństwo, a ona bezwstydną hieną goniącą za pieniędzmi, która z lodowatym sercem zamieniła męża z Holandii na bogatszy i bardziej dowcipny model, gdy tylko nadarzyła się okazja, co – jak gdzieś czytałam – nastąpiło w klubie sportowym Reeboka na Upper East Side, do którego należy również Darcy. Teraz nie jestem już taka pewna, czy r z e c z y w i ś c i e tak było. A może Jessica poślubiła swojego Erica z Holandii, ponieważ kochała go wedle wszelkich kryteriów, którymi kierowała się w życiu do tamtej pory, a potem, kilka dni po powrocie z miodowego miesiąca we Włoszech, poznała Jerry'ego, i szybko zrozumiała, że tak naprawdę nigdy wcześniej nie kochała, że jej uczucia do Jerry'ego znacznie przewyższają to, co kiedykolwiek czuła do Erica.

Co miała robić? Pozostać w małżeństwie z niewłaściwym mężczyzną, żeby zachować pozory? Jessica wiedziała, jakie szambo może ją czekać nie tylko ze strony przyjaciół, rodziny i męża, któremu ślubowała dozgonną miłość i wierność (a nie tylko taką, która trwa zaledwie trzy miesiące), lecz również całego świata – a przynajmniej tych z nas, którzy są na tyle znudzeni własnym życiem, że pochłaniają magazyn „People", gdy tylko pojawia się w kioskach. A jednak podjęła decyzję, dochodząc do wniosku, że żyje się tylko raz. Weszła na ruchliwą ulicę i jak żaba w mojej ulubionej grze wideo przeszła na drugą stronę, do małego pudełeczka u góry ekranu – a w jej przypadku do wartego sześć milionów dolarów mieszkania z widokiem na Central Park. Przyznanie się do pomyłki wymagało ogromnej determinacji i odwagi. Może Jerry również zasłużył na uznanie, ignorując gniew całego świata, aby za wszelką cenę iść za głosem serca. Może po prostu zwyciężyła prawdziwa miłość.

Bez względu na to, co naprawdę stało się z Jessicą, Erikiem i Jerrym, moje poglądy na temat przestrzegania zasad w miłości ulegają zmianie.

– Już wiesz, na co masz ochotę? – zwraca się do mnie Dex.

Uśmiecham się i mówię, że czekam na danie dnia.

Po kolacji Dex pyta, czy mam ochotę pójść jeszcze na drinka.

– A ty? – pytam, chcąc go zadowolić, udzielić właściwej odpowiedzi.

– Zapytałem pierwszy.

– Wolałabym iść do domu.

– To dobrze. Ja też.

Wieczorne niebo trochę się rozchmurzyło i kiedy wysiadamy z taksówki na skrzyżowaniu pod moim domem, widzimy sztuczne ognie nad East River. Błękit, róż i złoto oświetlają miasto, które wydaje się teraz naszą prywatną własnością. Trzymamy się za ręce i stojąc w milczeniu, przez kilka minut patrzymy w niebo, a potem wchodzimy do środka i życzymy dobrej nocy José, który już zaczął uważać Dextera za mojego chłopaka.

Idziemy na górę, zrzucamy ubrania i kochamy się. To nie moja wyobraźnia – za każdym razem jest coraz lepiej. Kiedy jest już po wszystkim, żadne z nas nie odzywa się i nie porusza. Zasypiamy ze splecionymi nogami i rękami.

Rano budzę się w chwili, kiedy na niebo powraca słońce. Wsłuchuję się w oddech Deksa i obserwuję ostry łuk jego policzka. Nagle otwiera oczy. Nasze twarze leżą tuż obok siebie.

– Cześć, mała. – Jego głos jest ochrypły od snu.

– Cześć – mówię miękko. – Dzień dobry.

– Czemu nie śpisz? Jest wcześnie.

– Patrzę na ciebie.

– Dlaczego?

– Bo zachwyca mnie twoja twarz – odpowiadam.

Wydaje się naprawdę zdumiony tym komentarzem. Jak to możliwe? Przecież musi wiedzieć, że jest przystojny.

– Mnie też zachwyca twoja uroda – mówi. Obejmuje mnie i przytula do piersi. – I uwielbiam dotyk twojego ciała.

Czuję, że się rumienię.

– I smak twojej skóry – dodaje, całując moją szyję i twarz. Jak zwykle po całonocnym śnie unikamy całowania się w usta. – I to chyba ma sens.

– Jak to?

– No cóż, ponieważ…

Ciężko oddycha i wydaje się zdenerwowany, niemal wystraszony. Sięgam do szafki nocnej po prezerwatywę, ale on odsuwa moją dłoń, wchodzi we mnie i powtarza:

– Ponieważ…

– Ponieważ co?

Chyba wiem dlaczego. Mam nadzieję, że wiem.

– Ponieważ, Rachel… – Patrzy mi w oczy. – Ponieważ cię kocham.

Wymawia te słowa dokładnie w chwili, gdy ja wypowiadam je w myślach, powstrzymując się od tego, żeby powiedzieć je pierwsza. Teraz już nie muszę.

Próbuję zapamiętać wszystkie szczegóły tej chwili. Spojrzenie jego oczu, dotyk skóry. Nawet układ światła, które przedziera się przez rolety. To chwila przekraczająca wszelką doskonałość, wszystko, co czułam do tej pory. Prawie zbyt wiele. Nie dbam o to, że Dex jest zaręczony z Darcy ani że ukrywamy się jak para zbiegłych przestępców. Nie obchodzi mnie, że moje zęby potrzebują porządnego mycia, że mam potargane i przyklejone do twarzy włosy. Czuję tylko Deksa, jego słowa i wiem, bez cienia wątpliwości, że to najszczęśliwsza chwila mojego życia. Przez mój umysł przemykają obrazy. Jemy kolację przy świecach, sącząc dobrego szampana. Tulimy się obok strzelającego ognia w kominku starego wiejskiego domu w Vermont, gdzie skrzypią podłogi, a za oknem widać płatki śniegu wielkości srebrnych dolarówek. Jemy lunch podczas pikniku w Bordeaux, pośrodku łąki usianej żółtymi kwiatami, gdzie on wsunie na mój palec zabytkowy pierścionek z diamentem.

To wszystko może się wydarzyć. Dex mnie kocha. Ja kocham jego. Czego więcej nam potrzeba?, zastanawiam się. Z pewnością nie poślubi Darcy. Nie będą żyli długo i szczęśliwie. Odzyskuję głos i udaje mi się odpowiedzieć mu tymi samymi dwoma słowami. Słowami, których nie wypowiadałam od bardzo dawna. Słowami, które dotąd nie miały dla mnie znaczenia.

Żadne z nas nie wspomina o tym, co powiedzieliśmy, ale czuję to w powietrzu, wokół nas. Jest bardziej namacalne niż gęsta wilgoć. Czuję to w sposobie, w jaki na mnie patrzy i wymawia moje imię. Jesteśmy parą i tamte słowa dodały nam odwagi. W pewnej chwili, kiedy idziemy przez Central Park, Dex bierze mnie za rękę. Trwa to tylko kilka sekund, pięć lub sześć kroków, ale czuję przypływ adrenaliny. Co będzie, jeśli ktoś nas przyłapie? Co wtedy? Jakaś część mnie chce tych konsekwencji, pragnie natknąć się na jakiegoś znajomego Darcy, na współpracowniczkę, która utknęła w mieście z powodu pracy i wybrała się na krótki spacer po parku. W poniedziałek rano zabawi się w informatorkę i powie Darcy, że widziała, jak Dex szedł za rękę z jakąś dziewczyną. Szczegółowo opisze mój wygląd, lecz jestem na tyle przeciętna, że Darcy nie będzie mnie podejrzewać. A jeśli nawet zacznie, po prostu zaprzeczę, mówiąc, że cały dzień spędziłam w pracy. Powiem, że nawet nie mam różowej koszuli – jest nowa i Darcy nigdy jej nie widziała. Będę wściekle oburzona, a ona przeprosi i powróci do tematu zdrady Deksa. Postanowi go rzucić, a ja będę ją wspierać, stwierdzę, że postępuje właściwie. W ten sposób Dex nie będzie musiał o niczym decydować i niczego robić. Wszystko zostanie nam podane jak na tacy.

Podchodzimy do stawu i okrążamy go, podziwiając miejskie widoki. Mijamy odzianego w polowy mundur chłopca, który prowadzi na smyczy podstarzałego beagle'a, a potem przysadzistą zadyszaną kobietę, która z niezdarnie rozchylonymi łokciami uprawia powolny jogging. Gdyby nie ta dwójka, mielibyśmy tę zazwyczaj zatłoczoną ścieżkę tylko dla siebie. Słucham chrzęszczenia żwiru pod naszymi trampkami, kiedy idziemy zgodnym rytmem. Jestem zadowolona. Staw, widoki, miasto i cały świat należą do mnie i do Deksa.

Kiedy w końcu opuszczamy park, niebo zasnuwają ciemne chmury. Rezygnujemy z przebrania się przed kolacją i idziemy prosto do Atlantic Grill, restauracji w pobliżu mojego mieszkania. Obydwoje mamy ochotę na rybę, białe wino i lody waniliowe. Po kolacji pędzimy w strugach deszczu z powrotem do mojego mieszkania, ze śmiechem przebiegamy przez ulice i rozpryskujemy kałuże na chodnikach. W mieszkaniu zdejmujemy mokre ubrania i wycieramy się nawzajem ręcznikami, nadal się śmiejąc. Dex wkłada bokserki. Ja ubieram jedną z jego koszulek. Potem puszczamy płytę Billie Holiday i otwieramy następną butelkę wina, tym razem czerwonego. Rozkładamy się na mojej kanapie i rozmawiamy godzinami, wstając tylko po to, żeby umyć zęby i przenieść się z powrotem na łóżko z myślą o kolejnej wspólnej drzemce.

Potem, jak zwykle nagle, czas przyspiesza. Podczas naszego pierwszego wieczoru czułam się jak na początku lata, a teraz strach przed końcem wspólnych dni przypomina mi koniec sierpnia, kiedy reklamy przedstawiające rozradowane białowłose dzieciaki sączące Capri Sun nad brzegiem basenu ustępują miejsca beznadziejnym spotom z segregatorami, które zwiastują rychły powrót do szkoły. Doskonale pamiętam to uczucie – mieszankę smutku i paniki. Właśnie tak samo czuję się teraz, kiedy siedzimy na kanapie, patrząc, jak sobotnie popołudnie przeobraża się w wieczór. Powtarzam sobie, że smutek nie powinien zniszczyć tej ostatniej nocy. Tłumaczę sobie, że najlepsze jeszcze przede mną. Dex mnie kocha.

Jak gdyby czytając mi w myślach, Dex spogląda na mnie i oświadcza:

– Mówiłem poważnie.

Po raz pierwszy któreś z nas wspomina o tamtych uświęconych słowach.

– Ja też. – Wypełnia mnie głęboka tęsknota i jestem pewna, że zbliża się czas naszej rozmowy. Rozmowy po Dniu Niepodległości. Znajdziemy sposób, żeby to szaleństwo nam się udało. Będziemy mówić o tym, jak okropnie jest ranić Darcy, ale dojdziemy do wniosku, że musimy to zrobić. Czekam na jego pierwsze słowa. To on powinien rozpocząć tę rozmowę.

I wtedy odzywa się:

– Bez względu na to, co się stanie, mówiłem poważnie.

Jego słowa przypominają dźwięk igły rysującej płytę. Ogarnia mnie dziwne obezwładniające uczucie. Właśnie dlatego nigdy nie należy robić sobie wielkich nadziei. Dlatego szklanka, którą widzisz, powinna być w połowie pusta. Dzięki temu, kiedy wszystko się rozsypie, nie czujesz rozpaczy. Mam ochotę się rozpłakać, ale zachowuję spokój, aplikuję sobie psychologiczną dawkę botoksu. Nie mogę płakać z wielu powodów, a jednym z nich jest to, że kiedy zapyta, dlaczego płaczę, nie będę w stanie wyartykułować odpowiedzi.

Walczę o uratowanie tej nocy, przywrócenie jej złotej poświaty. On mnie kocha, on mnie kocha, on mnie kocha, powtarzam sobie. Ale to nie pomaga. Patrzy na mnie z zatroskaniem.

– Co się stało?

Kręcę głową, a on pyta mnie jeszcze raz, łagodnym głosem.

– Hej, hej, hej... – Unosi moją brodę i spogląda mi w oczy.
– O co chodzi?

– Po prostu jestem smutna. – Mój głos wymownie drży.
– To nasza ostatnia noc.

– To nie jest nasza ostatnia noc.

Biorę głęboki oddech.

– Nie?

– Nie.

Ale tak naprawdę niewiele to wyjaśnia. Co oznacza to „nie"? Że będziemy to ciągnąć przez kilka następnych tygodni? Aż do wieczoru generalnej próby przed ślubem? A może chce powiedzieć, że to dopiero nasz początek? Dlaczego nie może mówić konkretniej? Nie potrafię wydusić z siebie słowa. Boję się jego odpowiedzi.

– Rachel, kocham cię.

Jego usta pozostają lekko rozchylone po wypowiedzeniu ostatniego słowa, dopóki nie pochylam się, żeby go pocałować. Pocałunek jest moją odpowiedzią. Nie odpowiem mu tymi samymi słowami, dopóki nie przeprowadzimy naszej rozmowy. To dopiero postanowienie!, gratuluję sobie.

Całujemy się na kanapie, po czym następuje rozpinanie zamków i guzików oraz próba zgrabnego pozbycia się dżinsów, która okazuje się niemożliwa. Odsuwamy różne części „Timesa" w drodze na podłogę. Pewne lekarstwo – panaceum. Kochamy się, lecz myślami jestem gdzieś indziej. Myślę, myślę, myślę. Czuję, jak trybiki mojego mózgu terkoczą i obracają się niczym we wnętrzu szwajcarskiego zegarka: Co on zamierza zrobić? Co się wydarzy?

Nazajutrz, kiedy budzę się obok Deksa, przypominam sobie jego słowa: „Bez względu na to, co się stanie". Jednak podczas snu mój umysł przeanalizował je i znalazł idealnie logiczne wytłumaczenie: Dexter miał po prostu na myśli to, że nawet jeśli zrobi się wielka chryja, bez względu na to, co powie lub zrobi Darcy, i jeśli po tej całej masakrze będziemy potrzebowali chwili rozłąki, on będzie czekał, aby nadal mnie kochać, i w końcu wszystko dobrze się ułoży. Właśnie to musiał mieć na myśli. Chcę jednak, żeby powiedział to na głos. Z pewnością powie coś jeszcze przed swoim powrotem na Upper West Side.

Wstajemy, bierzemy razem prysznic i idziemy do Starbucks. Mamy już swoją rutynę. Jest jedenasta. Wkrótce Darcy i inni będą już w domu. Nasz czas kurczy się do minut, a nadal nie ma żadnej rozmowy, żadnych wniosków. Dopijamy kawę i zatrzymujemy się przed sklepem z zabawkami. Dex musi kupić prezent dla dziecka jednego z kolegów z pracy. „Jakiś mały gadżet", mówi. Nie jestem pewna, czy powinnam się cieszyć, że jesteśmy ze sobą już na tyle blisko, aby załatwiać razem sprawunki, czy może powinnam mieć żal, że trwoni nasz cenny czas na takie nieistotne sprawy. Raczej to drugie. Ja chcę tylko wrócić do domu i spędzić razem jeszcze kilka chwil. Dać mu czas na przedstawienie mi planu.

Jednak Dex długo zastanawia się nad różnymi zabawkami i książkami, pytając mnie o zdanie, głowiąc się nad decyzją, która tak naprawdę nie ma najmniejszego znaczenia. W końcu wybiera wypchanego zielonego dinozaura z zabawną miną. Nie jest to prezent, który wybrałabym dla noworodka, lecz podziwiam jego zdecydowanie. Mam nadzieję, że będzie równie zdecydowany w sprawie naszej przyszłości.

– Śliczny, nie sądzisz? – pyta, przechylając małą głowę maskotki.

– Słodki.

Już ma zapłacić za dinozaura, gdy nagle dostrzega plastikowe wiaderko pełne drewnianych kostek do gry. Wybiera dwie czerwone ze złotymi kropkami i unosi je na otwartej dłoni.

– Ile kosztuje para kostek?

– Czterdzieści dziewięć centów za sztukę – mówi mężczyzna za kasą.

– Świetny interes. Wezmę je.

Wychodzimy ze sklepu i idziemy w stronę mojego mieszkania. Do miasta wracają całe stada ludzi. Uliczny ruch odzyskał zwykłe natężenie. Już prawie dotarliśmy do mojej przecznicy. W prawej ręce Deksa spoczywa torba z dinozaurem, a w lewej kostki. Cały czas nimi potrząsa. Zastanawiam się, czy jego też tak bardzo boli brzuch.

– O czym myślisz? – pytam go. Oczekuję długiej odpowiedzi współgrającej z moimi uczuciami. Chcę, żeby mnie uspokoił, dał jakiś cień nadziei.

Wzrusza ramionami, oblizuje usta.

– O niczym szczególnym.

Ożenisz się z Darcy? – te słowa huczą w mojej głowie. Mimo to milczę w obawie, że naciskanie na niego byłoby strategicznym błędem. Jak gdyby to, co powiem lub przemilczę w ostatnich minutach naszego bycia razem, mogło coś zmienić. Może to wszystko rzeczywiście jest takie niepewne – los trojga ludzi, którzy próbują zachować równowagę na śliskim gruncie.

– Lubisz hazard? – pyta Dex, przyglądając się kostkom.

– Nie – mówię. Cóż za niespodzianka: Rachel postępuje ostrożnie. – A ty?

– Tak. Lubię grać w kości. Moja szczęśliwa liczba to szóstka: czwórka i dwójka. A ty masz jakąś szczęśliwą liczbę?

– Nie… No cóż, lubię podwójną szóstkę – odpowiadam, próbując zamaskować ogarniającą mnie rozpacz. Zrozpaczone kobiety nie są atrakcyjne. Zrozpaczone kobiety przegrywają.

– Dlaczego podwójna szóstka?

– Nie wiem – mówię. Nie jestem w nastroju wyjaśniać mu, że moja słabość do podwójnej szóstki wywodzi się z czasów dzieciństwa, kiedy grywałam z ojcem w kości. Powtarzałam:

podwójna szóstka, podwójna szóstka, zawsze kiedy wypadła, tata nazywał mnie Turbo Willy. Nadal nie wiem, co to takiego, ale uwielbiałam, kiedy tak na mnie mówił.

– Chcesz, żebym wyrzucił podwójną szóstkę?

– Tak – zgadzam się i wskazuję brudny chodnik. – Proszę bardzo.

Zatrzymujemy się na rogu Siedemdziesiątej i Trzeciej. Obok nas przejeżdża rozkołysany autobus, a jakaś kobieta z dzieckiem o mało nie taranuje Deksa wózkiem spacerowym. Dex wygląda tak, jakby nie dostrzegał tego, co dzieje się wokół. Oburącz potrząsa kostkami z wyrazem intensywnego skupienia na twarzy. Gdybym zobaczyła go w takim stanie w Atlantic City, odzianego w poliester i ze złotym łańcuchem na szyi, pomyślałabym, że gra toczy się o jego dom i oszczędności całego życia.

– O co się zakładamy? – pytam.

– O co się zakładamy? Jesteśmy w tej samej drużynie, mała – mówi z akcentem z Queens, po czym mocno dmucha na kostki, wydymając policzki jak mały chłopczyk, który zdmuchuje świeczki na urodzinowym torcie.

– Wyrzuć dla mnie podwójną szóstkę.

– A jeśli mi się uda?

Jeśli wyrzucisz podwójną szóstkę, będziemy razem. Nie będzie ślubu z Darcy, myślę sobie. Lecz zamiast tego mówię:

– To przyniesie nam szczęście.

– W porząsiu. Podwójna szóstka specjalnie dla tej pani. – Oblizuje usta i jeszcze energiczniej potrząsa kostkami.

Słońce świeci mi w oczy, kiedy Dex podrzuca kostki, z łatwością je łapie i dramatycznym gestem zbliża rękę do chodnika, jak gdyby za chwilę miał pchnąć kulę do kręgli. Otwiera dłoń, rozczapierzając palce, a kostki stukają o beton na ruchliwym skrzyżowaniu Manhattanu.

Jedna z nich od razu ląduje szóstką do góry. Moje serce zaczyna bić mocniej, kiedy myślę: A nuż? Kucamy nad nieruchomą kostką i jej wirującą bliźniaczką, która przez całą wieczność obraca się wokół własnej osi. Z pewnością nie udałoby się wprawić jej w taki ruch specjalnie. Teraz jednak obraca się, ukazując nam rozmazane złote kropki na czerwonym tle. Potem coraz bardziej zwalnia i zgrabnie ląduje obok pierwszej. U góry widnieją dwa rzędy z trzema kropkami.

Podwójna szóstka.

Turbo Willy.

Jasna cholera, myślę... Nie będzie ślubu z Darcy! Chciał porozmawiać o swoim „bez względu na to, co się stanie", zdając się na siłę wyższą. No i proszę. Masz, czego chciałeś. Podwójna szóstka. Nasz los.

Podnoszę wzrok, żeby spojrzeć na Deksa, i zastanawiam się, czy powiedzieć mu, co naprawdę miał oznaczać ten wynik. Patrzy na mnie z lekko rozchylonymi ustami. Nasz wzrok podąża z powrotem ku kostkom, jak gdybyśmy chcieli sprawdzić, czy przypadkiem nie zaszła pomyłka.

Jakie jest prawdopodobieństwo?

Hmm... dokładnie jeden do trzydziestu sześciu. Niecałe trzy procent szans.

Zatem nie chodzi o traf jeden na milion. Jednak niezależnie od naszej sytuacji statystyki mogą wprowadzać w błąd. Dotarliśmy do końca decydującego wspólnego weekendu. Gdy od rozstania (na jeden dzień? na zawsze?) dzielą nas zaledwie minuty, Dex pod wpływem chwili kupuje kostki, bawi się nimi, zamiast wrzucić do torby z wypchanym dinozaurem, i przyjmuje chłopięcą postawę hazardzisty. Ja się przyłączam, chociaż wcale nie jestem w nastroju na gry. Potem po cichu określam zasady. A on wyrzuca podwójną szóstkę! Jak gdyby chciał powiedzieć: „Jesteśmy niezawodni, mała!".

Patrzę na kostki za dziewięćdziesiąt osiem centów (plus podatek) z szacunkiem należnym kryształowej kuli w bogato umeblowanym pokoju światowej sławy wróżki o twarzy pomarszczonej perskim słońcem, która właśnie powiedziała, jak było, jak jest i jak będzie. Nawet Dex, który nie wie, o czym właśnie zadecydował, jest pod wrażeniem i oznajmia, że musi mnie zabrać do Atlantic City albo Vegas i że stworzymy świetny zespół.

Właśnie.

– To twoje szczęście, mała. – Uśmiecha się do mnie.

Nie odpowiadam. Po prostu podnoszę kostki i wkładam je do przedniej kieszeni szortów.

– Kradniesz moje kostki?

Nasze kostki.

– Potrzebuję ich – mówię.

Wracamy do mojego mieszkania, gdzie Dex pakuje swoje rzeczy i mówi do widzenia.

– Dzięki za cudowny weekend. – Nasze twarze mają teraz identyczny wyraz. Jemu też jest smutno.

– Tak. Było wspaniale. Dziękuję. – Przyjmuję pozę pewnej siebie dziewczyny.

– Lepiej już pójdę. – Przygryza dolną wargę. – Chociaż wcale nie chcę.

– Tak. Lepiej już idź.

– Niedługo zadzwonię. Kiedy tylko będę mógł. Przy pierwszej okazji.

– Dobrze. – Kiwam głową.

– Dobra. Cześć.

Ostatni pocałunek i już go nie ma.

Siedzę na kanapie, ściskając w dłoni kostki. Są dla mnie pocieszeniem – tamten wynik jest prawie tak dobry jak rozmowa. Może nawet lepszy. Nie przeprowadziliśmy rozmowy, ponieważ wszystko jest oczywiste. Kochamy się i jesteśmy sobie przeznaczeni, a kostki to wszystko potwierdziły. Z nabożną czcią wkładam je do pustego pudełka po jego cynamonowych pastylkach, układając na wyściółce z białego papieru szóstkami do góry. Dotykam rządków kropek jak odwrotnej strony pisma Braille'a. Mówią mi, że będziemy razem. To nasze przeznaczenie. Jestem o tym najzupełniej przekonana. Zamykam wieczko pudełka i przysuwam je do wazonu pełnego lilii, które nadal się trzymają. Kostki, pudełko, lilie – stworzyłam sanktuarium naszej miłości.

Rozglądam się po moim zadbanym, czystym mieszkaniu, idealnie wysprzątanym, jeśli nie liczyć niezaścielonego łóżka. Pościel przywarła do materaca, ukazując niewyraźny zarys naszych ciał. Chcę tam wrócić, znowu być bliżej niego. Zsuwam sandały i podchodzę do łóżka, wślizgując się pod kołdrę chłodną od klimatyzacji. Wstaję, opuszczam rolety i wciskam przycisk pilota od wieży stereo. Nuci Billie Holiday. Wracam do łóżka, zsuwam się na dół i zahaczam stopami o krawędź materaca. Pozwalam, aby moje zmysły wypełniły się Deksem. Chcę zobaczyć jego twarz, poczuć go przy mnie.

Zastanawiam się, czy dotarł już do domu, czy może utknął w korkach. Czy pocałuje Darcy na powitanie? Czy jej usta wydadzą mu się dziwne i obce po tym, jak przez cały weekend całował moje? Czy Darcy poczuje, że coś jest nie tak, choć nie będzie w stanie wskazać konkretnej zmiany i nawet na chwilę nie przyjdzie jej do głowy, że pierwsza druhna i para kostek do gry mogą mieć coś wspólnego z nieobecnym spojrzeniem jej narzeczonego?

ROZDZIAŁ 15

Następnego dnia Hillary przychodzi do pracy tuż przed jedenastą ubrana w pogniecione spodnie i zdarte czarne sandały. Odpryski lakieru na paznokciu dużego palca u nogi upodabniają go do rozdeptanego cukierka. Śmieję się i kręcę głową, podczas gdy ona opada na swoje ulubione krzesło w mojej kancelarii.

– Co cię tak śmieszy?

– Twój strój. Zwolnią cię.

Nasza kancelaria zmodyfikowała niedawno kodeks odzieżowy, zmieniając styl z garniturów i kostiumów na biznesową swobodę, o ile nie ma w planach żadnych spotkań z klientem. Jestem jednak całkiem pewna, że ubranie Hillary nie jest tym, co miał na myśli wspólnik od zarządzania, używając pojęcia „odpowiedni strój w swobodnym stylu".

– Chciałabym, żeby mnie zwolnili... – Wzrusza ramionami. – Dobra. Opowiedz mi o swoim weekendzie. Nie pomijaj żadnych szczegółów.

Uśmiecham się.

– Było aż tak dobrze?

Mówię jej, że spędziliśmy cudowny czas. Opowiadam o wizycie w Balthazar i Atlantic Grill, o spacerze w parku i o tym, jak miło było spędzić z Deksem aż tyle czasu. Liczę na to, że jeśli będę dużo mówić, uda mi się uniknąć oczywistego pytania.

– No więc czy zamierza to odwołać?

O wilku mowa.

– Cóż, nie jestem pewna.

– Nie jesteś pewna? Powiedział, że się nad tym zastanawia?

– Niezupełnie.

– N i e zastanawia się?

– Cóż... nie ujął tego dokładnie w ten sposób. – Staram się, aby ton mojego głosu nie brzmiał zbyt niepewnie.

Marszczy nos. Potem patrzy na mnie z niedowierzaniem. Zastanawiam się, czy jej potępienie wiąże się z moją biernością czy raczej z coraz silniejszym podejrzeniem, że Dex robi ze mnie idiotkę. To pierwsze może być prawdą, ale drugie nie.

– Myślałam, że zamierzacie porozmawiać o konkretach – mówi, marszcząc brwi.

– Ja też, ale...

– Ale co?

– Ale Dex powiedział, że mnie kocha – kończę. Nie zamierzałam dzielić się z nią tym osobistym szczegółem, lecz mam wrażenie, że muszę.

– Naprawdę? – Mina Hillary odrobinę się zmienia.

– Tak.

– Był pijany?

– Nie! Nie był pijany – mówię, zerkając na ekran komputera w nadziei, że dostanę e-maila od Deksa. Od wczorajszego rozstania jeszcze ze sobą nie rozmawialiśmy.

Hillary nie daje za wygraną.

– Powiedziałaś mu to samo?

– Tak. Powiedziałam. Bo go kocham.

Daje mi kilka pełnych szacunku sekund ciszy.

– No dobrze. W takim razie obydwoje się kochacie. I co teraz? Kiedy wydarzy się to maleńkie rozstanie?

Skupiam się na jej niepoważnej charakterystyce przeszkody, przed którą stoi Dex.

– Odwołanie ślubu i zakończenie długiego związku trudno nazwać maleńkim rozstaniem.

– Mniejsza z tym. Kiedy zamierza to zrobić?

Boli mnie brzuch, gdy znowu powtarzam, że nie wiem. Kusi mnie, żeby opowiedzieć Hillary o kostkach, ale tę historię postanawiam zachować dla siebie. To zostanie między mną a Deksem. Zresztą trudno byłoby ją przedstawić w odpowiedni sposób i prawdopodobnie Hillary byłaby tylko zniesmaczona tym, że bardziej polegam na rzucie kostkami niż na bezpośredniości.

Odchrząkuję.

– A czy Darcy o nim wspominała?

– Nie bardzo… Ale muszę przyznać, że kiepsko się spisałam w roli wywiadowcy. Mam dobrą wymówkę. – Szeroko się uśmiecha.

– Jaką?

– Poznałam kogoś!

– Nie gadaj! Kogo? Znam go?

– Nie. Mieszka w Montauk. Ma na imię Julian. Rachel, nie wierzyłam w te wszystkie gadki o pokrewieństwie dusz, dopóki go nie spotkałam.

– Zacznij od początku – proszę. Dla zakochanej osoby nie ma lepszej publiczności niż inna zakochana osoba.

Mówi, że Julian ma trzydzieści siedem lat, jest pisarzem, nigdy nie był żonaty. Poznała go na plaży. Szła na spacer i on szedł na spacer. Obydwoje byli sami i zmierzali w tym samym kierunku. Co jakiś czas zatrzymywał się, żeby pooglądać muszle, więc w końcu go dogoniła i się przedstawiła. Ostatecznie poszli do jego domu, gdzie przyrządził dla niej sałatkę z pomidorów, mozzarelli i bazylii. Z pomidorów i bazylii z jego własnego ogródka oraz ze świeżej mozzarelli. Hillary mówi, że nie mogli przestać rozmawiać – że jest cudowny, przystojny, wrażliwy.

– Spotkałaś się z nim jeszcze?

– O tak. Spotykaliśmy się przez cały weekend... Rach, to tak jakbyśmy pominęli te wszystkie wstępne bzdury. Trudno to wytłumaczyć... Po prostu jesteśmy już razem. On jest najlepszy.

– Kiedy go poznam?

– Przyjeżdża w weekend. Wtedy będziecie mieli okazję się spotkać.

– Nie mogę się doczekać.

Cieszę się jej szczęściem, ale jestem odrobinę zazdrosna. Zakładam, że Julian nie jest zaręczony. Dzwoni Les, burząc nastrój chwili. Nie podnoszę słuchawki, nie jestem w stanie z nim rozmawiać. Hillary również wydaje się niezdolna do podźwignięcia się z krzesła i odsłuchania własnych wiadomości. Nasza kancelaria i jej wszystkie trutnie mogą poczekać. Rozmawiamy o miłości.

Po wyjściu Hillary znowu popadam w obsesję na punkcie Deksa. Czekam na e-mail lub telefon. Kiedy w końcu rozbrzmiewa sygnał dzwonka, podskakuję jak oparzona.

Ale to tylko Darcy z pytaniem, czy pójdę z nią na lunch.

Mówię, że tak. To spotkanie napawa mnie przerażeniem, ale muszę wiedzieć, co jest grane. Może Dex coś jej powiedział.

Spotykamy się w Naples, restauracji w korytarzu budynku MetLife. Jest kolejka, więc proponuję przejść do delikatesów po drugiej stronie ulicy. Nie zgadza się, mówiąc, że ma straszną ochotę na pizzę. Odpowiadam, że w porządku, poczekamy na stolik. Obserwuję jej twarz w poszukiwaniu ewentualnych śladów rozstania. Nie zauważam niczego nowego, z wyjątkiem tego, że słońce jeszcze bardziej rozjaśniło jej włosy. Związała je w zgrabny kucyk. W uszach kołyszą się akwamarynowe kolczyki.

– Mam coś na twarzy? – pyta Darcy, zbliżając dłoń do policzków.

– Po prostu patrzyłam na twoje kolczyki. Ładne. Nowe?

– Nie. Dawno temu dostałam je od Deksa.

– Kiedy? Na urodziny?

– Nie... Nie pamiętam dokładnie. Taki prezent bez okazji.

Czuję przypływ zazdrości, lecz powtarzam sobie, że od tamtego czasu wiele się zmieniło.

Darcy pyta, jak spędziłam weekend.

– W porządku – mówię. Na samą myśl o nim szybciej bije mi serce. – Wiesz. Mnóstwo pracy... A jak było u ciebie?

– Świetnie. Szkoda, że nie przyjechałaś. Wspaniałe imprezy. Wspaniałe zespoły w Talkhouse. Jeju, było t a k fajnie. Ty i Dex wybraliście sobie kiepski weekend na pracę.

Ty i Dex. Ty i Dex. Ty i Dex.

– Czy Dex musiał pracować przez cały weekend? – pytam.

Przewraca oczami.

– Tak, a jakżeby inaczej. Wychodzę za pracoholika.

– Nic nie poradzi na to, że musi iść do pracy.

Ani na to, co czuje.

– Tak, tak, tak – mówi. – Ale byłabym skłonna pójść o każdy zakład, że sam zgłasza się do połowy zadań, nad którymi musi pracować. Przysięgam, że czerpie z tego radość. Dzięki temu czuje się ważny. – Wypowiada to zdanie nieco uszczypliwym tonem. Może to wstęp do historii o ich wielkiej kłótni.

– Naprawdę tak myślisz?

– Ja to w i e m – odpowiada, gdy kelner prowadzi nas do stolika na zewnątrz. – Pewnie już słyszałaś, że Hillary poznała nowego faceta?

– Tak. Powiedziała mi. Widziałaś go?

– Przelotnie.

– Co o nim sądzisz?

– Nie wygląda źle. Ale nie jest w moim typie – za bardzo pozuje na artystę. Mimo to całkiem fajny. Świat nie przestaje mnie zadziwiać.

– Co to miało znaczyć? – pytam, doskonale wiedząc, że ma na myśli to, iż poznanie fajnego faceta przez kogoś takiego jak Hillary to rzadki przypadek.

– Spójrz na nią. W ogóle nie dba o wygląd. Przeważnie nawet nie zachowuje się jak dziewczyna.

– Moim zdaniem, jest ładna.

Darcy posyła mi spojrzenie mówiące: „Ocknij się".

Myślę o pogniecionych spodniach Hillary i odpryskach lakieru na jej dużym palcu.

– Sam fakt, że nie jest dziewczęca, nie pozbawia jej atrakcyjności.

– Ma ponad trzydzieści lat. Powinna zacząć robić makijaż. Całe to pieprzenie o stylu *au naturel* było modne w latach siedemdziesiątych.

– Cóż, wygląda na to, że Julian jest innego zdania.

– Tak, zobaczymy, jak długo to potrwa. – Darcy macza chleb w talerzu z oliwą.

Tak, zobaczymy, jak długo potrwa twój związek z Deksem. Myślę o czerwonych kostkach, schowanych bezpiecznie w puszce po pastylkach cynamonowych, i natychmiast ogarniają mnie wyrzuty sumienia. Nie chcę jej ranić. Chciałabym, żeby istniał jakiś sposób, abym mogła być z Deksem, nie raniąc Darcy. Dlaczego happy endy zdarzają się tak rzadko? Skupiam się na Hillary i Julianie.

– Sądzę, że Hillary naprawdę na nim zależy – mówię.

– Uhmm – przewraca oczami. – W i e s z, że jej były chłopak ma inną dziewczynę, prawda?

– Tak. Jasne, że wiem. Zupełnie nie zależy jej na Coreyu. I to ona go rzuciła, pamiętasz?

– Cóż. Tak. Ale potem Corey zaczął umawiać się na randki z dwudziestotrzyletnią laseczką i paradował z nią w Talkhouse tuż przed nosem Hillary… To właśnie wtedy nabrała nagłego przekonania, że Julian jest facetem jej marzeń. Zbieg okoliczności? Nie sądzę.

Mówię, że moim zdaniem jest podła.

– Przestań szukać dziury w całym.

– Dobra. W porządku. Mniejsza z tym. Zmiana tematu. – Darcy wyciera serwetką kąciki ust. – Kiedy po raz ostatni rozmawiałaś z Marcusem?

– Chyba w zeszłym tygodniu.

Pochyla się nad stołem i mówi, że wspominał o mnie kilkakrotnie w ciągu weekendu.

– To miło – odpowiadam, nie odrywając wzroku od *menu*. Marcus to dla mnie zamierzchła historia.

– Dlaczego jesteś dla niego taka obojętna? – Wykrzywia się. – Nie uważasz, że jest fajny?

– Tak. Jest fajny – zgadzam się.

Do naszego stolika podchodzi kelner, żeby przyjąć zamówienie. Darcy prosi o pizzę według własnej kompozycji. Ja decyduję się na sałatę Cezara.

– Nie weźmiesz nic oprócz sałaty? – Darcy protestuje.

Najwidoczniej jest poirytowana, że ja zamawiam sałatę, podczas gdy ona będzie jeść pizzę. Lubi być tą, która jada mało. Uspokajam ją, mówiąc:

– Sałaty Cezara są treściwe i w rzeczywistości bardzo tuczące.

– No cóż, będziesz musiała zjeść kawałek mojej pizzy. Sama nie dam rady zjeść całej. – Zwraca się do mnie, lecz jej słowa są przeznaczone dla uszu kelnera. Uśmiecha się do niej. W odpowiedzi Darcy robi przyjazną minę. Przyłapuję ją na tym, że chowa pod stół lewą rękę, aby nie widział pierścionka.

Kiedy kelner zaczyna się oddalać, Darcy mówi:

– Och, i czy mógłby pan dopilnować, żeby nie przypalili spodu mojej pizzy? Czasami przypalają spód. A ja lubię, kiedy pizza jest, jak by to powiedzieć, krwista. – Przerzuca kucyk przez ramię.

Kelner śmieje się i puszcza do niej oczko.

– Żaden problem.

– Jest dla ciebie za młody – mówię, nie dbając o to, że kelner może mnie usłyszeć.

– Co? – pyta niewinnie. – Och, proooszę. Wcale nie flirtowałam.

Zanim przejdzie do kolejnego tematu, muszę się dowiedzieć, czy szykują się jakieś domowe kłopoty. Wykorzystuję przynętę w postaci ślubu.

– Co postanowiliście w sprawie płyt?

– Płyt? – Wygląda na zdezorientowaną. – Ach, o to ci chodzi. Jeszcze o nich nie myślałam. Podczas weekendu wzięłam sobie wolne od układania ślubnych planów. Zresztą myślę, że te płyty mogłyby okazać się zbyt kłopotliwe. Chyba ostatecznie zdecyduję się na orzeszki albo miętówki. Można kupić takie śliczne puszki w kształcie serca z pastylkami cynamonowymi. Chyba postawimy na nie. Wiesz, jak bardzo Dex je lubi.

– Mmm... Nie wiedziałam.

– Tak – mówi. – Cynamonowe.

Dex dzwoni dopiero późnym wieczorem, ale ja nie odbieram, bo właśnie analizuję dokumenty w sali konferencyjnej. Zostawia krótką wiadomość: „Cześć, Rach. Przepraszam, że nie zadzwoniłem wcześniej... Przez cały dzień miałem tu prawdziwy kocioł, szykowałem się do czwartkowej prezentacji. Naprawdę powinienem był trochę nad tym popracować podczas weekendu... Nie żebym chciał spędzić go inaczej. Warto było być z tobą. Brakuje mi ciebie. Niedługo porozmawiamy".

Jego wiadomość pozostawia mi uczucie pustki. To wszystko? Przegląd grafiku jego pracy? W dodatku z użyciem takich irytujących wyrażeń jak „kocioł". Niedługo mi powie, że uwija się „jak w ukropie" – następne denerwujące określenie, które ma oznaczać „bardzo ciężką pracę". Co ważniejsze, ani słowem nie wspomina o Darcy, o tym, kiedy się zobaczymy, o czymkolwiek. Mówi tylko, że mu mnie brakuje. Mam wrażenie, że wyślizguje mi się z rąk, że moje szczęście się ulatnia. Zaczynam wpadać w panikę, lecz później powtarzam sobie, że muszę być cierpliwa. Dex postąpi właściwie. W końcu będziemy razem.

Spotykam się z Deksem w czwartek wieczorem. Przyjeżdża do mnie późno, wyczerpany pracą. Rozmawiamy kilka minut, a potem zasypia z głową na moich kolanach, podczas gdy ja oglądam powtórkę *Rodziny Soprano*. Tony znowu zdradza Carmellę. Moje współczucie dla tej kobiety jest ogromne i głębokie, co zakrawa na ironię, ponieważ jest jego żoną, a nie kochanką. Myślę o Darcy, porównując nasze uczucia do Deksa. Ona nie kocha go tak mocno jak ja. To niemożliwe. Tak będę to sobie tłumaczyć na ostatnim etapie tej historii.

Tuż po północy daję mu lekkiego kuksańca i mówię, że chyba powinien iść do domu. Niechętnie się zgadza i jeszcze raz przeprasza za swój szalony rozkład obowiązków w pracy. Uspokajam go, że rozumiem, wiem, jak to jest. Całuje mnie i długo przytula. A potem znowu wstaje i wraca do Darcy. Kiedy wychodzi na korytarz, pytam, co robi w weekend. Staram się, aby mój głos brzmiał beztrosko, lecz w głębi serca chwytam się każdego sposobu z nadzieją, że znajdzie dla mnie kilka godzin.

– Przyjeżdża mój tata z żoną. Nie mówiłem ci o tym?

– Nie. Nie. Nie mówiłeś. Ale to miło. Co zamierzacie robić?

– Wiesz, tradycyjnie. Kolacja. Może jakieś przedstawienie.

Wyobrażam sobie ich czworo na mieście. Boli mnie to, że nie mogę poznać jego ojca, co jeszcze bardziej podkreśla moją sytuację: nie jestem z Deksem. Jestem tą drugą. Myślę o wszystkich drugich kobietach, którym dostają się przypadkowe czwartkowe wieczory, lecz nigdy wakacje, szczególne rodzinne okazje ani ważne służbowe kolacje. Kochanki są wykluczone z tego, co naprawdę ważne. Potem myślę sobie, że Dex nie dał mi nawet tych zapewnień – fałszywych lub nie – które zawsze dostają „te drugie" w filmach. Nie dał mi niczego z wyjątkiem kilku „kocham cię" i jakichś czerwonych kostek.

W sobotę wieczorem Hillary namawia mnie, abym przyłączyła się do niej i Juliana. Mam poczucie winy, że psuję im kolację, ale zgadzam się, ponieważ nie chcę pozostać sama z myślami o Deksie. Mam obsesję na punkcie ich rodzinnego weekendu, Deksa uśmiechającego się pośród nieuniknionych wzmianek na temat ślubu i udającego, że cała ceremonia nadal widnieje w grafiku. Może r z e c z y w i ś c i e widnieje. Nie mam pojęcia, co się dzieje, a czekanie i zastanawianie się jest jeszcze trudniejsze po wspólnie spędzonym weekendzie.

Wybieram się zatem do Gramercy i spotykam się z Hillary i Julianem we włoskiej restauracji o nazwie I Trulli. Siedzimy przy małym okrągłym stoliku obok pięknego ogrodu otoczonego murem z piaskowca, a nad nami wisi skrawek granatowego nieba. Werandę oświetla blask świec, a pomiędzy gałęziami drzew wiją się maleńkie białe światełka. Trudno wyobrazić sobie bardziej romantyczną atmosferę. Szkoda tylko, że występuję w roli piątego koła u wozu.

Po piętnastu minutach już wiem, że lubię Juliana. Wcale nie jest zmanierowany. Mówi powoli, starannie formułując zdania – używa słów „preferować" zamiast „woleć", „przyjemny" zamiast „miły" i „początek" zamiast „start". To zwyczajne alternatywy, a nie ekstrawaganckie pozycje z tezaurusa, więc wiem, że nie szpanuje. (Kiedyś byłam na randce z facetem, który podczas jednego spotkania użył słów „dysponowany", „ekscentryczny" i „wieloznaczny". Nie skorzystałam z zaproszenia na spotkanie numer dwa z obawy, że pojawi się w żabocie). I chociaż Julian nie jest przystojny w tradycyjnym znaczeniu tego słowa, podoba mi się jego wygląd. Jego kręcone, nieco przydługie włosy, opalona skóra i ciemnobrązowe oczy przywodzą mi na myśl portugalskiego rybaka.

Patrzę na Juliana, który pochyla się w stronę Hillary, śmiejąc się z czegoś, co właśnie powiedziała. Nikt by nie powiedział, że poznali się zaledwie tydzień temu. Ich interakcja jest płynna i naturalna, a Hillary wcale nie przejmuje się sprawami, które zaprzątają głowy kobiet na pierwszym etapie znajomości. Dwa razy pyta go, czy nie ma szpinaku między zębami, i zjada makaron do ostatniego kęsa, a potem nalega, żebyśmy zamówili deser.

Siedząc przy kawałkach sernika, opowiadamy Julianowi, jak bardzo nie cierpimy naszej pracy. Pyta, dlaczego po prostu z niej nie zrezygnujemy. Odpowiadamy, że to nie takie proste, mamy złote kajdanki, spłacamy kredyty, bla, bla, bla. Zresztą co innego mogłybyśmy robić? Spogląda na mnie i mówi: „Właśnie, co innego mogłabyś robić?". Zerkam na Hillary, pragnąc, żeby odpowiedziała pierwsza.

– Hill otworzyłaby sklep z antykami – oznajmia, dotykając jej nadgarstka. – Prawda?

Hillary posyła mu uśmiech. Już zdążyli omówić jej marzenia. Założę się, że otworzy ten sklep w centrum Montauk.

– A ty, Rachel? – ponownie pyta Julian, przyglądając mi się badawczo ciemnymi oczami.

To częste pytanie na rozmowach kwalifikacyjnych w kancelariach prawniczych, tuż obok: „Dlaczego zdecydowała się pani na studia prawnicze?", na które udziela się zgrabnej odpowiedzi o dążeniu do sprawiedliwości, podczas gdy tak naprawdę myśli się: Ponieważ jestem ambitną dziewczyną zbierającą same piątki i nie mam pojęcia, co innego mogłabym robić. Poszłabym na akademię medyczną, ale widok krwi wywołuje u mnie mdłości.

Wyznaję, że nie wiem, zawstydzona prawdziwością tego stwierdzenia.

– Może gdybyś rzuciła pracę, szybciej dostrzegłabyś jakieś możliwości – mówi Julian spokojnym tonem. – Bieda, głód: takie rzeczy sprawiają, że człowiekowi lepiej się myśli.

Dzwoni moja komórka. To denerwujący dźwięk. Przepraszam i zapewniam, że byłam pewna, iż wyłączyłam telefon przed kolacją. Może to Dex. Może wymknął się do toalety, żeby do mnie zadzwonić.

– Kto to? – pyta Hillary. Czuję, że ona również zastanawia się, czy to Dex.

– Nie jestem pewna.

– No to sprawdź – radzi. – Nie mamy nic przeciwko temu, prawda?

– Ani trochę. – Julian wzrusza ramionami.

Nie mogę się oprzeć. Wyciągam komórkę z torebki i odsłuchuję wiadomość. To tylko Marcus. Mówi, że wie, iż już późno, ale zastanawia się, co porabiam.

– To Marcus – informuję, nie potrafiąc ukryć rozczarowania.

Hillary przypomina Julianowi, kim jest Marcus – facetem z naszego domku. Julian kiwa głową. Mówi, że doskonale go pamięta.

– Może do niego zadzwonisz? Powiesz, żeby się do nas przyłączył? – proponuje Hillary. – Zamówimy następną butelkę wina.

Jest słodka, ale czuję, że ma ochotę na zakończenie wspólnej części wieczoru. A ja nie potrzebuję więcej litości. Mówię, że nie, jestem zmęczona, kolacja była cudowna, ale naprawdę powinnam już iść do domu. Julian nawiązuje kontakt wzrokowy z naszą kelnerką i prosi o rachunek, naśladując gest pisania.

Kiedy wychodzimy z restauracji, Hillary pyta, czy zamierzam wziąć taksówkę. Odpowiadam, że nie, przejdę się.

– Czterdzieści kilka przecznic?

– To ładny wieczór.

Żegnamy się na skrzyżowaniu Dwudziestej Siódmej i Lex. Julian całuje mnie w policzek. Jest mniej więcej mojego wzrostu, pełne pięć centymetrów niższy od Hillary. Dziwię się, że Darcy o tym nie wspomniała. Mówię Julianowi, że miło było go poznać. Stwierdza to samo i dodaje, że zaprasza mnie do Montauk. Ściskam Hillary i posyłam jej entuzjastyczny uśmiech, dając do zrozumienia, że całym sercem akceptuję jej nowego adoratora. Ruszam w stronę domu. Zdaję sobie sprawę, że chociaż szczerze cieszę się szczęściem Hillary, jej nowy związek sprawia, że czuję się jeszcze bardziej pusta i samotna.

Zżyta czwóreczka wychodzi pewnie teraz z teatru i zmierza na miłą kolację na mieście, przechadza się po alejach i ze śmiechem śpiewa najbardziej wpadające w ucho melodie z przedstawienia. Przepełnia mnie żal. Gdybym miała przy sobie kostki, wrzuciłabym je do rynsztoka.

Idę dalej w stronę Trzeciej, zerkając na zegarek. Właśnie minęła dziesiąta i nagle odechciewa mi się wracać do domu. Zastanawiam się, czy nie oddzwonić do Marcusa, martwiąc się, że coś takiego mogłoby nie być *fair*, gdyż po prostu bym go wykorzystała, żeby odegrać się na Deksie. Jestem jednak tak rozżalona i zła, że mimo to wystukuję numer.

Odbiera po pierwszym sygnale.

– Co robisz? – pytam.

– Cześć! Dostałaś moją wiadomość?

– Tak, dostałam. Byłam na kolacji. Jestem w twojej okolicy. Masz ochotę wybrać się na drinka?

– Z przyjemnością. Gdzie jesteś?

Mówię, że na skrzyżowaniu Dwudziestej Siódmej i Trzeciej.

– Pod Rodeo Barem?

Spoglądam w górę. Doskonale odgadł współrzędne.

– Tak, jest po drugiej stronie ulicy.

– W takim razie wejdź do środka i zamów dla mnie Pete's Summer Brew, dobrze? Zaraz tam będę.

Mówi ożywionym radosnym głosem, który wywołuje uśmiech na mojej twarzy. Odpowiadam, że będę w barze i poczekam na niego wraz z jego piwem.

Rodeo Bar jest najbardziej prostackim miejscem na Manhattanie. Bar otaczają stare tablice rejestracyjne, a z sufitu zwisa wielki wypchany bizon. Podłogę pokrywa warstwa skorupek po fistaszkach.

– Cześć, piękna – słyszę za sobą głos Marcusa. – Czy to miejsce jest zajęte?

Śmieję się i mówię, że nie, może śmiało siadać.

– To twoje piwo – dodaję.

– Nadal zimne. – Pociąga spory łyk. – Dzięki.

– Proszę bardzo.

– Zatem gdzie byłaś?

– W I Trulli.

Kiwa głową, dając do zrozumienia, że zna ten lokal.

– Fajnie. Byłaś na randce? – pyta z udawaną zazdrością. Unosi pięść, jak gdyby zamierzał pokiereszować kolesia, który wdarł się na jego teren.

Śmieję się.

– Nie. Byłam z Hillary i Julianem, jej nowym chłopakiem. Poznałeś go w weekend, prawda?

– A, tak. To ten facet, którego poderwała na plaży.

– Coś w tym stylu. – Znowu się śmieję.

– Naprawdę. Zrobiła to. Odważne posunięcie.

– Pod wieloma względami Hillary bardziej przypomina faceta niż dziewczynę – mówię, myśląc, że ja nigdy nie potrafiłabym tak po prostu zaczepić na plaży obcego mężczyzny.

– Tak – zgadza się. – To naprawdę świetna sprawa. Nadal czekam na chwilę, w której zaczniesz być wobec mnie agresywna.

– Och, naprawdę? – Uśmiecham się.

– Tak, naprawdę. – Odwzajemnia mój uśmiech, patrząc mi prosto w oczy.

– No cóż.

– No cóż. – Zbliża swoją rękę do mojej.

– Jestem blada – zauważam, porównując odcienie naszej skóry.

– Lubię bladość – odpowiada. – Jest taka kobieca.

– Zatem podsumujmy. Lubisz agresywne dziewczyny o kobiecym wyglądzie.

Pstryka palcami w powietrzu i wskazuje mnie palcem.

– Właśnie. Mogłabyś mi taką załatwić?

Śmieję się i sączę piwo, zastanawiając się, czy dziś wieczorem Marcus mnie pocałuje. Jeśli tak, możliwe, że odwdzięczę się tym samym. Może nawet mi się spodoba. Jeśli nie możesz być z tym, kogo kochasz…

Dopijamy piwo. Mówię, że mam już dosyć muzyki country, i pytam Marcusa, czy jest gotowy do wyjścia. Odpowiada, że oczywiście, i pyta, czy mam ochotę pójść do innego baru. Czy byłam w Aubette? To tylko kilka przecznic stąd.

– Tak. Mniej więcej tam gdzie I Trulli, prawda?

– Właśnie. Bywałem tam tylko w weekendy, więc nie wiem, czy nam się spodoba. Ale mają tam zabójcze jabłkowe martini, dokładnie w twoim stylu. Idziemy?

Śmieję się. Skąd on wie, co jest w moim stylu? Dex jest w moim stylu.

– Jasne, chodźmy.

Szybko idziemy do Aubette, mijając po drodze zwalistego bramkarza, który stoi przy drzwiach. Wchodzimy do środka. Trudno sklasyfikować ten tłum. Wyczuwa się klimaty spoza centrum z odrobiną europejskich fascynacji. Idę za Marcusem do baru w tylnej części sali i siadam obok niego na skórzanej kanapie z wysokimi oparciami. Jest przytulnie, ale z Deksem byłoby przytulniej. Wyganiam go z moich myśli.

– Czego się napijesz?

– Jabłkowego martini. – Czuję, że czerwone wino i piwa uderzają mi do głowy. Martini to raczej kiepski pomysł, ale nie dbam o to.

– Nie pożałujesz. Zaraz wracam.

Przychodzi z moim jabłkowym martini i szklaneczką szkockiej dla siebie.

– I jak? – pyta, kiedy upijam pierwszy łyk.

– Dobre.

– Smakuje jak cukierek, prawda?

– Tak. Rzeczywiście. – Upijam kolejny łyk. – Chcesz spróbować?

Pije z mojego kieliszka, po czym oblizuje usta i spogląda na mnie. To zaproszenie. Przez chwilę w moim lekko pijanym stanie czuję dezorientację i nie jestem pewna, co powinnam zrobić. Myślę o Deksie. Nie zerwał jeszcze zaręczyn. Może nigdy nie zerwie. Do tego czasu mogę całować Marcusa. Muszę chronić moje uczucia. A coś mi mówi, że Marcus nie będzie miał nic przeciwko, jeśli wykorzystam go w ten sposób. Pochylam się w jego stronę i zaczynam go całować.

– Jeju. – Szeroko się uśmiecha. – Tego się nie spodziewałem.

Całuję go jeszcze raz.

– Ani tego – mówi.

Zastanawiam się, czy powie o tym Deksowi. Jakaś część mnie ma nadzieję, że to zrobi. Całuję go po raz trzeci i na dokładkę uaktywniam język. Rozmawiamy jeszcze trochę. Jestem podchmielona i w jakiś niezrozumiały sposób ciągnie mnie do Marcusa. Ma ładne przedramiona, idealnie owłosione. Całujemy się jeszcze kilka razy i jest fajnie, ale w środku nie czuję żadnego poruszenia. A z każdym dotykiem jego ust odrobinę bardziej tęsknię za Deksem.

W końcu wychodzimy z Aubette i niezręcznie stoimy na ulicy. Jakaś taksówka sunie Dwudziestą Siódmą w stronę Lex. Marcus pozwala mi ją zatrzymać, nie proponując wizyty u siebie. A ja czuję ulgę, bo chybabym się zgodziła. To byłaby pomyłka. Głos jabłkowego martini – i rosnący w mojej piersi żal, że sześć dni po pamiętnym rzucie kostkami gram rolę piątego koła u wozu podczas romantycznej kolacji i całuję nie tego faceta w pozbawionym okien pomieszczeniu wypełnionym dymem cygar.

ROZDZIAŁ 16

Całowanie Marcusa jest tym, czego potrzebuję, żeby dać Deksowi więcej czasu. Logika takiego podejścia jest nieco pokrętna, ale czuję, że dzięki temu małemu aktowi zdrady między Deksem i mną znowu zapanowała równowaga, przynajmniej krótkoterminowo. On jest zaręczony, ja całowałam się z jego przyjacielem.

Hillary nie kupuje takiego wytłumaczenia. Traci panowanie nad sobą i mówi, żebym z tym skończyła. Dosyć. Wystarczy.

– Jeszcze tylko kilka dni – bronię się. – Mamy dopiero lipiec. Jest dopiero lipiec.

Patrzy na mnie sceptycznie.

– Daj spokój, Hill – proszę. – Cierpliwość jest cnotą... Cierpliwość popłaca... Czas leczy rany.

– Uhmm – mówi. – A co powiesz na: „Nie odkładaj na jutro tego, co możesz zrobić dziś"? Słyszałaś to kiedyś?

– Niedługo coś mu powiem. Obiecuję.

– Dobra. Bo naprawdę nie możesz tego dłużej odkładać. Musisz przyprzeć go do muru – radzi. – Żyć dalej w ten czy inny sposób. To całe czekanie wcale ci nie służy, Rach. Naprawdę się o ciebie martwię...

– Wiem. Powiem mu coś – obiecuję. – Musisz pamiętać, że od naszego wspólnego weekendu widziałam go tylko raz. Późnym wieczorem, po pracy. Zasnął na mojej kanapie.

– No cóż – mówi znacząco.

– Co c ó ż?

– Czy to o czymś nie świadczy?

Wiem, co sugeruje. Że gdyby Dex kochał mnie wystarczająco mocno, poświęcałby mi więcej czasu. Że od czwartego lipca tracę siłę rozpędu.

– Nie, tak naprawdę to o n i c z y m nie świadczy – zaprzeczam urażonym tonem. – Obydwoje mieliśmy urwanie głowy w pracy. Les szaleje. Sama wiesz. Nie mieliśmy czasu, żeby się spotkać.

– W porządku – zgadza się. – Ale daję mu jeszcze tylko tydzień. Potem nie chcę słyszeć żadnych wymówek.

– Dwa tygodnie – negocjuję, a potem wyjaśniam jej, że tylko bardzo płytka osoba zerwałaby zaręczyny z tak niesamowitą łatwością. Że sytuacja jest daleko bardziej skomplikowana, niż przypuszcza. Że Dex nie mydliłby mi oczu w tak ważnej sprawie. Zresztą ceni naszą przyjaźń. Ceni również przyjaźń między mną a Darcy. Że jest uczciwy. Powiedział, że mnie kocha. I naprawdę kocha. Wymieniam te wszystkie argumenty, próbując przy okazji przekonać samą siebie.

– Zatem w porządku – kończy Hillary. – Dwa tygodnie. To absolutne maksimum.

Uśmiecham się i kiwam głową, myśląc sobie, że dwa tygodnie powinny w zupełności wystarczyć. Tak czy inaczej.

Tymczasem muszę stawić czoło innej przeszkodzie: wieczorowi panieńskiemu Darcy. Został zapisany w kalendarzu całe wieki temu – trzecia sobota lipca – lecz z oczywistych powodów jeszcze go nie zaplanowałam. Po południu dzwoni Claire i wypytuje mnie o szczegóły.

– Jedziemy do Hamptons czy lepiej zostać w mieście?

– Nie wiem. Jak myślisz? – Jestem rozkojarzona. Zauważam, że moja sekretarka zrobiła literówkę w faksie, który zapomniałam sprawdzić. Jeśli zobaczy to Les, wpadnie w szał.

– To zależy od tego, czego chce Darcy – mówi Claire. Oczywiście. Jak zawsze.

– Jasne – potakuję.

– N o i? Co chce robić Darcy? – pyta Claire tonem, który mówi: powinnaś to wiedzieć, przecież jesteś pierwszą druhną.

Przyznaję, że nie jestem pewna.

– Zadzwońmy do niej i się przekonajmy – proponuje Claire głosem przewodniczącej korporacji studentek do spraw towarzyskich. Na chwilę się rozłącza i wraca na linię razem z Darcy.

Przedstawiamy Darcy poszczególne możliwości: Manhattan albo Hamptons. Claire wymienia zalety i wady każdego rozwiązania i zapewnia, że bez względu na jej decyzję to będzie najlepszy wieczór panieński wszech czasów.

Darcy mówi, że to bez znaczenia. Obydwie możliwości brzmią świetnie. Jest obojętna. Coś tu nie gra. Może jakieś problemy w domu, w związku pojawia się widoczna rysa. Może Dex coś jej powiedział. Czuję przypływ nadziei, któremu towarzyszy jeszcze większa dawka poczucia winy. Jak to możliwe, że z taką łatwością trzymam kciuki za nieszczęście własnej przyjaciółki?

– Bez znaczenia? – pyta Claire. – To coś nowego.

– Same zdecydujcie. Mnie odpowiada jedno i drugie.

– Co będzie robił Dex? – bada Claire. Rzecz jasna, ja również się nad tym zastanawiam.

– Nie jestem pewna – odpowiada Darcy. – Wspominał coś o wyjeździe do Hamptons na golfa.

– Cóż, w takim razie powinnyśmy zostać w mieście. Chyba nie chcesz, żeby kręcił się w pobliżu w czasie twojej wielkiej nocy, prawda? – pyta Claire.

– Nie – zgadza się Darcy. – Chyba nie.

Coś jest zdecydowanie nie tak. Darcy nie okazuje nawet odrobiny entuzjazmu w związku z imprezą organizowaną na jej cześć. Odzywa się we mnie instynkt pocieszycielki.

– Claire i ja wszystko zorganizujemy i damy ci znać, gdzie przyjść – przejmuję inicjatywę. – Odpowiada ci to?

– Tak. W porządku – mówi beznamiętnym głosem.

– Wszystko gra? – pyta Claire.

– Tak. Po prostu jestem trochę zmęczona.

– Dobra. Popracujemy nad tym, Darcy. To będzie świetna impreza – kończę.

Żegnamy się i odkładamy słuchawki. Claire natychmiast do mnie oddzwania.

– Co jej jest? Wydaje się jakaś przybita.

– Nie wiem.

– Myślisz, że jest na nas wściekła, bo niczego jeszcze nie zorganizowałyśmy? Trochę to zaniedbałyśmy – przyznaje Claire. Wydaje się zaniepokojona. Wywołanie wściekłości Darcy to straszna rzecz.

– Nie. To nie może być to. Wie, że zawiadomiłyśmy wszystkich o imprezie już kilka tygodni temu... Będzie komplet gości. Pozostało jedynie dograć szczegóły. Porozmawiam z nią – obiecuję.

Rozłączam się z Claire i jeszcze raz dzwonię do Darcy. Odzywa się głosem pozbawionym życia.

– Jesteś pewna, że nic ci nie jest? – pytam i czekając na odpowiedź, przeżywam prawdziwy konflikt wewnętrzny.

– Wszystko w porządku. Po prostu jestem zmęczona... I chyba trochę przygnębiona.

– Dlaczego? Jak minął ci weekend? – pytam nieśmiało.

– Było fajnie.

– Dobrze się bawiłaś z ojcem Deksa?

– Tak. Miły facet – mówi.

– Polubiłaś jego macochę?

– Jest w porządku. Ale potrafi zaleźć za skórę.

Trafił swój na swego.

– Co takiego zrobiła?

– Na przykład cały czas narzekała na zimno w teatrze. Szkoda, że nie widziałaś, jaki odstawiała cyrk podczas antraktu, nawet po tym jak pan Thaler oddał jej swoją marynarkę. Ja i Dex doszliśmy do wniosku, że wkładając tak skąpą sukienkę, sama była sobie winna.

„Ja i Dex...". Czuję ucisk w żołądku. Mam nadzieję, że nie będę słuchać tych słów do końca życia.

– Ale ogólnie było w porządku? – dopytuję się, przyciskając słuchawkę do ucha.

– Tak. Było w porządku.

– W takim razie dlaczego jesteś smutna?

– Och, nie wiem. To chyba tylko napięcie przedmiesiączkowe. Nic mi nie będzie.

Zwykle starałabym się pocieszyć Darcy i znaleźć jakiś sposób, żeby ją rozweselić, ale zamiast tego mówię:

– No cóż, lepiej już się pożegnam. Muszę zorganizować pewną imprezę.

Chichocze.

– Tak. Wiem. Dopilnuj, żeby była udana.

– W porządku – zapewniam ją, wiedząc, że większość spraw powierzę Claire, która z radością przejmie ode mnie ten obowiązek. Z pewnością uważa, że jest dla Darcy ważniejsza niż ja i że gdyby nie fakt, iż znam Darcy dłużej niż ona, przypadłaby jej rola pierwszej druhny. Pewnie ma rację. Najważniejszą rzeczą, która łączy mnie z Darcy, jest przeszłość. Przeszłość i Dex.

Reszta tygodnia upływa szybko. Nie widuję się z Deksem, ale tylko dlatego że wyjechał do Dallas w celach służbowych. Próbuję przekonać Hillary, że ostateczny termin powinien zostać przesunięty o trzy dni, ponieważ będąc w Teksasie, nie może zbyt wiele zmienić (chociaż bez większych przeszkód udaje nam się przegadać cztery godziny przez telefon). Hillary odpowiada, że jeśli już, to ta podróż stworzy mu okazję do przemyślenia własnych uczuć i opracowania planu działań. Zapewniam ją, że właśnie tym się zajmuje.

W piątek rano, kilka godzin po powrocie do Nowego Jorku, Dex dzwoni i proponuje, żebyśmy przed jego wyjazdem do Hamptons umówili się na lunch. Decydujemy się na Pick a Bagel niedaleko mojego mieszkania, żeby uniknąć tłumów nawiedzających centrum w porze lunchu. Wsiadając do metra, czuję zdenerwowanie. Nie widziałam go od ponad tygodnia – od czasu kiedy całowałam się z Marcusem. Wiem, że całowanie Marcusa nie było ważnym wydarzeniem (najwidoczniej dla niego również, skoro od tamtej pory prawie ze sobą nie rozmawialiśmy), a jednak całując Deksa na powitanie, czuję się trochę dziwnie. Nie mam wyrzutów sumienia, jestem po prostu powściągliwa.

– Tak b a r d z o za tobą tęskniłem – wyznaje Dex, kręcąc głową. – Cały czas miałem nadzieję, że zrobisz mi niespodziankę i przylecisz do Dallas.

Śmieję się, ponieważ rzeczywiście przyszedł mi do głowy taki pomysł.

– Ja też za tobą tęskniłam – mówię, czując, że zaczynam się odprężać.

Stoimy na rogu i szczerzymy do siebie zęby jak wariaci, a następnie wchodzimy do lokalu. W jego wnętrzu tłoczą się ludzie, dzięki czemu możemy się dotknąć. Muska palcami moją dłoń, nasze nogi lekko się o siebie ocierają i Dex kładzie rękę na moich plecach, kierując mnie w stronę kolejki. Rozkoszuję się jego bliskością i jestem zbyt rozkojarzona, żeby złożyć zamówienie. Przepuszczamy trzy osoby, zanim w końcu decydujemy się na kanapki z pastą jajeczną. Płacimy za nie i za dwie mrożone herbaty z cytryną, po czym szybko zmierzamy do mojego mieszkania. Kiedy w końcu zostajemy sami, powtarzam sobie, żeby nie dać się ponieść emocjom.

Naprawdę muszę poruszyć temat Darcy przed jej wieczorem panieńskim. Muszę to zrobić przy paście jajecznej. Chyba że on mnie uprzedzi.

Kiedy zbliżamy się do mojego mieszkania, pół przecznicy dalej dostrzegam Claire, która idzie w naszym kierunku. Słyszę, jak Dex przeklina pod nosem, i jednocześnie widzę zaskoczenie malujące się na twarzy Claire. Nie ma czasu na skonsultowanie się z Deksem i wymyślenie jakiejś historyjki. Jeszcze pięć kroków i Claire stoi obok nas. Zostaliśmy przyłapani na gorącym uczynku.

– Cześć, Claire! – mówi Dex pewnym tonem.

– Co wy tutaj robicie? – Przekłada musztardową torebkę od Prady z jednego ramienia na drugie i niepewnie się uśmiecha.

Parskam nerwowym śmiechem:

– A co ty tutaj robisz? – pytam. To nieudolna próba zyskania kilku sekund. W stresowych sytuacjach wypadam fatalnie, to dla mnie kompletna katastrofa. Nie powinnam być adwokatem, a przynajmniej nie takim, który kiedykolwiek mógłby ujrzeć światła sali sądowej. Znacznie lepiej pasuję do wielkich kartonów z dokumentami w nadmiernie wyziębionych salach konferencyjnych.

– Wyszłam wcześniej z pracy, żeby przygotować się do jutrzejszej imprezy. Właśnie byłam w papierniczym po ozdobny papier i kartkę dla Darcy. – Zerka na nasze papierowe torby. Ja niosę mrożoną herbatę, a Dex kanapki. – Jecie lunch?

– Nie – mówi Dex. Jest zupełnie spokojny. – To znaczy tak, właśnie kupiliśmy lunch. Ale ja idę do samochodu, niedługo jadę do Hamptons.

– Aha – nadal nie jest usatysfakcjonowana. Na szczęście, nie spuszcza oczu z Deksa. Bardziej wierzę w niego niż w siebie.

– Musiałem dać Rachel coś dla Darcy – mówi.

– Co takiego? – Claire przechyla głowę w bok.

Chyba niczego nie podejrzewa. Po prostu nie przychodzi jej na myśl, że to, co robimy, może nie być jej sprawą. Uważa się za członkinię ścisłego kręgu przyjaciół Darcy i jest przekonana, że powinna posiadać dostęp do wszelkich informacji, które mają z nią jakiś związek. A Dex i ja z całą pewnością mamy związek z Darcy.

– Liścik – odpowiada Dex. – Chciałbym, żeby dostała go przed swoją szaloną imprezą.

– Aha. – Claire uśmiecha się i najwidoczniej nie zastanawia się nad tym, dlaczego Dex nie mógł po prostu zostawić liścika w mieszkaniu i rolę posłańca powierzył akurat mnie. – No cóż, ta impreza r z e c z y w i ś c i e będzie szalona. Możesz na to liczyć.

– Wyobrażam sobie… – mówi Dex.

– Czy ty też bierzesz wolne popołudnie, Rachel?

Jąkam się, plączę i w końcu mówię nie, tak, nie jestem pewna, możliwe.

– Och, pieprzyć pracę. Po prostu chodź ze mną i pomóż mi pozałatwiać ostatnie sprawy przed imprezą. Właśnie idę do sklepu z damską bielizną na Lex, żeby kupić kilka dodatkowych rzeczy – oznajmia. Uzgodniłyśmy, że jutrzejszy wieczór będzie dobrą okazją na obdarowanie Darcy bielizną.

– Pójdziesz?

– Dobrze. Jasne. Muszę tylko skoczyć na górę, przebrać się i wykonać jeden telefon. Spotkamy się o piętnastej?

– Świetnie! – cieszy się Claire.

Czekam, aż oddali się pierwsza, z nadzieją, że zostanę sama z Deksem, lecz ona twardo stoi na chodniku. Po kilku sekundach Dex daje za wygraną i postanawia się pożegnać. Staram się nie odprowadzać go wzrokiem.

– Dobra – mówię. – W takim razie do zobaczenia za kilka minut.

Ogarnięta paniką, idę do domu, powtarzając sobie, że wszystko jest w porządku i Claire z pewnością nie podejrzewa tak monstrualnej zdrady. Gdy tylko zamykam drzwi mieszkania, dzwoni Dex. Drżącą dłonią przykadam słuchawkę do ucha.

– Cześć – mówi. – Możesz w to uwierzyć?

– Mój Boże – odpowiadam. – Chyba zaraz zemdleję. Gdzie jesteś?

– Za rogiem. W samochodzie… Myślisz, że wszystko w porządku?

– Mam nadzieję. – Czuję, jak mój puls powoli wraca do normy. – Dobry byłeś… Jak ci się udało tak szybko wymyślić tę wymówkę?

– Nie wiem. Kupiła to, prawda?

– Na to wygląda… Ale co zrobimy z tym liścikiem?

– Właśnie nad nim pracuję… Cholera, nie mam pojęcia, co napisać. To śmieszne… Wpadnę do ciebie, dobrze?

Mówię, że to nie jest najlepszy pomysł, bo muszę iść na spotkanie z Claire.

Wzdycha.

– Chciałem spędzić z tobą trochę czasu. Nie możesz się jakoś wykręcić?

Czuję, że zaczynam miękąć.

– A nie sądzisz, że jeśli ją spławię, zacznie coś podejrzewać?

– Daj spokój. To tylko kilka minut.

– Dobra – mówię. – Wjeżdżaj na górę. Ale tylko po to żeby dać mi ten liścik. Potem naprawdę muszę do niej iść.

Kilka minut później stoi pod moimi drzwiami, wręczając mi kanapkę i zwinięty liścik. Jedno i drugie kładę na stoliku do kawy obok mrożonej herbaty. Siadamy na kanapie.

– Jak to możliwe, że w tym mieście zawsze zdarzają się takie rzeczy? – pytam.

– Nie wiem – odpowiada, biorąc mnie za ręce. Próbuje mnie pocałować, lecz nadal jestem zbyt wstrząśnięta, żeby odwzajemnić pocałunek. Nie mogę się odprężyć. Czuję się tak, jak gdyby Claire nadal stała obok nas.

– Naprawdę powinnam już iść – mówię, zła, że zepsuła nam okazję do odbycia poważnej rozmowy, choć jednocześnie czuję pewną ulgę.

Dex nie przestaje mnie całować, ściągając mój żakiet i gładząc po ramieniu.

– Dex!

– Słucham?

– Muszę iść.

– Za chwilę.

– Nie. Teraz.

Kiedy jednak przebiega palcem po moim obojczyku, przestaję myśleć o Claire. Kilka minut później już się kochamy.

Tuż po tym dzwoni moja komórka. Podskakuję jak oparzona.

– O cholera. To pewnie Claire. Naprawdę muszę iść. – Siadam na łóżku.

– Ale chciałem porozmawiać o tym weekendzie – zaczyna Dex.

– A dokładnie o czym? – pytam, unikając jego spojrzenia, kiedy zapinam koszulę.

– Chodzi o to, że... Naprawdę mi przykro z powodu tego wieczoru panieńskiego i tak dalej...

– Wiem, Dex – przerywam mu.

– Niedługo trzeba będzie coś z tym zrobić. Po prostu ostatnio nie miałem wolnej chwili. Nie było okazji... Ale chcę, żebyś wiedziała, że myślę o tym. I o tobie, bez przerwy. Naprawdę bez przerwy. – Ma szczerze umęczoną minę. Czeka na moją odpowiedź.

To moja szansa. Słowa, które ukształtowały się w mojej głowie, tkwią na samym końcu języka, lecz nie wypowiadam żadnego z nich, tłumacząc sobie, że to nie jest odpowiednia chwila na roztrząsanie sytuacji. Nie mamy wystarczająco dużo czasu na prawdziwą rozmowę. Uspokajam samą siebie, że nie jestem tchórzem, po prostu jestem cierpliwa. Chcę pocze-

kać na odpowiedni moment, aby przedyskutować zniszcze-
nie szczęścia mojej najlepszej przyjaciółki. Zatem pozwalam
nam obojgu uciec od tego tematu.

– Wiem, Dex – powtarzam. – Porozmawiamy w przyszłym
tygodniu, dobrze?

Posępnie kiwa głową i mocno mnie przytula.

Po jego wyjściu dzwonię do Claire i mówię, że zatrzymał
mnie służbowy telefon, ale zaraz do niej przyjdę. Kończę się
ubierać, wypijam mrożoną herbatę i wkładam kanapkę z pastą jajeczną do lodówki. Kiedy idę w stronę drzwi, zauważam
złożony liścik. Nie mogę się powstrzymać. Wracam, rozkładam go i czytam:

Darcy,
przed Twoim wielkim wieczorem chciałem Ci podarować ja-
kiś drobiazg. Mam nadzieję, że będziesz się świetnie bawić
w towarzystwie przyjaciółek.
Kocham Cię

Dexter

Dlaczego musiał dodać „kocham cię"? Pocieszam się myślą, że to nie z nią właśnie skończył się kochać i że porozmawiamy w przyszłym tygodniu, mieszcząc się w terminie wyznaczonym przez Hillary. Potem pędzę do Claire, żeby pomóc
jej w przygotowaniach do wielkiego weekendu Darcy.

Cała sytuacja zupełnie wymknęła się spod kontroli. Tego
typu rzeczy przydarzają się innym ludziom. Nie takim jak ja.

Wieczór panieński od początku do końca jest dla mnie mę-
czarnią – z oczywistego powodu oraz dlatego że nie mam
nic wspólnego z przyjaciółkami Darcy z branży PR, które
nieodmiennie okazują się materialistkami, płytkimi i zdzi-
rowatymi egoistkami. Claire jest najlepsza z całego towarzy-
stwa, co również mnie przeraża. Powtarzam sobie, że po-

winnam się uśmiechać i zacisnąć zęby. Przecież to tylko jeden wieczór.

Najpierw spotykamy się u Claire, żeby podarować Darcy bieliznę: arsenał czarnych koronek i czerwonych jedwabi, z którym po prostu nie mogę rywalizować. Jeśli Darcy postanowi ubrać jeden z tych kompleciów przed ślubem – zwłaszcza podwiązki La Perly z kabaretkami – będzie po mnie. Chyba że wystąpi jedynie w podarowanej przeze mnie długiej koszuli nocnej koloru kości słoniowej, z niewielkim dekoltem, przypominającej coś, co Caroline Ingalls mogłaby nosić w *Domku na prerii*. Jest urocza i pruderyjna, w przeciwieństwie do pozostałych zmysłowych i kusych podarków, które krzyczą: „Przełóż mnie przez krzesło i zliż ze mnie bitą śmietanę”. Darcy udaje, że podoba jej się mój prezent, ale zauważam wymowne spojrzenia, jakie Claire wymienia z Jocelyn, sobowtórem Umy Thurman. Przez jedną chwilę paranoicznie podejrzewam, że po wczorajszym przypadkowym spotkaniu Claire domyśla się prawdy i podzieliła się swoimi podejrzeniami z Jocelyn. Jednak po chwili przypisuję to innemu odczuciu: zaniedbana przyjaciółka Darcy znowu w akcji. Jak może być pierwszą druhną, skoro nawet nie wie, jaką bieliznę należy dawać w prezencie?

Po bieliźnianej części wieczoru jedziemy taksówkami do brazylijskiej restauracji Churrascaria Plataforma z rożnem, w dzielnicy teatralnej, gdzie kelnerzy bez końca przynoszą kolejne porcje pieczonego mięsiwa. To zabawny wybór jak na grupę chudych jak szkapy kobiet, z których połowa to wegetarianki utrzymujące się przy życiu dzięki selerowi naciowemu i papierosom. Nasza gromadka dumnie wchodzi do restauracji, skupiając na sobie mnóstwo spojrzeń dominującej tu męskiej klienteli. Wypijamy kolejkę koktajli po bardzo zawyżonej cenie (za które płacę własną kartą kredytową), następnie siadamy przy długim stole pośrodku restauracji, gdzie dziewczyny z PR nadal pozują na gwiazdy, udając, że nie widzą spojrzeń, które płyną w ich stronę z każdego kąta.

Obserwuję sąsiedni stolik, przy którym siedzą kobiety odziane w konserwatywne stroje Ann Taylor i spoglądają na naszą grupę z dziwną mieszanką zazdrości i pogardy. Po cichu stawiam na to, że zanim wieczór dobiegnie końca, kobiety od Ann Taylor poskarżą się kelnerowi, że nasz stolik za bardzo hałasuje. Nasz kelner słodkim głosem zasugeruje, żebyśmy zachowywały się odrobinę ciszej. Wtedy nasz stolik strasznie się naburmuszy i uzna kobiety od Ann Taylor za zgraję frajerek. Siedzę przy złym stoliku, myślę, kiedy na żądanie Darcy ja i Claire siadamy po jej obu stronach. Nadal ma na sobie mały welonik zrobiony ze wstążek i kokardek z prezentów, ciesząc się, że rzuca się w oczy jako najbardziej wystrzałowa dziewczyna przy stoliku obleżonym przez wspaniałe kobiety. Oczywiście, z wyjątkiem mnie. Udaję zainteresowanie nieciekawą rozmową, która toczy się wokół mnie, sączę sangrię i uśmiecham się, staram się uśmiechać.

Po kolacji ruszamy do Float, tanecznego klubu w śródmieściu, z aksamitnymi sznurami i napuszonymi bramkarzami. Naturalnie, figurujemy na liście VIP-ów – dzięki zapobiegliwości Claire – i możemy przecisnąć się przez długą kolejkę nic nieznaczących ludzi (określenie Darcy). Wieczór rozgrywa się według głupkowatego scenariusza przewidzianego dla wieczorów panieńskich dwudziestoparolatek. I chyba nie byłoby w tym nic złego, gdyby nie to, że większość z nas jest po trzydziestce. Jesteśmy za stare na piszczenie, picie czystej i dzikie tańce z każdym facetem, który jest wystarczająco pewny siebie (albo szalony), żeby wmieszać się w grupę dziewięciu kobiet. A Darcy jest za stara na zabawę, która wymyśliła Claire: znajdź rudego chłopaka, który kupi ci Sex on the Beach, zatańcz z facetem po pięćdziesiątce (wyobraźcie sobie te typy, które nadal chodzą na dyskoteki) i pocałuj kolesia z tatuażem albo kolczykiem.

Cała impreza jest pretensjonalna i mało wyszukana, ale Darcy promienieje. Jest na parkiecie, cała lśni, a jej włosy lekko skręcają się od potu. Opalony płaski brzuch wyziera spomiędzy zsuniętych na biodra spodni i wiązanej na szyi bluzeczki. Ma zaróżowione wilgotne policzki. Każdy chce porozmawiać z przyszłą panną młodą. Samotne dziewczęta pytają tęsknym głosem, jak wygląda jej ślubna suknia, i co najmniej jeden facet radzi jej, żeby ponownie przemyślała decyzję o zamążpójściu albo chociaż zafundowała sobie jeszcze jeden romansik. Tańczę nieco z boku, zabijając czas.

Kiedy noc wreszcie dobiega końca, jestem wyczerpana, zupełnie trzeźwa i uboższa o pięćset dolarów. Gdy wychodzimy z klubu, Darcy odwraca się w moją stronę i mówi, że chciałaby u mnie przenocować, jak za dawnych czasów. Jest tak podekscytowana tym pomysłem, że nie potrafię jej odmówić. Uśmiecham się. Szepcze mi do ucha, że pozbędzie się Claire, że w jej towarzystwie to nie będzie to samo. Przypominają mi się czasy liceum, kiedy Darcy decydowała o tym, kogo zaprosić, a kogo wykluczyć. Annalise i ja zazwyczaj nie miałyśmy w tych sprawach zbyt wiele do powiedzenia i często nie potrafiłyśmy zrozumieć, dlaczego ktoś nie sprostał jej wymaganiom.

Zatrzymujemy taksówkę, a Darcy dziękuje Claire za bombowy wieczór, po czym trącając mnie łokciem, głośno mówi:

– Może weźmiemy razem taksówkę do miasta? Wyrzucę cię po drodze.

Oczywiście się zgadzam i jedziemy do mojego mieszkania.

Tym razem nocny dyżur ma José. Cieszy się na widok Darcy, która zawsze z nim flirtuje.

– Gdzie się podziewałaś, dziewczyno? – pyta. – Już mnie nie odwiedzasz.

– Planuję wesele – mówi uwodzicielskim tonem. Wskazuje pognieciony welon, który nadal ściska w dłoni jak jakąś cenną pamiątkę.

– Nieee! Powiedz, że to nieprawda! Wychodzisz za mąż?

Zaciskam zęby i uderzam dłonią w przycisk windy.

– Tak – przekomarza się, przechylając głowę w bok. – A uważasz, że nie powinnam?

José wybucha śmiechem, odsłaniając wszystkie zęby.

– Do diabła, tak właśnie uważam. Nie rób tego! – Nawet mój dozorca jej pragnie. – Olej tego faceta.

Najwidoczniej nie skojarzył ze sobą poszczególnych części układanki.

Darcy bierze go za rękę i wykonuje obrót. Kończy tę figurę, trącając biodrem jego biodro.

– Chodź, Darcy – mówię, stojąc już w windzie i przytrzymując kciukiem przycisk otwierania drzwi. – Jestem zmęczona.

Wykonuje ostatni obrót, po czym wchodzi do windy.

Po drodze macha i przesyła całusy do kamery, na wypadek gdyby José nas obserwował.

Kiedy wchodzimy do mieszkania, natychmiast ściszam głos w automatycznej sekretarce i wyłączam komórkę, na wypadek gdyby zadzwonił Dex. Potem przebieram się w szorty i koszulkę oraz daję Darcy ubrania na zmianę.

– A czy zamiast tego mogę włożyć twoją koszulkę z Naperville? Żeby było jak za dawnych czasów.

Mówię, że koszulka jest w praniu i będzie musiała zadowolić się tą z napisem „1989 Indy 500". Mówi, że to też jej odpowiada, ponieważ przypomina jej dom.

Czyszczę zęby, używam nici dentystycznej i myję twarz, podczas gdy Darcy siedzi na brzegu wanny i opowiada o imprezie i o tym, jak świetnie się bawiła. Zamieniamy się miejscami. Darcy myje twarz i pyta, czy może skorzystać z mojej szczoteczki do zębów. Zgadzam się, chociaż uważam, że dzielenie się szczoteczką jest obrzydliwe. Nawet z Deksem. No dobra, może z nim nie, ale ze wszystkimi innymi owszem. Z ustami pełnymi piany oświadcza, że nie jest pijana ani nawet porządnie podchmielona, co jest dosyć dziwne, zważywszy na skonsumowaną przez nas ilość alkoholu. Mówię, że to pewnie zasługa tej góry mięsa.

Pluje do zlewu.

– Fuj. Nawet mi nie przypominaj. Pewnie utyłam dzisiaj ze trzy kilo.

– To niemożliwe. Pomyśl o tych wszystkich kaloriach, które spaliłaś na parkiecie.

– Celna uwaga! – Płucze usta, opryskując wszystko wodą, po czym wychodzi z łazienki.

– Chce ci się spać? – pytam, wycierając ten bałagan ręcznikiem.

Odwraca się i patrzy na mnie z wyrzutem.

– Nie. Chcę rozmawiać.

– A czy możemy przynajmniej rozmawiać, leżąc w łóżku?

– Pod warunkiem że zostawimy zapalone światło. W przeciwnym razie uśniesz.

– W porządku – zgadzam się.

Kładziemy się na łóżku. Darcy wybrała miejsce bliżej okna, po stronie Deksa. Dzięki Bogu, dziś rano zmieniłam pościel.

Leżymy zwrócone do siebie, dotykając się kolanami lekko podkurczonych nóg.

– Od czego powinnyśmy zacząć? – pyta.

– Od czego chcesz.

Przygotowuję się na rozmowę o ślubie, lecz zamiast tego Darcy rozpoczyna długą plotkarską sesję na temat dziewczyn na imprezie, ich ubrań, nowej krótkiej fryzury Tracy, zmagań Jocelyn z bulimią i nieustannego rzucania nazwiskami znanych osób w wykonaniu Claire.

Rozmawiamy o tym, że Hillary nie pokazała się na imprezie. Darcy jest oczywiście piekielnie wściekła z tego powodu.

– Nawet jeśli jest zakochana, powinna była spławić Juliana na ten jeden wieczór.

Rzecz jasna, nie mogę jej powiedzieć, że prawdziwy powód bojkotu Hillary nie ma nic wspólnego z jej nowym chłopakiem.

Potem zaczynamy rozmawiać o Ethanie. Darcy chce wiedzieć, czy jest gejem. Zawsze spekuluje na ten temat, przedstawiając wątłe dowody: w podstawówce grał z dziewczynami w cztery kwadraty, w liceum wybrał zajęcia z prowadzenia gospodarstwa domowego zamiast prac ręcznych, przyjaźni się z mnóstwem kobiet, dobrze się ubiera i od czasu rozstania z Brandi z nikim się nie spotykał. Nie zgadzam się z nią, mówię, że jestem prawie zupełnie pewna, iż Ethan nie jest gejem.

– Skąd wiesz?

– Po prostu nie sądzę, żeby był gejem.

– Jeśli jest, nie ma w tym nic złego – oświadcza Darcy.

– Wiem, Darcy. Po prostu nie sądzę, żeby był gejem.

– Jest bi?

– Nie.

– Naprawdę myślisz, że nigdy nie spał z żadnym facetem?

– Nie! – mówię.

– Mnie też trudno sobie wyobrazić, jak Ethan dotyka penisa innego chłopaka.

– Dosyć.

– Dobra. W porządku. Jak idzie ci ostatnio z Marcusem?

– On coraz bardziej się w to angażuje – mówię asekuracyjnie, na wypadek gdyby żywiła jakieś małe podejrzenia dotyczące moich uczuć wobec Deksa.

– Naprawdę? Od kiedy?

– Całowałam się z nim w sobotę wieczorem – odpowiadam i natychmiast zaczynam tego żałować. Darcy powie Deksowi.

– Serio? Myślałam, że w sobotę wieczorem poszłaś na kolację z Hillary i Julianem.

– Poszłam. Ale potem spotkałam się z Marcusem... na kilka drinków. To nie było nic szczególnego, naprawdę.

– Pojechaliście do niego?

– Nie. Nic w tym rodzaju.

– W takim razie gdzie go pocałowałaś?

– W Aubette.

– I nic więcej? Tylko się całowaliście?

– Tak. A co? Myślałaś, że bzykaliśmy się w Aubette? Jezu!

– No cóż, to ciekawe... Myślałam, że ta cała historia jakoś rozeszła się po kościach. Wyobrażasz sobie siebie w roli jego żony?

Śmieję się. To cała Darcy – dostaje strzęp informacji i biega z nią jak szalona.

– Dlaczego się śmiejesz? Nie jest dobrym materiałem na męża?

– Nie wiem. Może jest... Czy mogłybyśmy już wyłączyć światło? Bolą mnie oczy.

Zgadza się, ale posyła mi ostrzegawcze spojrzenie, dając do zrozumienia, że nie nadeszła jeszcze pora na sen.

Wyłączam lampkę nocną i gdy tylko spowija nas mrok, Darcy porusza temat Deksa i jego liściku. Kiedy dałam jej go na początku imprezy, potraktowała to raczej lekceważąco, ale teraz dochodzi do wniosku, że Dex postąpił przezornie.

– Uhmm – mruczę.

Zapada długa cisza. Potem Darcy mówi:

– Ostatnio jest między nami jakoś dziwnie.

– Naprawdę? – Mój puls przyspiesza.

– Od dawna ze sobą nie sypiamy.

– Od jak dawna? – pytam, zaciskając pod kołdrą kciuki.

Pada odpowiedź, na którą czekałam. Od czwartego lipca.

– Naprawdę? – Pocą mi się dłonie.

– Tak. Czy to zły znak?

– Nie wiem... A jak często kochaliście się wcześniej? – pytam, ciesząc się, że jest ciemno.

– Wcześniej?

– Przed czwartym lipca. – Zanim powiedział, że mnie kocha.

– Od czasu do czasu. Ale kiedy wszystko było w porządku, kochaliśmy się codziennie. Czasami dwa razy.

Wypieram z myśli natrętne obrazy, usiłując sformułować jakiś komentarz.

– Może to wina napięcia przed ślubem?

– Tak… – przytakuje.

A może dlatego że ma ze mną romans. Czuję ukłucie poczucia winy, które wzmaga się dziesięciokrotnie, kiedy Darcy zmienia temat i ni stąd, ni zowąd mówi:

– Nie do wiary, przyjaźnimy się już tyle czasu.

– Wiele lat.

– Pomyśl o tych wszystkich nocach, które razem spędziłyśmy. Jak myślisz, ile ich było? Nie jestem zbyt dobra w rachunkach. Myślisz, że z tysiąc?

– Pewnie coś koło tego – zgadzam się.

– Od ostatniego razu minęło sporo czasu – zauważa.

Moje oczy przyzwyczaiły się już do ciemności i widzę niewyraźny zarys jej twarzy. Z umytą buzią i włosami związanymi w kucyk wygląda jak nastolatka. Równie dobrze mogłybyśmy chodzić teraz do liceum i leżeć w jej łóżku, chichocząc i szepcząc obok Annalise, która cichutko pochrapuje w swoim śpiworze z Garfieldem. Darcy zawsze pozwalała jej zasnąć. Chyba nawet miała nadzieję, że Annalise zaśnie. Wiem, że ja czasami ją miałam.

– Chcesz zagrać w dwadzieścia pytań? – mówię. To była jedna z naszych ulubionych gier w okresie dorastania.

– Tak. Tak. Ty pierwsza.

– Dobra. Już mam.

– Te same zasady?

– Te same.

Nasze zasady były proste: musisz wybrać osobę (co wyraźnie podkreśliłyśmy, po tym jak Annalise próbowała wplątać w to zwierzaki sąsiadów), kogoś, kogo znamy osobiście (żadnych gwiazd, martwych ani żywych), i zadawać pytania, na które można odpowiedzieć tak lub nie.

– Z liceum? – pyta.

– Tak.

– Chłopak?

– Nie.

– Z naszej klasy?

– Nie.

– Z klasy wyżej czy z klasy niżej?

– To dwa pytania.

– Nie. To zdanie złożone – nie zgadza się. – Jeśli odpowiesz tak, będę musiała je rozdzielić, żeby zadać następne pytanie. Pamiętasz?

– Dobra, masz rację – mówię, przypominając sobie ten niuans. – Odpowiedź brzmi nie.

– Uczennica?

– Nie. To piąte pytanie. Zostało ci jeszcze piętnaście.

Darcy mówi, że o tym wie, przecież liczy.

– Nasza wspólna nauczycielka?

– Nie – zaprzeczam, ukrywając pod kołdrą sześć odchylonych palców. Kiedy w to grywałyśmy, Darcy słynęła z „pomyłek w liczeniu".

– Twoja nauczycielka?

– Nie.

– Moja?

– Nie.

– Szkolny psycholog?

– Nie.

– Dyrektorka?

– To już dziesięć. Nie.

– Inna pracowniczka personelu?

– Tak.

– Woźna?

– Nie.

– Strażnik?

– Nie. – Uśmiecham się na wspomnienie dnia, w którym strażnik przyłapał Darcy, kiedy w porze lunchu wychodziła z Blaine'em do baru Subway. Kiedy eskortował Darcy do gabinetu dyrektorki, powiedziała mu, żeby poszukał sobie porządnej pracy.

„Ile ty masz lat? Ze trzydzieści? Chyba już najwyższy czas, żebyś opuścił liceum" – ten komentarz został dodany do listy jej przewinień.

– Ooo! Chyba mam! – Wybucha niekontrolowanym śmiechem. – Czy to szkolna kucharka?

– Uhmm. – Śmieję się.

– To June!

– Bingo. Zgadłaś.

June była ikoną naszego liceum. Miała około osiemdziesięciu lat, metr dwadzieścia wzrostu i mnóstwo zmarszczek po latach kopcenia papierosów. Główną przyczyną jej popularności było to, że pewnego razu jej sztuczny paznokieć przypadkiem wylądował w lazanii Tommy'ego Baxtera. Tommy ceremonialnym krokiem wrócił do kolejki i oddał go June.

– To chyba należy do ciebie, June? – June posłała mu szeroki uśmiech, wytarła paznokieć z sosu i sera, po czym ponownie przykleiła go do palca. Wszyscy zaczęli gwizdać, bić brawo i skandować:

– June! June! – Nie licząc tego wydarzenia, nie widzę nic innego, czym mogłaby zyskać sobie taki szacunek wśród uczniów. Chyba raczej ktoś z najbardziej popularnych kręgów zdecydował, że lubienie June jest *trendy*. Być może była to nawet Darcy. Miała tego rodzaju moc.

Darcy wybucha śmiechem.

– Stara, dobra June! Ciekawe, czy jeszcze żyje.

– Jasne. Jestem pewna, że nadal tam pracuje i ochrypłym głosem pyta licealistów, czy chcą rigatoni z sosem marinara czy może mięsnym.

Gdy w końcu przestaje się śmiać, mówi:

– Oooch. Czuję się jak za dawnych czasów.

– Tak, ja też – mówię, czując przypływ sympatii do Darcy.

– Miałyśmy świetne dzieciństwo, prawda?

– Tak.

Darcy znowu zaczyna się śmiać.

– O co chodzi? – pytam.

– Pamiętasz, jak nocowałyśmy u Annalise i powiesiłyśmy wszystkie lalki Barbie jej siostry?

Parskam śmiechem, wyobrażając sobie lalki ze sznurkiem na szyi, zwisające z framug drzwi. Młodsza siostra Annalise pobiegła z histerycznym płaczem do rodziców, którzy natychmiast spotkali się z naszymi rodzicami w celu opracowania odpowiedniej kary. Nie mogłyśmy bawić się razem przez cały tydzień, a latem to naprawdę długo.

– Kiedy teraz o tym myślę, wydaje mi się, że to było trochę chore – mówię.

– Wiem! A pamiętasz, jak Annalise powtarzała, że to był jej pomysł?

– Tak. Żaden pomysł nigdy nie był jej – odpowiadam.

– To my wymyślałyśmy wszystkie fajne rzeczy. Ona zawsze za nami łaziła.

– Tak – zgadzam się.

W milczeniu myślę o naszym dzieciństwie. Pamiętam dzień, kiedy podrzucono nas do centrum handlowego zaopatrzone w skąpe oszczędności szóstoklasistek, a my pognałyśmy do jubilera, żeby kupić wisiorki „najlepszych przyjaciółek": serduszko z wyrytymi dwoma słowami, przedzielone pośrodku i połączone z dwoma pozłacanymi łańcuszkami. Darcy wzięła połówkę z napisem „Najlep- przyja-", a ja z „-sza -ciółka". Rzecz jasna, tak bardzo przejmowałyśmy się uczuciami Annalise, że nosiłyśmy te wisiorki w tajemnicy, ukryte pod golfami, albo wkładałyśmy je na noc. Ale pamiętam radość, jaką czułam w chwili, gdy wsuwałam moją połówkę serca pod koszulę, gdzie spoczęła tuż przy ciele. Miałam najlepszą przyjaciółkę. Czułam się z tym taka bezpieczna, miałam poczucie tożsamości i przynależności.

Mój wisiorek nadal leży zakopany w szkatułce na biżuterię. Pozłacana tabliczka zrobiła się zielona od brudu i upływu czasu, lecz teraz widnieje na niej również skaza, której nie można usunąć. Nagle ogarnia mnie wielki smutek na wspomnienie tamtych dwóch dziewczynek. Tego, co straciły. I czego mogą już nigdy nie odzyskać, bez względu na to, co stanie się z Deksem.

– Powiedz coś jeszcze – mówi słodko Darcy. Nie ma ani śladu aroganckiej, skupionej na sobie przyszłej panny młodej, do której ostatnio zaczęłam mieć żal graniczący z brakiem sympatii. – Proszę, nie zasypiaj jeszcze. Nie urządzamy już sobie takich spotkań. Brakuje mi tego.

– Mnie też – zgadzam się i naprawdę tak myślę.

Pytam, czy pamięta dzień, w którym kupiłyśmy wisiorki.

– Tak. Ale przypomnij mi, jak to dokładnie było – odpowiada swoim czarującym głosem.

Darcy uwielbia słuchać moich opowieści o dzieciństwie i zawsze chwali moją dobrą pamięć. Opowiadam jej historię wisiorków, wybierając najdłuższą z możliwych wersji. Na koniec szepczę:

– Śpisz?

Żadnej odpowiedzi.

Wsłuchując się w oddech śpiącej obok Darcy, zastanawiam się, w jaki sposób do tego wszystkiego doszło. Jak to możliwe, że kochamy tego samego mężczyznę? Jak mogę sabotować zaręczyny mojej najlepszej przyjaciółki? W ostatnich sekundach przed zaśnięciem żałuję, że nie mogę cofnąć się w czasie i wszystkiego zmienić, aby dać tamtym małym dziewczynkom jeszcze jedną szansę.

ROZDZIAŁ 17

Nazajutrz budzi mnie hałas, który robi Darcy, przetrząsając moją apteczkę. Wsłuchując się w te stukoty, próbuję poskładać do kupy to, co mi się przyśniło: serię oderwanych od siebie obrazów przedstawiających szerokie grono typowych bohaterów – moich rodziców, Darcy, Deksa, Marcusa, a nawet Lesa. Fabuła jest niejasna, ale pamiętam, że było tam sporo uciekania i chowania się. Z dziesięć razy próbowałam pocałować Deksa, lecz nigdy mi się nie udało. Nawet w snach nie mogę zaznać satysfakcji. Darcy wychodzi z łazienki z zadowoloną miną.

– Wcale nie mam kaca – oznajmia. – Ale na wszelki wypadek wzięłam dwa apapy. Nic nie zostało. Mam nadzieję, że nie potrzebujesz?

– Nie, nic mi nie będzie.

– Całkiem nieźle jak na dzień po wieczorze panieńskim! Co chcesz dzisiaj robić? Możemy spędzić ten dzień razem? Będziemy leniuchować. Jak za dawnych czasów.

– Dobrze – mówię z lekkim wahaniem.

– Super! – Idzie w kierunku kuchni i zaczyna myszkować w szafkach. – Masz jakieś płatki?

– Nie. Skończyły się. Chcesz pójść do EJ's?

Mówi, że nie. Chce zjeść słodkie płatki w moim mieszkaniu, żeby poczuć się jak za dawnych czasów. Żadnych nowojorskich barów. Otwiera lodówkę i analizuje jej zawartość.

– Matko, wszystko ci się pokończyło. Wyskoczę po kawę i parę podstawowych produktów.

– Myślisz, że powinnyśmy pić kawę? – pytam.

– Dlaczego nie?

– Sądziłam, że mamy być autentyczne. W liceum nie piłyśmy kawy.

Zastanawia się przez chwilę, nie zauważając mojego sarkazmu.

– Dla kawy zrobimy wyjątek.

– Pójść z tobą? – proponuję.

– Nie, nie trzeba. Zaraz wrócę.

Gdy tylko wychodzi, sprawdzam pocztę głosową. Dex zostawił mi dwie wiadomości – jedną wczoraj wieczorem i drugą dziś rano. W pierwszej mówi, jak bardzo za mną tęskni. W drugiej pyta, czy może wpaść wieczorem. Oddzwaniam do niego zaskoczona wdzięcznością, jaką budzą we mnie te słowa. Zostawiam mu wiadomość, że jest u mnie Darcy i planuje zostać jakiś czas, więc dzisiejszy wieczór to nie najlepszy pomysł. Potem siadam na kanapie i myślę o wczorajszym wieczorze, o przyjaźni z Darcy. Czy będę w stanie ze sobą wytrzymać, jeśli zdobędę to, czego pragnę, jej kosztem? Jakie będzie życie bez Darcy? Nadal się nad tym zastanawiam, kiedy ona wraca. Z dwiema wypchanymi siatami zawieszonymi na przedramionach. Biorę od niej kawę, a Darcy dramatycznym gestem upuszcza siatki na podłogę i pokazuje mi czerwone pręgi, jakie odcisnęły się na jej skórze. Wydaję z siebie odgłosy współczucia, dopóki znowu się nie uśmiecha.

– Kupiłam świetne rzeczy! Słodkie krążki zbożowe! Piwo korzenne! Sok jabłkowo-żurawinowy! I czekoladowe lody z kawałkami ciasteczek!

– Lody na śniadanie?

– Nie. Na później.

– Nie martwisz się o ślubną figurę?

– Co tam. Nie. – Macha dłonią.

– Dlaczego nie? – dociekam, wiedząc, że teraz to zje, a potem będzie pytała, dlaczego jej pozwoliłam.

– Bo nie! Nie psuj mi zabawy!... No, zjedzmy słodkie płatki!

Krząta się w kuchni, szukając miseczek, łyżek, serwetek. Układa je na stoliku do kawy. Jest w radosnym nastroju i kipi energią.

– A może wolałabyś zjeść tam? – pytam, wskazując mały okrągły stolik.

– Nie. Chcę, żeby było dokładnie tak jak wtedy, kiedy nocowałaś u mnie w domu. Zawsze jadłyśmy, oglądając telewizję, pamiętasz? – Wymierza pilota w kierunku telewizora i przeskakuje po kanałach, aż w końcu znajduje MTV. Potem wsypuje płatki do miseczek, dbając o to, byśmy dostały identyczne porcje. Nie chce mi się jeść płatków, ale wyraźnie widać, że nie mam innego wyjścia. Chociaż jej próby odtworzenia naszego dzieciństwa trochę mnie wzruszają, drażni mnie jej apodyktyczność. „Poniewieranie" – jak powiedział Ethan. Może to rzeczywiście odpowiednie określenie. A ja chętnie w tym uczestniczę, pozwalając jej się tłamsić.

– Powiedz kiedy – prosi, wlewając do mojej miseczki tłuste mleko. Nie znoszę tłustego mleka.

– Już – mówię niemal natychmiast.

Przestaje wlewać mleko i spogląda na mnie.

– Naprawdę? Są ledwie wilgotne.

– Wiem – mówię pojednawczym tonem. – Ale właśnie takie lubiłam w liceum.

– Celna uwaga – stwierdza, wlewając mleko do swojej miseczki. Wypełnia ją aż po brzeg.

Zjadam kilka łyżek, podczas gdy ona miesza płatki, czekając, aż mleko zrobi się różowe.

W telewizji leci teledysk Dido *Tank You*. Oczywiście, przypomina mi o Deksie.

– Ta piosenka – mówi Darcy, nie przerywając mieszania.

– Kojarzysz tę część, kiedy w końcu przemoknięta wraca do domu, a potem mówi: „A ty podałeś mi ręcznik"?

– Tak.

– Słysząc te słowa, zawsze myślę o tobie.

– O mnie? – spoglądam na nią. – Myślałam, że to ma być piosenka o miłości.

Przewraca oczami.

– Jeju! Wiem. Bez obaw. – Pakuje do ust trochę płatków i ciągnie z pełnymi ustami. – Nie jestem żadną lesbą ani nic w tym rodzaju. Mówię tylko, że zawsze mogę na ciebie liczyć. No wiesz, kiedy coś jest nie tak.

– To słodkie. – Uśmiecham się, odpycham od siebie poczucie winy i upijam łyk kawy.

Słuchamy dalszego ciągu piosenki, a Darcy hałaśliwie pochłania płatki. Po zjedzeniu okruszków unosi miseczkę do ust i siorbiąc, dopija pasteloworóżowe mleko.

– Zachowuję się zbyt głośno? – pyta, spoglądając na mnie.

– Nie szkodzi. – Kręcę głową.

– Kiedy jem płatki, Dex nazywa mnie Siorbaczem.

Czuję jakieś ukłucie – jak zawsze kiedy dostrzegam skrawek ich prywatnego życia, choć lubię udawać, że ono nie istnieje. Potem, z jeszcze bardziej bolesnym ukłuciem, zdaję sobie sprawę, że Dex nie ma dla mnie żadnego przydomka. Może jestem na to zbyt nijaka. Darcy nie ma w sobie ani odrobiny nijakości. Nic dziwnego, że tak trudno się z nią rozstać. Należy do tych kobiet, które wabią, przyciągają uwagę. Nawet kiedy działa komuś na nerwy, jest fascynująca, urzeka.

Na ekranie pojawia się Jennifer Lopez, emanując całą swoją zmysłowością. Tęsknym wzrokiem patrzymy, jak wiruje na tle wiejskiego krajobrazu.

– Czy jej tyłek naprawdę jest taki wspaniały? – pyta Darcy.

– Obawiam się, że tak – wypowiadam tę opinię naprawdę z przyjemnością. Dla Darcy nawet gwiazdy show-biznesu stanowią konkurencję, podczas gdy ja wcale nie zazdroszczę Jennifer jej fantastycznej pupy.

Darcy mlaska z powątpiewaniem.

– Nie wydaje ci się jakiś gruby? – pyta.

– Nie. Jest świetny – odpowiadam, wiedząc, że obydwa pośladki Darcy wystarczyłyby za jeden Jennifer.

– A moim zdaniem jest trochę gruby...

Wzruszam ramionami.

– Dex ją uwielbia. Myśli, że jest absolutnie wystrzałowa.

Nowa informacja o Dexterze. D z y ń! D z y ń! D z y ń! Cóż to może oznaczać? Mam pełniejszą figurę niż Darcy, ale ona ma ciemniejszą karnację. Postanawiam odrzucić tę nowinę jako niezbyt przydatną. Chodzi o to, że większość facetów uważa J. Lo za atrakcyjną kobietę, bez względu na to, jaki jest ich ulubiony typ. Ona jest dla nich tym, czym Brad Pitt dla kobiet. Możesz nie lubić blondynów o ładnych buźkach, ale przecież to Brad. Nie wykopiesz go z łóżka, żeby zająć się pogryzaniem krakersów.

– Ale nie musisz się martwić. Jestem pewna, że na żywo wcale nie jest taka ładna. – Darcy zakłada, że wszystkie kobiety są takie jak ona i oczekują pocieszenia za każdym razem, kiedy natkną się na kogoś ładniejszego od siebie.

– Uhmm – potakuję.

– Mam na myśli to, że specjaliści od makijażu potrafią zdziałać cuda – mówi ze znawstwem, jak gdyby siedziała w tej branży od lat. Ściąga koc z oparcia kanapy i przykrywa się nim. – Podoba mi się tu.

Deksowi też.

– Zimno ci? – pytam.

– Nie. Po prostu chcę, żeby było milutko i przytulnie.

Oglądamy teledyski i prawie zapominam o Deksie. O ile można zapomnieć o kimś, kogo się kocha. Wtedy, ni stąd, ni zowąd, w czasie teledysku Janet Jackson Darcy zadaje mi pytanie, którego wcale się nie spodziewałam.

– Czy powinnam wyjść za Deksa?

– Dlaczego pytasz? – Zamieram w bezruchu.

– Nie wiem.

– Musi być jakiś powód – silę się na spokój.

– Nie uważasz, że powinnam być z kimś bardziej wyluzowanym? Takim jak ja?

– Dex jest wyluzowany.

– Wcale nie! To straszny nerwus.

– Tak myślisz? – pytam. Możliwe. Chyba po prostu postrzegam go inaczej.

– Absolutnie.

Ściszam telewizor i patrzę na nią, jak gdybym chciała powiedzieć: no, mów dalej, naprawdę potrafię słuchać. Myślę o „czapce do słuchania", którą wkładało się w podstawówce, zawiązując pod brodą niewidzialne sznureczki, co uwielbiali robić zwłaszcza chłopcy. Przełykam ślinę, milknę na chwilę, po czym mówię:

– Niepokoi mnie, że zadajesz mi takie pytanie. Co cię gryzie?

Czuję, jak łomocze mi serce, kiedy czekam na jej odpowiedź.

– Nie wiem... Czasami mam wrażenie, że nasz związek stał się trochę męczący. Nudny. Czy to zły znak? – Patrzy na mnie zrozpaczonym wzrokiem.

To moja szansa. Mam swoje pięć minut. Zastanawiam się, co mogłabym powiedzieć i ile wysiłku kosztowałaby mnie manipulacja. Jednak z jakiegoś powodu nie potrafię tego zrobić. Nic nie mówię, ale przynajmniej będę w porządku. To konflikt interesów, jak mawiają w kancelarii. Nie mogę przyjąć jej sprawy.

– Nie mam pojęcia, Darcy. Tylko ty i Dex wiecie, czy jest wam razem dobrze. Ale z pewnością powinnaś dokładnie przeanalizować swoje obawy, małżeństwo to bardzo poważna decyzja. Może powinniście to przełożyć – sugeruję.

– Przełożyć ślub?

– Być może.

Darcy wysuwa dolną wargę i marszczy brwi. Kiedy jej spojrzenie biegnie ku ekranowi telewizora, jestem pewna, że zaraz popłyną łzy. Rozpromienia się.

– O! Uwielbiam ten teledysk! Zrób głośniej! Zrób głośniej!

Podkręcam dźwięk w telewizorze. Darcy podskakuje na kanapie, wykonując taniec głowy i tułowia, i śpiewa piosenkę jakiegoś boysbandu, którego nigdy wcześniej nie widziałam. Zna każde słowo. Obserwuję ją, zdumiona tą nagłą przemianą. Czekam, aż znowu poruszy temat Deksa. Na próżno.

Zaprzepaściłam szansę i nie powiedziałam jej, żeby wszystko odwołała, że Dex zupełnie do niej nie pasuje. Dlaczego nie pokierowałam jej w tę stronę, nie podlałam nasiona niezadowolenia? Nigdy nie potrafię zadbać o własne sprawy. Z drugiej strony, nie sądzę, żeby naprawdę potrzebowała mojej rady. Chyba że chodzi o zapewnienie, iż wszystko jest w porządku i powinna poślubić Dextera. A jeśli nie powiem tego, co chce usłyszeć, znajdzie sobie teledysk na poprawę humoru.

– Ta piosenka jest bombowa – mówi Darcy, odrzucając koc na bok. Wstaje i tanecznym krokiem przemierza moje mieszkanie. Przygląda się półce, na której niedawno położyłam puszkę po pastylkach i kostki.

– Co robisz?

– Szukam albumu z liceum. Gdzie on jest?

– Na dolnej półce.

Kuca i przebiega palcem po grzbietach książek, zatrzymując się na albumie.

– A, tak. Jest. – Wstaje i zauważa puszkę, nierozważnie umieszczoną na wysokości wzroku. – Mogę się poczęstować?

– Jest pusta – mówię, lecz ona zdążyła już położyć album na łóżku. Jej długie wyrzeźbione ramię sięga w kierunku puszki. Unosi wieczko. – Dlaczego trzymasz tu kostki?

– Mmm... Nie wiem – jąkam się i przypominam sobie słowa Darcy, która zawsze twierdziła, że nie nadaję się do teleturniejów, gdzie liczy się udzielanie odpowiedzi na czas. Tyranizowała mnie, mówiąc, że gdyby kiedykolwiek miała wziąć udział w *Familiadzie* (nieważne, że nie należymy do tej samej rodziny), zastanowiłaby się dwa razy, zanim wybrałaby mnie do drużyny. A już na pewno nie wystąpiłabym w ostatniej rundzie.

– Nie wiesz? – pyta.

– Chyba bez powodu.

Wpatruje się we mnie jak w bełkoczącego schizofrenika podróżującego metrem.

– Nie wiesz, dlaczego włożyłaś kostki do puszki po pastylkach? No dobra. Mniejsza z tym, dziwaczko.

Wyjmuje kostki z puszki i potrząsa nimi, jak gdyby szykowała się do rzutu.

– Przestań – mówię głośno. – Odłóż je na miejsce.

Mówienie jej, co ma robić, to nie najlepszy pomysł. Darcy to dziecko. Będzie chciała wiedzieć, dlaczego jej tego zabraniam. Będzie chciała je rzucić tylko po to, żeby zrobić mi na złość.

I rzeczywiście:

– Po co ci one? Nie rozumiem.

– Po nic. Po prostu przynoszą mi szczęście.

– Przynoszą szczęście? Od kiedy masz kostki, które przynoszą szczęście?

– Od zawsze.

– W takim razie dlaczego trzymasz je w puszcze po pastylkach? Przecież nie lubisz cynamonowych pastylek.

– Owszem, lubię.

– Aha. – Wzrusza ramionami.

Obserwuję jej twarz. Niczego nie podejrzewa, ale nadal trzyma w dłoni moje kostki. Podbiegnę do niej, złapię i wyrwę je, zanim zdąży rzucić. Ona jednak jeszcze raz na nie spogląda i wkłada z powrotem do puszki. Nie jestem pewna, czy nadal leżą szóstkami do góry. Sprawdzę później. Dopóki nie zostały wyrzucone po raz drugi, wszystko jest w porządku.

Podnosi mój album i niesie go na kanapę, otwierając go na ostatnich stronach ze sportowcami. To zajmie ją na kilka godzin. Znajdzie tysiące rzeczy, które będzie musiała skomentować: „Pamiętasz to, pamiętasz tamto?" Nasz szkolny album nigdy jej się nie znudzi: będzie dyskutować o przeszłości i spekulować, co stało się z takim a takim, który nie pojawił się na zjeździe absolwentów, ponieważ A: stał się zupełnym frajerem lub B: zaistniało przeciwne zjawisko i teraz odnosi tak spektakularne sukcesy, że nie ma czasu przyjechać do Indiany na weekend (według Darcy, ja również zaliczam się do tej kategorii, ponieważ oczywiście musiałam wtedy pracować i nie przyjechałam). Albo zagra w jedną ze swoich ulubionych gier: otworzy album na którejś stronie, zamknie oczy i będzie wodziła palcem po kartce, dopóki nie powiem stop. Chłopak, który znajdzie się najbliżej tego miejsca, zostanie oskarżony o to, że ze mną sypiał. To typowe zabawy Darcy. Dwanaście lat temu, kiedy wydano ten album, świetnie się bawiłyśmy, wspominając przeszłość.

– O mój Boże! Spójrz na jej włosy! Widziałaś kiedyś taką puszystą grzywkę? – emocjonuje się Darcy, lustrując zdjęcie Laury Lindell. – Wygląda tak śmiesznie. Ta grzywka musi sterczeć na trzydzieści centymetrów!

Kiwam głową, przyznając jej rację, i czekam na kolejną ofiarę: Richard Meek. Tyle że teraz wzbudza u niej większe uznanie niż w dwunastej klasie.

– Całkiem niezły. Nawet milutki, prawda?

– Nawet. Ma ładny uśmiech. Ale pamiętasz, jak pluł, kiedy mówił?

– Tak. Racja.

Darcy przerzuca strony, aż w końcu ogarnia ją zmęczenie, odkłada album na bok i ponownie przejmuje kontrolę nad pilotem. Znajduje *Kiedy Harry poznał Sally* i piszczy:

– Dopiero się zaczęło! Hura!

Rozkładamy się na kanapie i oglądamy film, który widziałyśmy mnóstwo razy. Darcy bez przerwy gada, cytując par-
tie, które zna na pamięć. Ani razu jej nie uciszam. Bo chociaż
– jak twierdzi – gadanie podczas filmów denerwuje Deksa,
ja nie mam nic przeciwko temu. Nawet kiedy trochę się myli i nie wiem, co naprawdę powiedziała Meg Ryan. To cała
Darcy. Taka już jest.

I podobnie jak w przypadku ulubionego filmu, niezmien-
ność przyjaciółki jest tym, co lubisz w niej najbardziej.

ROZDZIAŁ 18

Następnego wieczoru Darcy dzwoni do mnie, kiedy wracam z pracy do domu. Jest rozhisteryzowana. Ogarnia mnie zimny spokój. Czyżby już? Czy Dex odwołał ślub?

– Co się stało, Darcy? – pytam. Mówię spiętym, nienaturalnym głosem, a moje serce popada w konflikt: miłość do Deksa przeciwko przyjaźni z Darcy. Szykuję się na najgorsze, chociaż nie bardzo wiem, co by to mogło być – utrata najlepszej przyjaciółki czy miłości mojego życia. Jednego i drugiego po prostu sobie nie wyobrażam.

Darcy mówi coś, czego nie mogę zrozumieć, coś o pierścionku zaręczynowym.

– Co się stało, Darcy? Powoli... Co stało się z pierścionkiem?

– Zniknął! – szlocha.

Wydaje się mało prawdopodobne, aby tuż po wielkiej uldze człowieka mogła ogarnąć totalna rezygnacja, a jednak właśnie tak się dzieje, kiedy pojmuję, że rozmawiamy jedynie o zaginionej biżuterii.

– Gdzie go zgubiłaś? Jest ubezpieczony, prawda?

Zadaję pytania rozważnej przyjaciółki. Próbuję pomóc. Mój głos brzmi jednak sztucznie. Gdyby była nieco mniej rozhisteryzowana, mogłaby zauważyć, że nic mnie nie obchodzi los jej pierścionka. Mówię, że jest roztrzepana, że pewnie gdzieś go zostawiła i po prostu o nim zapomniała.

– Pamiętasz, jak myślałaś, że go zgubiłaś, a potem znalazł się w jednym z twoich kapci? Zawsze coś ci się zapodziewa, Darcy.

– Nie, tym razem jest inaczej! Tym razem naprawdę zniknął! Zniknął! Dex mnie zabije! – Jej głos drży.

A może nie, myślę sobie. Może to będzie szansa, na którą czekał. Z drugiej strony, nienawidzę się za takie myśli.

– Powiedziałaś mu?

– Nie. Jeszcze nie. Nadal jest w pracy… Co ja zrobię?

– A gdzie go zgubiłaś?

Nie odpowiada i płacze dalej.

Powtarzam pytanie.

– Nie wiem.

– Gdzie widziałaś go po raz ostatni? – pytam. – Miałaś go dzisiaj w pracy? Zdejmowałaś go, żeby umyć ręce?

– Nie, nigdy go nie zdejmuję, żeby umyć ręce! Tylko jakaś kretynka wpadłaby na taki pomysł!

Mam ochotę powiedzieć, żeby się na mnie nie darła, że sama jest kretynką, która zgubiła pierścionek zaręczynowy. Pozostaję jednak pełna współczucia i pocieszam ją, że zguba z pewnością się odnajdzie.

– Nie, nie odnajdzie się. – Kolejne głośne szlochy.

– Skąd wiesz?

– Po prostu wiem.

Zabrakło mi pomysłów.

– Mogę do ciebie przyjść? Naprawdę musimy porozmawiać – prosi.

– Jasne, przyjdź – odpowiadam, zastanawiając się, czy chodzi o coś więcej niż tylko zgubiony pierścionek. – Jadłaś coś?

– Nie – mówi. – Mogłabyś zamówić dla mnie zupę wonton?

– Jasne.

– I chiński krokiecik?

– Tak. Przyjeżdżaj.

Dzwonię do restauracji Tang Tang, zamawiam dwie zupy wonton, dwa krokieciki, dwa sprite'y oraz porcję wołowiny z brokułami. Piętnaście minut później do moich drzwi puka Darcy. Wygląda niechlujnie, ma na sobie parę lewisów, którą pamiętam z liceum – nadal idealnie pasują – i biały bezrękawnik. Nie zrobiła makijażu, ma podpuchnięte oczy, a włosy związała w luźny kucyk, lecz i tak wygląda ładnie. Mówię, żeby usiadła i wszystko mi opowiedziała.

– Nie ma go. – Kręci głową, unosząc lewą dłoń.

– Jak myślisz, gdzie go zgubiłaś? – pytam spokojnie, przypominając sobie, że taki scenariusz przerabiałam z Darcy setki razy. Zawsze jej pomagam, sprzątam po niej bałagan i lojalnie podążam śladami jej tragedii i strachu.

– Nie zgubiłam go. Ktoś go ukradł.

– Kto?

– Ktoś.

– Skąd wiesz?

– Bo zniknął!

W ten sposób do niczego nie dojdziemy. Wzdycham i jeszcze raz proszę Darcy, żeby przedstawiła mi wszystkie fakty.

Patrzy na mnie, jej oczy wypełniają się łzami, a usta lekko drżą.

– Rachel...

– Słucham?

– Jesteś moją najlepszą przyjaciółką. – Znowu zaczyna płakać, a łzy z gracją toczą się po jej lśniących policzkach i spadają na kolana. Zawsze potrafiła ładnie płakać.

– Tak. – Kiwam głową.

– Najlepszą przyjaciółką na świecie. I muszę ci coś powiedzieć.

– Możesz mi powiedzieć wszystko – mówię, czując, jak ogarnia mnie niepokój i nagła pewność, że Dex rozpoczął starania o zerwanie zaręczyn.

Patrzy na mnie i wydaje z siebie przeciągły jęk. Chociaż zazwyczaj jest bardzo pewna siebie, w stanie przygnębienia wydaje się niezwykle biedna i bezbronna. A mnie instynkt zawsze podpowiadał – i nadal podpowiada – że muszę jej pomóc.

– Powiedz mi, Darcy – mówię łagodnie.

– Rachel… Ja… Ja… zdjęłam pierścionek w czyimś mieszkaniu.

– Tak.

– W mieszkaniu pewnego faceta.

Czuję się tak, jakbym patrzyła przez kamerę i próbowała złapać ostrość. Czy ona mówi to, co ja słyszę?

– Rachel – powtarza Darcy, tym razem szeptem. – Zdradziłam Dextera.

Gapię się na nią, nie potrafiąc ukryć przerażenia.

Owszem, Darcy jest flirciarą. Owszem, lubi ryzyko. Jest egoistką. I rzeczywiście uwielbia znajdować się w centrum męskiego zainteresowania. Te cechy się sumują i układają w spójną całość. Zdrada w jej wykonaniu nie powinna mnie dziwić. W końcu Dex nie ma żadnej z powyższych cech, a robi dokładnie to samo. Mimo to jestem w szoku. Za niespełna dwa miesiące Darcy wychodzi za mąż. Jest wspaniałą przyszłą panną młodą w oszałamiającej sukni, o jakiej marzy każda mała dziewczynka. I jest z Dexterem. Jak, u diabła, można zdradzać kogoś takiego jak Dexter?

Cisną mi się na myśl typowe pytania dziennikarza. Jestem w reporterskim nastroju z czasów liceum i przeprowadzam wywiad dla „North Star".

– Z kim?

Pociąga nosem. Ma spuszczoną głowę.

– Z kolegą z pracy.

– Kiedy?

– Kilka razy. Dzisiaj. – Wyciera oczy grzbietem zaciśniętych dłoni i patrzy na mnie z ukosa.

Nie mam pojęcia, jaki wyraz maluje się na mojej twarzy. Nie jestem nawet pewna, jak się czuję. Ulga? Wściekłość? Odraza? Nadzieja? Nie marnuję czasu, żeby rozważyć implikacje, jakie to wydarzenie niesie dla mnie i Deksa.

– I właśnie w taki sposób zgubiłaś pierścionek?

Kiwa głową.

– Poszłam do niego po wyjściu z mieszkania, w drodze do pracy. – Przełyka ślinę i cicho szlocha. – Spotkaliśmy się, no wiesz, gadaliśmy...

– Spałaś z nim?

Jej kucyk podskakuje i opada z powrotem.

– Zdjęłam pierścionek, bo... cóż, czułam się winna, mając go na palcu podczas seksu z innym mężczyzną. – Wydmuchuje nos w przemoczoną chusteczkę.

– Chcesz świeżą?

Znowu kiwa głową. Biegnę do łazienki po pudełko chusteczek.

– Trzymaj – mówię, wręczając je Darcy.

Wyjmuje chusteczkę i jeszcze raz głośno wydmuchuje nos.

– W każdym razie zdjęłam pierścionek i położyłam go na parapecie, obok jego łóżka. – Wskazuje moje łóżko. – Ma podobną kawalerkę do twojej.

Kawalerka. Zatem raczej nie należy do kadry zarządzającej, co jest dla mnie nie lada zaskoczeniem. Przypuszczałam, że Darcy poleciała na władzę. Na starszego mężczyznę. Wyobrażałam sobie kogoś w rodzaju Richarda Gere'a z *Pretty Woman*. Zmieniam ten mentalny obraz na Matta Damona z *Buntownika z wyboru*.

– No więc wiesz, pobyliśmy razem. – Macha ręką w powietrzu. – A potem ubraliśmy się i poszliśmy na metro. Żeby pojechać do pracy.

– Uhmm...

– I kiedy dotarłam na miejsce, zauważyłam, że zapomniałam o pierścionku. Zadzwoniłam do niego i powiedziałam, że muszę tam wrócić i zabrać pierścionek. Stwierdził, że to żaden problem, ale o trzeciej ma spotkanie, które potrwa kilka godzin. Zapytał, czy możemy się spotkać o siódmej. Oczywiście, zgodziłam się... No więc spotkaliśmy się u niego o siódmej. A kiedy weszliśmy do środka, okazało się, że mieszkanie jest idealnie wysprzątane. Wcześniej panował tam totalny bałagan. Wtedy on mówi: „Cholera. Była sprzątaczka". Podchodzimy do parapetu, a pierścionka nie ma! – Płacze jeszcze głośniej. – Ta suka go zabrała.

– Jesteś pewna? Nie chce mi się wierzyć, że ktoś mógłby zrobić coś takiego...

Posyła mi spojrzenie mówiące: Nie zgrywaj takiej Pollyanny.

– Pierścionek zniknął, Rachel. Zniknął. Zniknął. Zniknął!

– A czy ten facet nie może po prostu zadzwonić do swojej sprzątaczki i powiedzieć, że wie o jej postępku?

– Próbowaliśmy to zrobić. Ona kiepsko mówi po angielsku. Powtarzała tylko, że „nie widziała żaden pierścionek". – Darcy naśladuje akcent pokojówki. – Nawet wzięłam od niego słuchawkę. Powiedziałam, że jeśli znajdzie pierścionek, dostanie dużą, dużą nagrodę. Ta suka nie jest głupia. Wie, że dwa karaty to tyle co umycie dwudziestu milionów brudnych kibli.

– Dobra – mówię. – Ale pierścionek jest ubezpieczony, prawda?

– Tak, jest ubezpieczony. Ale co, u diabła, powiem Deksowi?

– Nie wiem. Powiedz, że wpadł do odpływu w zlewie, kiedy byłaś w pracy... Powiedz, że zdjęłaś go na siłowni i ktoś włamał się do twojej szafki.

Posyła mi niewyraźny uśmiech.

– To z siłownią mi się podoba. Wiarygodna historia, prawda?

– Absolutnie.

– Po prostu nie mogę uwierzyć, że do tego doszło.

No to jest nas dwie. Nie mogę uwierzyć, że Darcy zdradziła Deksa z jakimś przypadkowym facetem. Nie mogę uwierzyć, że pomagam jej zatuszować tę sprawę. Czy wszyscy ludzie zdradzają w okresie narzeczeństwa?

– Czy to poważny romans? – pytam.

– Niezupełnie. To zdarzyło się tylko parę razy.

– Więc to nic poważnego?

– Nie wiem. Nie bardzo. Nie wiem. – Kręci głową, po czym ukrywa twarz w dłoniach.

Zastanawiam się, czy niedawne humory Darcy mają coś wspólnego z tym facetem.

– Zakochałaś się w nim?

– Boże, nie – mówi. – To tylko zabawa. To nic nie znaczy.

– Jesteś pewna, że powinnaś wziąć ślub? – pytam.

– Wiedziałam, że powiesz coś takiego! – Darcy znowu uderza w płacz. – Nie możesz po prostu przestać zgrywać takiej świętoszki i zwyczajnie mi pomóc?

Wierz mi, nie jestem świętoszką.

– Przepraszam, Darcy. Wcale nie próbuję zgrywać świętoszki... Po prostu oferuję ci ewentualne wyjście z sytuacji.

– Nie chcę żadnego wyjścia z sytuacji. Chcę wziąć ślub. Po prostu... sama nie wiem... czasami wpadam w panikę, i tyle. Boję się, że już nigdy nie będę z innym mężczyzną. I dlatego miałam ten mały romans. To nic nie znaczyło.

– Dobra. Chciałam tylko powiedzieć, że jeśli nie masz pewności co do tego całego małżeństwa... Chcę tylko, żebyś wiedziała, że w pełni poprę każdą decyzję...

– Nie będzie żadnej decyzji! Biorę ślub. Kocham Deksa – przerywa mi.

– Przepraszam – mówię. I rzeczywiście żałuję. Żałuję, że ja również kocham Deksa.

– Nie. To ja przepraszam, Rachel. – Dotyka mojego kolana. – To był okropny dzień.

– Rozumiem.

– N a p r a w d ę rozumiesz? Wyobrażasz sobie, jak to jest, kiedy tylko kilka tygodni dzieli cię od złożenia obietnicy, która ma obowiązywać już do końca życia?

Och, biedactwo. Czy ona ma pojęcie, ile dziewczyn byłoby w stanie zabić za szansę złożenia tej obietnicy komuś takiemu jak Dexter? Z jedną z nich właśnie rozmawia.

– Całe życie to bardzo dużo czasu – mówię z lekkim sarkazmem.

– Cytujesz piosenkę Prince'a? Lepiej nie cytuj piosenki Prince'a, kiedy jestem w opresji!

Mówię, że nie, chociaż właśnie to zrobiłam.

– To j e s t dużo czasu – mówi Darcy. – I czasami nie jestem pewna, czy potrafię temu sprostać. To znaczy chcę wyjść za mąż, ale niekiedy nie wiem, czy jestem w stanie wytrzymać tych czterdzieści czy ileś tam lat i nigdy nie poczuć tego podniecenia związanego z całowaniem nowej osoby. No, spójrz tylko na Hillary. Jest w siódmym niebie, prawda?

– Tak.

– A z Deksem już tak nie jest. Nigdy. Została nam tylko codzienna rutyna: on cały czas siedzi w pracy i zostawia mnie samą ze wszystkimi ślubnymi planami. Jeszcze się nie pobraliśmy, a już dawno skończyła się zabawa.

– Darcy – mówię. – Wasz związek ewoluował. Już nie chodzi o tę początkową gorączkę, pożądanie, nowość.

Patrzy na mnie, jakby naprawdę słuchała i zapisywała moje słowa w pamięci. Nie mogę uwierzyć, że to mówię. Przekonuję ją, że jej związek jest wspaniały i wyjątkowy. Nie wiem, dlaczego to robię.

– Podniecenie związane ze zmianą zawsze wydaje się ekscytujące. Ale nie o to chodzi w prawdziwym, trwałym i pełnym miłości związku. A początkowe zauroczenie, kiedy dwoje ludzi nie może oderwać od siebie rąk, zawsze blaknie z czasem.

Jednak nie w przypadku mnie i Deksa, myślę. Nasz związek zawsze będzie szczególny.

– Na pewno masz rację – zgadza się. – Kocham go.

Wiem, że wierzy w to, co mówi, lecz nie jestem pewna, czy rzeczywiście go kocha. Nie jestem pewna, czy potrafi naprawdę kochać kogoś z wyjątkiem samej siebie.

José dzwoni domofonem, żeby powiedzieć, że dostarczono jedzenie.

– Dzięki. Możesz wpuścić dostawcę na górę – mówię do mikrofonu.

Kiedy wychodzę na korytarz, żeby zapłacić dostawcy, dzwoni mój domowy telefon. Wpadam w panikę. Co będzie, jeśli to Dex? Wciskam dostawcy banknoty i pędzę z powrotem do środka, rzucam torbę z jedzeniem na stolik do kawy i podnoszę słuchawkę dokładnie w chwili, kiedy ma się włączyć automatyczna sekretarka. I rzeczywiście, to Dex.

– Cześć – mówi. – Bardzo przepraszam, że nie zadzwoniłem wcześniej. To był koszmarny dzień. Roger i ja…

– Nie szkodzi – przerywam mu.

– Mogę do ciebie wpaść? Chcę się z tobą zobaczyć.

– Mmm… Nie – mówię.

– Nie mogę?

– Nie…

– Dobra… Dlaczego?… Masz towarzystwo? – Ścisza głos.

– Tak – próbuję dostosować ton mojego głosu do obojga słuchaczy. – Szczerze mówiąc, tak.

Patrzę na Darcy. Bezgłośnie porusza ustami, pytając, kto to?

Ignoruję ją.

– W porządku… Nie ma sprawy… Ale to nie Marcus, prawda? – pyta Dex.

– Nie… Jest u mnie Darcy – mówię.

– Oooo, cholera. Dobrze, że najpierw zadzwoniłem – szepcze.

– Pogadamy jutro?

– Tak – mówi. – Na pewno.

– Brzmi świetnie.

– Kto to był? – pyta Darcy, kiedy odkładam słuchawkę.

– Ethan.

– Daj spokój, rozmawiałaś z Marcusem? – pyta. – Mnie możesz powiedzieć.

– Nie, to n a p r a w d ę był Ethan.

– Może chciał ci powiedzieć, że jest gejem.

– Uhmm – mówię, otwierając pudełka z jedzeniem.

Kiedy jemy chińszczyznę, pytam, co z Deksem.

– Co masz na myśli?

– Mam na myśli to, czy podejrzewa, że coś się dzieje.

– Nie. Za dużo pracuje. – Przewraca oczami.

Zauważam, że nie poprawiła mojego „coś się d z i e j e" na „coś się d z i a ł o".

– Nie?

– Nie. Jest normalnym Deksem, tym samym co dawniej.

– Naprawdę?

– Tak, naprawdę. Dlaczego pytasz? – Otwiera sprite'a i pije z puszki.

– Po prostu się zastanawiałam – odpowiadam. – Czytałam, że kiedy jedna osoba zdradza, ta druga zazwyczaj wyczuwa to na jakimś głębszym wewnętrznym poziomie.

Siorbie zupę wonton z plastikowej łyżki i spogląda na mnie nierozumiejącym wzrokiem.

– Nie wierzę w to – mówi.

– Tak – zgadzam się. – Ja chyba też nie.

Po kolacji biorę dwa ciasteczka z wróżbą.

– Które wybierasz?

Wskazuje moją lewą dłoń.

– To. I lepiej, żeby to było coś pozytywnego. Nie zniosę więcej przeciwności losu.

Mam ochotę jej powiedzieć, że decyzja o sypianiu z kolegą z pracy i lekkomyślne pozostawienie pierścionka zaręczynowego w jego mieszkaniu nie ma nic wspólnego z losem. Zdejmuję plastikowe opakowanie z czerstwego ciasteczka, rozłamuję je i w milczeniu odczytuję moją wróżbę. „Jest wiele rzeczy, za które możesz być wdzięczna".

– Co masz? – chce wiedzieć Darcy.

Czytam na głos.

– Całkiem dobre.

– Tak, ale to nie wróżba. To stwierdzenie. Nie cierpię, kiedy wciskają stwierdzenia zamiast wróżb.

– W takim razie udawaj, że to b ę d z i e wiele rzeczy, za które możesz być wdzięczna – mówi, zdejmując opakowanie ze swojego ciasteczka. – Lepiej, żeby to było: „Odzyskasz pierścionek z rąk portorykańskiej suki".

Po cichu czyta wróżbę i wybucha śmiechem.

– Co to?

– „Jest wiele rzeczy, za które możesz być wdzięczna"... Co za pieprzenie. Masowa produkcja wróżb!

Tak, i tylko jedna z nas będzie miała za co być wdzięczna.

Darcy mówi, że powinna już iść i powiedzieć Deksowi o pierścionku. Kiedy sięga po torebkę, znowu się rozkleja.

– Zrobisz to za mnie?

– Absolutnie nie. Ja się do tego nie mieszam – odpowiadam, rozśmieszając samą siebie absurdalnością tego oświadczenia.

– Co mam mu powiedzieć?

– Że zgubiłaś go na siłowni.

– Czy przed ślubem zdążymy kupić nowy?

Zapewniam ją, że tak, zdając sobie sprawę, że ani razu nie wyraziła przywiązania do pierścionka, który wybrał dla niej Dexter.

– Rachel?

– Hmm?

– Myślisz, że jestem okropna? Proszę, nie myśl, że jestem okropna. Nigdy wcześniej go nie zdradzałam. Nigdy więcej tego nie zrobię. Naprawdę go kocham.

– W porządku – mówię, zastanawiając się, czy rzeczywiście nigdy więcej tego nie zrobi.

– Myślisz, że jestem paskudna?

– Nie, Darcy – zaprzeczam. – Wszyscy popełniają błędy.

– Wiem. Tak właśnie było. Totalna pomyłka. Bardzo, bardzo tego żałuję.

– Używaliście prezerwatywy? – pytam.

Przypominam sobie planszę pokazywaną na lekcji biologii, mówiącą, że każdy seksualny partner to zarazem dziesiątki innych, o których nie masz pojęcia: każda osoba, z którą się przespał, i tak dalej...

– Oczywiście!

– To dobrze. – Kiwam głową. – Zadzwoń później, jeśli będziesz mnie potrzebowała.

– Dzięki. Bardzo ci dziękuję za pomoc.

– Nie ma sprawy.

– O, i jeszcze jedno... nikomu o tym nie mów. Naprawdę nikomu. Ethanowi, Hillary...

A co z Deksem? Mogę powiedzieć Deksowi?

– Oczywiście, nikomu nie powiem.

– Dzięki, Rachel. Nie wiem, co bym bez ciebie zrobiła. – Przytula mnie i klepie po plecach.

Po wyjściu Darcy staram się rozstrzygnąć oczywisty dylemat – powiedzieć czy nie powiedzieć. Podchodzę do tego jak do pytania na egzaminie, odsuwając emocje na bok.

Na pierwszy rzut oka odpowiedź wydaje się jasna: powiem Dexterowi. Są trzy ważne powody uzasadniające taką decyzję. Po pierwsze, chcę, żeby o tym wiedział. To leży w moim najlepszym interesie. Jeśli do tej pory nie zdecydował się na odwołanie ślubu, ta informacja prawdopodobnie zniechęci go do ożenienia się z Darcy. Po drugie, kocham Dextera, co oznacza, że powinnam podejmować decyzje, mając na względzie jego dobro. Dlatego chcę, aby znał wszystkie fakty, zanim podejmie tak ważną życiową decyzję. Po trzecie, moralność przemawia za tym, żeby Dex się o wszystkim dowiedział. Mam moralny obowiązek powiedzieć Dexterowi prawdę o postępkach Darcy. (Należy to odróżnić od chęci ukarania Darcy, która z pewnością zasługuje na nauczkę). Ponadto cenię i szanuję instytucję małżeństwa, a niewierność Darcy bynajmniej nie wróży długiego i trwałego związku. Ten trzeci argument nie ma nic wspólnego z moim osobistym interesem, ponieważ gdybym nie była zakochana w Deksie, byłoby dokładnie tak samo.

Jednak logika trzeciego argumentu wydaje się wskazywać również na to, że Darcy powinna dowiedzieć się o niewierności Deksa i że nie powinnam przed nią ukrywać moich postępków (ponieważ jest moją przyjaciółką i mi ufa, a poza tym oszukiwanie zasługuje na potępienie). Zatem można by utrzymywać, że myślenie, iż Dex powinien poznać prawdę o Darcy, pozostaje w jaskrawej sprzeczności z ukrywaniem przed nią moich grzechów. Taka argumentacja pomija jednak ważne rozróżnienie, od którego zależy wynik mojej analizy: istnieje różnica pomiędzy myśleniem, że należy coś powiedzieć, a podjęciem się roli informatora. Owszem, uważam, że Dex powinien się dowiedzieć o tym, co wyrabia Darcy i (być może? prawdopodobnie?) będzie wyrabiać nadal. Ale czy to ja powinnam mu o tym powiedzieć? Jestem skłonna uznać, że nie.

Ponadto chociaż Dex nie powinien żenić się z Darcy, to nie dlatego że ją zdradzał lub ona zdradzała jego. I nie dlatego że mnie kocha, a ja kocham jego. To wszystko prawda, lecz owe fakty stanowią jedynie objawy większego problemu, a mianowicie ich wadliwego związku. Darcy i Dex do siebie nie pasują. To, że obydwoje zdradzili, choć kierowali się odmiennymi pobudkami (miłość *versus* egoistyczna mieszanka strachu przed podjęciem zobowiązań oraz pożądania), jest tylko jednym ze wskaźników. Ale nawet gdyby żadne z nich nie zdradziło, ich związek byłby bez sensu. A jeśli Darcy i Dex nie doszli do tej elementarnej prawdy na podstawie swoich interakcji, uczuć i wspólnie spędzonych lat, jest to ich błąd, a nie agrument za tym, żebym zabawiła się w informatora.

Mogę również dodać przypis, na przykład przy okazji dyskusji o moralności, gdzie skupię się na zdradzie Darcy: Owszem, wyjawienie tajemnicy Darcy byłoby złe, lecz w świetle mojej daleko gorszej zdrady wyjawianie czyjegoś sekretu wydaje się niewartą zastanowienia błahostką. Jednak z drugiej strony można by uznać, że odsłonięcie tajemnicy jest gorsze. Samo sypianie z Deksem nie ma nic wspólnego z Darcy, lecz powtórzenie jej sekretu wiąże się z nią bardzo mocno. Jednak zważywszy na to, że ostatecznie postanawiam o niczym nie mówić Deksowi, ta kwestia pozostaje otwarta.

I oto mam odpowiedź. Możliwe, że moja argumentacja nie jest zbyt logiczna, zwłaszcza pod koniec, gdzie w pewnym sensie się załamuję i z grubsza rzecz biorąc, pytam: A nie mówiłam? Już widzę czerwone uwagi na marginesie zeszytu: Niejasne! albo: Dlaczego to ma być ich błąd? Karzesz ich za głupotę czy za niewierność? Wyjaśnij!

Jednak bez względu na kiepskie uzasadnienie i świadomość, że Ethan i Hillary oskarżyliby mnie o typową bierność, nie zamierzam powiedzieć Deksowi ani słowa.

ROZDZIAŁ 19

Następnego dnia po powrocie z pracy odbieram u José ubrania z pralni i sprawdzam zawartość skrzynki pocztowej, w której znajduję rachunek za kablówkę, nowy numer magazynu „In Style" i wielką kopertę koloru kości słoniowej zaadresowaną ozdobną kaligrafią i opatrzoną dwoma znaczkami w kształcie serca. Wiem, co to takiego, jeszcze zanim odwracam kopertę na drugą stronę i znajduję adres nadawcy z Indianapolis.

Tłumaczę sobie, że ślub można odwołać pomimo rozesłania zaproszeń. To jedynie kolejna przeszkoda. Owszem, pogarsza sytuację, ale jest tylko formalnością, szczegółem technicznym. Mimo to kręci mi się w głowie i mam mdłości, kiedy otwieram kopertę i w środku znajduję drugą, mniejszą. Na tej widnieje moje imię oraz cztery upokarzające słowa: „Wraz z osobą towarzyszącą". Odkładam na bok zaproszenie oraz kolorystycznie dopasowaną kopertę i wtedy ze środka wypada srebrna bibułka, która ląduje pod moją kanapą. Nie mam siły, żeby ją podnieść. Zamiast tego siadam na kanapie i biorę głęboki oddech, zbierając odwagę przed przeczytaniem grawerowanego tekstu, jak gdyby sposób, w jaki zaproszenie sformułowano, mógł poprawić albo pogorszyć sytuację:

Nasza radość będzie pełniejsza,
Jeśli zechcesz uczcić z nami małżeństwo naszej córki
Darcy Jane
z
Dexterem Thalerem.

Zduszam łzy i wolno wypuszczam powietrze, po czym przechodzę do dalszej części zaproszenia:

Zapraszamy Cię do wzięcia udziału w ceremonii zaślubin,
wysłuchania przysięgi i towarzyszenia nam
podczas przyjęcia weselnego.
Jeśli nie możesz do nas dołączyć,
prosimy o obecność myślą i modlitwą.
Państwo Rhone
R.S.V.P.

Tak, okazuje się, że sposób sformułowania zaproszenia rzeczywiście może pogorszyć sytuację. Kładę je na stoliku do kawy i wbijam w nie wzrok. Wyobrażam sobie panią Rhone, która nadaje zaproszenia na poczcie przy ulicy Jefferson, a jej długie czerwone paznokcie stukają w stosik z matczynym zadowoleniem. Słyszę, jak swoim nosowym głosem mówi: „Nasza radość będzie pełniejsza" i: „Prosimy o obecność myślą i modlitwą".

Dostanie swoją modlitwę – pomodlę się o to, żeby do ślubu nie doszło. O to, żeby trafiła do mnie kolejna przesyłka:

Państwo Rhone
zawiadamiają, że ślub
ich córki Darcy
z Dexterem Thalerem
został odwołany.

Takie sformułowanie będę w stanie docenić. Krótko, prosto i na temat. „Został odwołany". Państwo Rhone będą zmuszeni porzucić swój typowy kwiecisty styl. Bo przecież nie mogą napisać: „Z żalem zawiadamiamy, że pan młody kocha inną", ani: „Pogrążeni w smutku, zawiadamiamy, że Dexter złamał naszej córce serce". Nie, to będzie bardzo rzeczowa korespondencja – tani papier, kanciasta czcionka i napisany na komputerze adres. Pani Rhone nie będzie chciała wydawać pieniędzy na markową papeterię i kaligrafię, skoro i tak porządnie się już wykosztowała. Wyobrażam ją sobie na poczcie, tym razem zrezygnowaną, mówiącą pani w okienku, że nie, tym razem nie potrzebuje znaczków z serduszkami. Dwieście zwykłych znaczków w zupełności wystarczy.

Kiedy leżę w łóżku, dzwoni Dex z pytaniem, czy może do mnie wpaść.

Chociaż właśnie dostałam zaproszenie na jego ślub, mówię: Tak, przyjdź. Wstydzę się własnej słabości, lecz potem myślę o wszystkich ludziach na świecie, którzy w imię miłości robili bardziej żałosne rzeczy. A najważniejsze jest to, że kocham Deksa. Nawet jeśli jest ostatnią osobą na ziemi, którą powinnam darzyć tym uczuciem, naprawdę go kocham. I jeszcze nie spisałam go na straty.

Czekając na niego, zastanawiam się, czy powinnam schować zaproszenie, czy może pozostawić je na stoliku do kawy, na widoku. Postanawiam wsadzić je między strony magazynu „In Style". Kilka minut później otwieram drzwi ubrana w białą bawełnianą koszulę nocną.

– Byłaś już w łóżku? – pyta Dex.

– Uhmm.

– W takim razie pozwól, że zaprowadzę cię tam z powrotem.

Kładziemy się. Dex przykrywa nas kołdrą.

– Tak bardzo lubię cię dotykać – mówi, głaszcząc mnie i wsuwając rękę pod moją koszulę. Zaczynam się opierać, lecz później ustępuję. Patrzy mi w oczy, a potem wolno całuje. Bez względu na to, jak bardzo jestem nim rozczarowana, nie wyobrażam sobie, że mogłabym powstrzymać tę falę. Kiedy się ze mną kocha, prawie się nie poruszam. Cały czas coś mówi, choć zwykle tego nie robi. Nie rozumiem, co dokładnie, ale słyszę słowo „zawsze". Chyba chodzi mu o to, że zawsze chce być ze mną. Nie poślubi Darcy. Nie może. Ona go zdradziła. Nie kochają się. Dex kocha mnie.

Kiedy mnie pieści, na moją poduszkę kapią łzy.

– Jesteś dzisiaj taka milcząca – mówi.

– Tak – odpowiadam, starając się zapanować nad drżeniem głosu. Nie chcę, żeby wiedział, że płaczę. Ostatnią rzeczą, jakiej potrzebuję, jest litość Dextera. Jestem bierna i słaba, ale zostało mi jeszcze trochę, choć raczej niewiele, godności.

– Porozmawiaj ze mną – prosi. – O czym myślisz?

Już mam poruszyć temat zaproszenia, jego planów, nas, lecz zamiast tego silę się na beztroski ton:

– O niczym szczególnym... Po prostu zastanawiałam się, czy wybierasz się w weekend do Hamptons.

– Obiecałem to Marcusowi. Znowu chce grać w golfa.

– Aha.

– Domyślam się, że ty nie bierzesz wyjazdu pod uwagę?

– To chyba nie byłby najlepszy pomysł.

– Proszę?

– Chyba nie.

– Proszę. Proszę, jedź. – Całuje tył mojej głowy.

Wystarczą trzy małe „proszę".

– Dobrze – szepczę. – Pojadę.

Zasypiam, nienawidząc siebie za to, że się zgodziłam.

Następnego dnia do mojego gabinetu wpada Hillary.

– Zgadnij, co wczoraj znalazłam w skrzynce na listy – mówi oskarżycielskim tonem, w którym nie słychać ani śladu współczucia.

Zupełnie przeoczyłam fakt, że Hillary również dostanie zaproszenie. Nie przygotowałam dla niej żadnego wyjaśnienia.

– Wiem – mówię.

– Zatem masz swoją odpowiedź.

– Nadal może to odwołać.

– Rachel!

– Jest jeszcze czas. Dałaś mu dwa tygodnie, pamiętasz? Zostało kilka dni.

– Widziałaś się z nim ostatnio? – Hillary unosi brwi i parska lekceważąco.

– Wczoraj wieczorem. – Chcę skłamać, ale nie mam siły.

– Powiedziałaś mu, że dostałaś zaproszenie? – Wytrzeszcza oczy i patrzy na mnie z niedowierzaniem.

– Nie.

– Rachel!

– Wiem – mówię, czując wstyd.

– Proszę, powiedz, że nie jesteś jedną z t y c h kobiet.

Wiem, jaki typ ma na myśli. Kobiety, która latami trwa w związku z żonatym mężczyzną, mając nadzieję, a nawet wierząc, że pewnego dnia wróci mu rozum i zostawi wreszcie żonę. Ta chwila wydaje się bardzo bliska – jeśli tylko poczeka, na pewno nie pożałuje. Jednak czas płynie, a lata przynoszą tylko nowe wymówki. Dzieci chodzą jeszcze do szkoły, żona jest chora, szykuje się wesele, wnuk w drodze. Zawsze coś, powód, żeby utrzymać *status quo*. Jednak potem wymówki się kończą i ostatecznie kobieta godzi się z tym, że nie będzie żadnego odejścia od żony i że zawsze będzie tą drugą. Dochodzi do wniosku, że drugie miejsce jest lepsze niż nic. Poddaje się losowi. Od niedawna darzę takie kobiety współczuciem, chociaż nie wierzę, że już dołączyłam do ich grona.

– To nie jest trafne spostrzeżenie – zauważam.

Posyła mi spojrzenie mówiące: „Och, doprawdy?".

– Dexter nie jest żonaty.

– Racja. Nie jest żonaty. Ale jest z a r ę c z o n y. Co może być jeszcze gorsze. Ma szansę zmienić tę sytuację, o t a k – pstryka palcami. – Ale on zupełnie nic nie robi.

– Posłuchaj, Hillary, rozmawiamy o czymś, co nie będzie trwać wiecznie... Mogę być jedną z t y c h kobiet jeszcze tylko przez miesiąc.

– Przez miesiąc? Masz zamiar ciągnąć to aż do ostatniej chwili?

Odwracam wzrok i patrzę przez okno.

– Rachel, na co ty czekasz?

– Chcę, żeby to była jego decyzja. Nie chcę ponosić odpowiedzialności...

– Dlaczego nie?

Wzruszam ramionami. Gdyby wiedziała o niewierności Darcy, wpadłaby w szał.

– Chcesz usłyszeć moją radę? – Wzdycha.

Nie chcę, lecz mimo to kiwam głową.

– Powinnaś go rzucić. Natychmiast. Zrób coś, dopóki jeszcze masz wybór. Im dłużej to trwa, tym gorzej będziesz się czuła, stojąc w kościele i patrząc, jak przypieczętowują swoją przysięgę pocałunkiem, który Darcy przeciągnie do granic dobrego smaku... Potem zobaczysz, jak kroją weselny tort i karmią się nim, a Darcy rozsmarowuje lukier na jego twarzy. Później będziesz ich obserwować, jak tańczą przez całą noc... A potem...

– Wiem. Wiem.

Hillary jeszcze nie skończyła:

– ... A potem znikną w mrokach nocy i wyruszą w podróż poślubną na wspaniałe Hawaje!

Krzywię się i mówię, że wiem, o co jej chodzi.

– Po prostu nie mogę zrozumieć, dlaczego nic nie robisz, dlaczego na niego nie naciskasz. Dlaczego?

Powtarzam, że nie chcę ponosić odpowiedzialności za ich rozstanie, że pragnę, aby to Dex podjął decyzję.

– On p o d e j m i e decyzję. Nie będziesz suszyła mu głowy. Po prostu pogodzisz się z losem. Dlaczego nie wykazujesz większej asertywności w tak ważnej dla siebie sprawie?

Nie znajduję żadnego wytłumaczenia. A przynajmniej takiego, które by ją zadowoliło. Dzwoni telefon, przerywając niezręczne milczenie.

Zerkam na wyświetlacz.

– To Les. Lepiej odbiorę – mówię, czując ulgę, że przesłuchanie dobiegło końca. Smutny to dzień, skoro telefon od Lesa sprawia mi radość.

Tego samego popołudnia robię sobie przerwę w pracy i odwracam fotel w stronę okna. Spoglądam na Park Avenue, obserwując zwyczajne życie ludzi. Ilu z nich czuje rozpacz, euforię albo po prostu wewnętrzną martwotę? Zastanawiam się, czy przed którąś z tych osób stoi wizja utraty czegoś bardzo ważnego. A może już to utraciła. Zamykam oczy i wyobrażam sobie ślubne sceny, które odmalowała przede mną Hillary. Potem dodaję od siebie dalszy ciąg miesiąca miodowego: Darcy odziana w nową bieliznę, uwodzicielsko rozłożona na łóżku. Widzę to wszystko aż nazbyt wyraźnie.

I nagle zaczynam rozumieć, dlaczego nie chcę naciskać na Deksa. Dlaczego nic nie powiedziałam ani czwartego lipca, ani potem, ani wczoraj wieczorem. Wszystko sprowadza się do moich oczekiwań. W głębi serca tak naprawdę nie wierzę, że Dex odwoła ślub, żeby być ze mną, bez względu na to, co zrobię lub powiem. Wierzę, że te sceny ze ślubu i miesiąca miodowego Deksa i Darcy naprawdę się wydarzą, podczas gdy ja zostanę odsunięta na bok, sama. Czuję przyszły smutek i wyobrażam sobie ostatnie spotkanie z Deksem, o ile nie mam go już za sobą. Jasne, czasami pisałam inne zakończenie tej historii, w którym to ja jestem z nim, lecz te marzenia zawsze są ulotne i nigdy nie wyszły poza sferę gdybania. Mówiąc w skrócie, nie wierzę we własne szczęście. Poza tym jest jeszcze Darcy. Kobieta, która uważa, że należy jej się wszystko, co najlepsze, i w rezultacie właśnie to dostaje. Zawsze dostawała. Zwycięża, bo oczekuje zwycięstwa. Ja nie spodziewam się, że dostanę to, czego chcę, więc nie dostaję nic. I nawet się nie staram.

Jest sobotnie popołudnie i odpoczywamy w Hamptons. Rano przyjechałam tu pociągiem, a teraz cała nasza paczka siedzi w komplecie na podwórzu. Bycie razem to dobra recepta na katastrofę. Julian i Hillary grają w badmintona. Pytają, czy ktoś chce się z nimi zmierzyć w grze w debla. Dex ochoczo się zgadza. Hillary rzuca mu wściekłe spojrzenie.

– Kogo wybierzesz sobie do pary, Dexter?

Aż do tej chwili Dex n i e w i e d z i a ł, że cokolwiek jej o nas powiedziałam. Miałam dwa powody, żeby go o tym nie informować: nie chciałam, aby czuł się niezręcznie w jej towarzystwie, i nie chciałam dawać mu przyzwolenia na to, by i on powiedział o nas przyjacielowi.

Jednak Hillary rzuca to kąśliwe pytanie w sposób, którego osoba wtajemniczona w sytuację po prostu nie może zignorować. Wygląda na to, że wtajemniczony jest również Julian, który posyła jej ostrzegawcze spojrzenie. Stało się jasne, że to on będzie łagodzącą siłą w tym duecie.

Hillary to nie wystarcza.

– No, Dex, kogo wybierasz? – Opiera dłoń na biodrze i celuje w niego rakietką.

Dex wpatruje się w Hillary. Ma zaciśnięte zęby. Jest wściekły.

– A co będzie, jeśli zapragną ci towarzyszyć dwie osoby? – Pytanie Hillary zawiera wyraźny podtekst.

Darcy zdaje się nie zauważać napięcia. Podobnie jak Marcus i Claire. Być może wszyscy przywykli do tego, że czasami Hillary przemawia zaczepnym tonem. Może po prostu uważają, że to normalne u prawniczki.

– Czy ktoś chce ze mną zagrać? – Dex odwraca się i patrzy w naszą stronę.

– Nie, stary. Nie, dzięki. To babska gra. – Marcus lekceważąco macha dłonią.

Darcy chichocze.

– Tak, Dex. Jesteś facetem, który lubi babskie gry.

Claire mówi, że nie cierpi sportu.

– Badminton to nie sport – mówi Marcus, otwierając puszkę budweisera. – Równie dobrze można by nazwać sportem grę w klasy.

– Wygląda na to, że musisz wybierać między Darcy a Rachel. Prawda? – pyta Hillary. – Masz ochotę zagrać, Rach?

Siedzę nieruchomo przy piknikowym stole pomiędzy Darcy i Claire.

– Nie, dzięki – odmawiam nieśmiało.

– Chcesz, żebym z tobą zagrała, kochanie? – pyta Darcy. Osłania oczy dłonią i spogląda w stronę Deksa.

– Jasne – zgadza się. – Chodź.

Hillary prycha z pogardą, kiedy Darcy podrywa się z miejsca, oznajmiając, że fatalnie gra w badmintona.

Dex wpatruje się w trawę, czekając, aż Darcy weźmie czwartą rakietkę i dołączy do niego na polu wyznaczonym przez różne klapki i tenisówki.

– Gramy do dziesięciu – mówi Hillary, podrzucając lotkę przed pierwszym serwem.

– Dlaczego serwujesz pierwsza? – pyta Dex.

– Łap – przerzuca lotkę nad siatką. – Proszę bardzo.

Dex łapie ją i posyła Hillary wściekłe spojrzenie.

Gra jest zacięta, przynajmniej za każdym razem kiedy dochodzi do wymiany między Hillary a Deksem. Lotka jest ich amunicją i uderzają ją z całej siły, celując w siebie nawzajem. Marcus komentuje głosem Howarda Cosella:

– Atmosfera w Hamptons jest bardzo napięta, ponieważ obydwie drużyny dążą do zwycięstwa. – Claire dopinguje jednych i drugich. Ja milczę.

Jest dziewięć do ośmiu. Prowadzą Hillary i Julian. Julian serwuje od dołu. Darcy piszczy i uderza z zamkniętymi oczami. Dzięki zwykłemu fartowi udaje jej się trafić w lotkę. Odbija ją w stronę Hillary. Hillary ustawia się i uderza potężnym forhendem, który przywodzi na myśl Venus Williams. Lotka unosi się w powietrze i sunie ponad siatką w kierunku Darcy. Darcy kuli się ze strachu, szykując się do odbicia, ale Dex krzyczy:

– Aut! Aut! – Jego czerwoną twarz pokrywają kropelki potu. Lotka ląduje tuż obok japonki Claire.

– Aut! – krzyczy Dexter, wycierając czoło przedramieniem.

– Gówno prawda. Linia wlicza się do boiska! – odkrzykuje Hillary. – Koniec meczu!

Marcus dobrodusznie zauważa, że jego zdaniem gra w badmintona nie zasługuje na miano meczu. Claire podrywa się z miejsca i biegnie truchtem w kierunku lotki, żeby ocenić jej położenie względem swojego buta. Hillary i Julian dołączają do niej. Pięć par oczu wpatruje się w lotkę. Julian mówi, że sprawa wygląda na skomplikowaną. Hillary rzuca mu wściekłe spojrzenie, a potem zaczynają przekrzykiwać się z Deksem jak para podwórkowych wrogów:

– Aut!

– Boisko!

Claire oznajmia swoim najbardziej pojednawczym tonem, że należy zrobić powtórkę. Najwidoczniej w dzieciństwie nie spędzała zbyt wiele czasu na podwórku, bo nie wie, że powtórki są największym powodem do starć. Potwierdza to reakcja Hillary.

– A gówno – mówi. – Nie będzie żadnej powtórki. Linia przez cały dzień zaliczała się do boiska.

– Przez cały dzień? Gramy dopiero od dwudziestu minut – zauważa kąśliwie Dex.

– Nie sądzę, żeby lotka wylądowała na linii – wtrąca Darcy. Ale wcale jej to nie obchodzi. Chociaż w prawdziwym życiu uwielbia rywalizować, sporty i gry jej nie interesują. Podczas gry w monopol kupowała budynki, kierując się ich kolorem. Uważała, że małe domki są o wiele fajniejsze niż te „wielkie, paskudne, czerwone hotele".

– W porządku. Skoro nie możesz obejść się bez o s z u k i-
w a n i a – mówi Hillary do Deksa, maskując prawdziwe intencje przyjaznym uśmiechem, jak gdyby zwyczajnie go prze-
drzeźniała. Patrzy na niego szeroko otwartymi niewinnymi
oczami.

Mam wrażenie, że zaraz zemdleję.

– Dobra, wygraliście – odpowiada Dex, jak gdyby nic go to
nie obchodziło. Niech Hillary zwycięży w tej głupiej grze.

Takie postawienie sprawy nie zadowala Hillary. Wygląda
na zdezorientowaną, nie jest pewna, czy kłócić się dalej, czy
cieszyć się ze zwycięstwa. Boję się tego, co może za chwilę
powiedzieć.

Dex rzuca rakietkę na trawę obok drzewa.

– Idę wziąć prysznic – informuje nas, kierując się w stronę domu.

– Jest wściekły – mówi Darcy, doznawszy nagłego olśnie-
nia. Oczywiście myśli, że chodzi o grę. – Dex nie znosi prze-
grywać.

– Tak, zachowuje się jak duże dziecko – komentuje z odrazą Hillary.

Zauważam (z zadowoleniem? z wyższością?), że Darcy
wcale go nie broni. Gdyby był mój, powiedziałabym coś.
Oczywiście gdyby był mój, Hillary nie potraktowałaby go tak
bezlitośnie.

Posyłam jej znaczące spojrzenie, jak gdybym chciała powiedzieć: dosyć.

Wzrusza ramionami, opada na trawę i drapie ślad po ugry-
zieniu komara aż do krwi. Wyciera krew źdźbłem trawy i znowu patrzy mi w oczy.

– No co? – pyta wyzywającym tonem.

Tamtego wieczoru milczenie Deksa graniczy z opryskliwoś-
cią. Nie wiem jednak, czy jest wściekły na Hillary, czy też na
mnie za to, że jej powiedziałam. Ignoruje nas obie. Hillary też

nie zwraca na niego uwagi, nie licząc kilku zjadliwych komentarzy, podczas gdy ja podejmuję nieśmiałe próby nawiązania rozmowy.

– Co zamawiasz? – pytam, kiedy czyta *menu*.

– Nie jestem pewny. – Nie podnosi wzroku.

– Zastanów się – mamrocze Hillary. – Może zamówisz dwa posiłki?

Julian ściska jej ramię i posyła mi przepraszające spojrzenie.

Dex odwraca się w stronę Marcusa i przez resztę kolacji udaje mu się uniknąć wszelkich rozmów i kontaktu wzrokowego ze mną i z Hillary. Ogarnia mnie niepokój. Jesteś wściekły? Jesteś wściekły? Jesteś wściekły?, myślę, próbując jeść miecznika. Proszę, nie wściekaj się. Rozpaczliwie, gorączkowo pragnę porozmawiać z Deksem i oczyścić atmosferę na kolejne dni. Nie chcę, żeby to wszystko skończyło się w tak żałosnym stylu.

Później, w Talkhouse, w końcu jestem sam na sam z Deksem. Zamierzam przeprosić za zachowanie Hillary, kiedy zwraca się do mnie z błyskiem w zielonych oczach:

– Dlaczego, u diabła, jej o nas powiedziałaś? – syczy.

Nie mam doświadczenia w konfliktach i wrogość Deksa wprawia mnie w zdumienie. Posyłam mu puste spojrzenie, udając, że nie wiem, o co mu chodzi. Czy powinnam przeprosić? Wyjaśnić? Wiem, że łączy nas milcząca umowa o dyskrecji, ale komuś musiałam o tym powiedzieć.

– Hillary. Powiedziałaś jej – powtarza, strzepując włos z przedramienia.

Zauważam, że kiedy się złości, jest jeszcze bardziej pociągający. W jakiś sposób jego podbródek staje się wtedy bardziej wyrazisty.

Odpycham od siebie to spostrzeżenie i wtedy coś we mnie pęka. Jak on śmie się na mnie złościć?! Nic złego mu nie zrobiłam! Dlaczego to ja tak gorączkowo i rozpaczliwie pragnę, żeby mi wybaczył?

– Mogę o tym mówić, komu zechcę – oświadczam, zaskoczona surowością mojego głosu.

– Powiedz jej, żeby trzymała się od tego z daleka.

– Od czego, Dex? Od naszego popieprzonego związku?

Wygląda na zaskoczonego. A potem na zranionego. I dobrze.

– On nie jest popieprzony – mówi. – Sytuacja tak, ale nie nasz związek.

– Jesteś zaręczony, Dexter. – Moje oburzenie przeradza się w furię. – Nie możesz tego oddzielić od naszego związku.

– Wiem. Nadal jestem zaręczony... Ale ty flirtowałaś z Marcusem.

– Co? – pytam z niedowierzaniem.

– Całowałaś się z nim w Aubette.

Nie wierzę własnym uszom – jest zaręczony, a wypomina mi jakiś mały pocałunek! Przez chwilę zastanawiam się, od jak dawna o tym wie i dlaczego nie wspomniał o tym wcześniej. Duszę w sobie odruch okazania skruchy.

– Tak. Całowałam się z Marcusem. Jakie to ma znaczenie?

– Dla mnie ma. – Jego twarz jest tak blisko mojej, że czuję woń alkoholu w jego oddechu. – To było okropne. Nie rób tego więcej.

– Nie mów mi, co mam robić – szepczę z wściekłością. Jestem taka zła, że do oczu napływają mi łzy. – Ja nie mówię ci, co masz robić... Wiesz co? Może powinnam... Co powiesz na to: ożeń się z Darcy. Nic mnie to nie obchodzi.

Oddalam się od Deksa i prawie zaczynam w to wierzyć. To moja pierwsza chwila wolności tego lata. Możliwe, że jeszcze nigdy nie czułam się tak wolna. To ja mam kontrolę. Ja decyduję. Znajduję wolne miejsce na tylnej werandzie, sama wśród tłumu obcych ludzi. Łomocze mi serce. Kilka minut później przychodzi Dex i łapie mnie za łokieć.

– Nie mówiłaś tego poważnie... że nic cię to nie obchodzi. – Teraz to on czuje niepokój. Niezawodność tej reguły nigdy nie przestanie mnie zaskakiwać: osoba, której mniej zależy (albo udaje, że mniej jej zależy) skupia władzę. Po raz kolejny dowiodłam, że rzeczywiście tak jest. Strącam jego dłoń z ramienia i mierzę go chłodnym spojrzeniem. Podchodzi bliżej i znowu łapie mnie za rękę.

– Przepraszam, Rachel – szepcze, pochylając się w kierunku mojej twarzy.

Nie mięknę. Nie zrobię tego.

– Jestem zmęczona tą ciągłą huśtawką emocji, Dex. Niekończącym się cyklem nadziei, poczucia winy i żalu. Jestem zmęczona zastanawianiem się, co z nami będzie. Jestem zmęczona czekaniem na ciebie.

– Wiem. Przepraszam – mówi. – Kocham cię, Rachel.

Zaczynam mięknąć. Pomimo zachowania maski twardej dziewczyny czuję, jak podnieca mnie jego bliskość, jego słowa. Patrzę mu w oczy. Wszystkie moje instynkty i pragnienia – wszystko podpowiada mi, że powinnam zawrzeć pokój, powiedzieć, że ja też go kocham. Ale walczę z nimi jak tonący z odpływem. Wiem, co muszę powiedzieć. Myślę o radzie Hillary, o tym, że przez cały czas twierdziła, że powinnam jakoś zareagować. Lecz nie robię tego dla niej. Robię to dla siebie. Formułuję zdania, słowa, które krążyły w mojej głowie przez całe lato.

– Chcę z tobą być, Dex – mówię spokojnie. – Odwołaj ślub. Bądź ze mną.

No i proszę. Po dwóch miesiącach czekania, wiecznej bierności wszystko wyszło na wierzch. Doświadczam ulgi, czuję się wyzwolona i odmieniona. Jestem kobietą, która oczekuje szczęścia. Z a s ł u g u j ę na szczęście. Na pewno mi je da.

Dex wciąga powietrze i zamierza coś powiedzieć.

314

– Nie – nie pozwalam mu na to, kręcąc głową. – Proszę, nic do mnie nie mów, dopóki nie będziesz mógł powiedzieć, że ślub został odwołany. Do tego czasu nie mamy o czym dyskutować.

Nasze spojrzenia się spotykają. Przez minutę lub dłużej żadne z nas nie mruga. I wtedy, po raz pierwszy w życiu, Dex przegrywa bitwę na spojrzenia.

ROZDZIAŁ 20

Minęły dwa dni, odkąd postawiłam moje ultimatum, a do ślubu został jeszcze miesiąc. Moje stanowcze posunięcie nadal wypełnia mnie energią i rosnącym pozytywnym uczuciem, silniejszym niż nadzieja. Wierzę w Deksa, w nas. Odwoła ślub. Będziemy żyli długo i szczęśliwie. Albo coś w tym rodzaju.

Oczywiście, martwię się o Darcy. Obawiam się nawet, że po pierwszej życiowej porażce mogłaby zrobić jakieś głupstwo. Gnębią mnie wizje, w których leży w szpitalnym łóżku podłączona do kroplówki, z podkrążonymi oczami, tłustymi włosami i ziemistą cerą. W tych scenach stoję u jej boku, przynoszę magazyny i pomarańcze, tłumaczę, że wszystko będzie dobrze, że to dzieje się z jakiegoś powodu.

Jednak nawet jeśli te sceny rzeczywiście się rozegrają, nigdy nie będę żałować, że powiedziałam Deksowi, czego naprawdę pragnę. Nigdy nie będę żałować, że się starałam. Chociaż ten jeden raz Darcy nie była dla mnie ważniejsza niż ja sama.

Mijają dni, chodzę do pracy, wracam do domu, znowu idę do pracy i czekam na eksplozję. Jestem pewna, że lada chwila zadzwoni Dex i przekaże mi wieści. Dobre wieści. W tym czasie ćwiczę silną wolę, broniąc się przed pokusą chwycenia za słuchawkę. Kiedy jednak mija cały tydzień, zaczynam się martwić i zwycięża moja dawna natura. Mówię Hillary, że chcę do niego zadzwonić, wiedząc, że będzie próbowała wybić mi to z głowy. Jestem jak kobieta, która odstawiła alkohol i wlecze się na spotkanie AA, rozpaczliwie próbując zdusić swoje pragnienia.

– Nie ma mowy – mówi. – Nie rób tego. Nie kontaktuj się z nim.

– A co, jeśli był pijany i nie pamięta naszej rozmowy? – pytam, chwytając się ostatniej deski ratunku.

– Mało prawdopodobne.

– Myślisz, że pamięta?

– Pamięta.

– Żałuję, że cokolwiek powiedziałam.

– Dlaczego? Bo w przeciwnym razie mogłabyś z nim spędzić jeszcze kilka wieczorów?

– Nie – zaprzeczam urażonym tonem.

Chociaż Hillary trafiła w dziesiątkę.

Mijają następne dni męczarni, kiedy nie jestem w stanie jeść, pracować ani spać, więc postanawiam, że muszę się stąd wyrwać. Muszę znaleźć się gdzieś indziej, z dala od Deksa. Wyjazd z miasta to jedyny sposób, który powstrzyma mnie przed zadzwonieniem do niego i cofnięciem wszystkiego, co powiedziałam, dla jeszcze jednego wieczoru, jeszcze jednej minuty u jego boku. Zastanawiam się nad wyjazdem do Indiany, ale to zbyt blisko. Zresztą dom przypomni mi tylko o Darcy i ślubie.

Dzwonię do Ethana i pytam, czy mogę go odwiedzić. Jest zachwycony, mówi, żebym wpadała, kiedy tylko zechcę. Zatem dzwonię do United i rezerwuję bilet na lot do Londynu. Od podróży dzieli mnie tylko pięć dni, zatem muszę zapłacić pełną cenę – osiemset dziewięćdziesiąt dolarów – ale ten wyjazd wart jest każdego centa.

Drukuję zawiadomienie o urlopie i idę podrzucić je do gabinetu Lesa. Na szczęście, nie ma go za biurkiem.

– Jest na spotkaniu poza kancelarią. Dzięki Bogu – informuje mnie Cheryl, jego sekretarka. Jest moją sojuszniczką i często ostrzega mnie, kiedy Les jest w szczególnie podłym nastroju.

– Mam coś dla niego – mówię, kierując się w stronę jego koszmarnej siedziby.

Kładę na jego krześle wstępną wersję naszej repliki, a na samym spodzie umieszczam zawiadomienie o urlopie. Potem zmieniam zdanie i kładę je na wierzchu. Będzie wściekły. To wywołuje uśmiech na mojej twarzy.

– Co to za uśmieszek? – pyta Cheryl, kiedy wychodzę z jego gabinetu.

– Zawiadomienie o urlopie – mówię. – Daj znać, jak bardzo mnie przeklinał.

Unosi brwi, mówi:

– Oho – i nadal pisze na komputerze, nie gubiąc rytmu. – Ktoś pakuje się w k ł o p o t y.

Wieczorem Les dzwoni do mnie, gdy tylko wraca do kancelarii.

– Co to za pomysł?

– Słucham? – pytam, wiedząc, że mój spokój jeszcze bardziej go rozjuszy.

– Nie mówiłaś, że wybierasz się na urlop!

– Tak? Myślałam, że mówiłam – kłamię.

– Niby kiedy?

– Nie pamiętam dokładnie… Kilka tygodni temu. Jadę na ślub. – To już dwa kłamstwa.

– Chryste. – Głośno wzdycha, czekając, aż zaproponuję odwołanie wyjazdu. W dawnych czasach, podczas pierwszego roku pracy w kancelarii, ta pasywno-agresywna sztuczka pewnie by zadziałała. Teraz jednak milczę. Dłużej niż on.

– Czy to ślub kogoś z rodziny? – pyta w końcu. To jego granica. Rodzinne pogrzeby i rodzinne śluby. Prawdopodobnie chodzi tylko o najbliższą rodzinę. Informuję go zatem, że to wesele mojej siostry. Trzy kłamstwa.

– Przykro mi – mówię beztrosko. – Jestem pierwszą druhną, sam rozumiesz.

Pozwalam mu psioczyć przez kilka sekund i rzucić pustą groźbę o przekazaniu mojej sprawy innemu prawnikowi. Jak gdyby każdy marzył o tym, żeby z nim pracować. Jak gdyby obchodziło mnie to, czy zastąpi mnie kimś innym. Potem oznajmia z zadowoleniem, że w tej sytuacji do piątku będę tkwić w kancelarii od rana do wieczora. Myślę sobie, że to żaden problem.

Kilka minut później dzwoni Darcy. Jest równie wyrozumiała jak Les.

– Jak możesz wybierać się na wycieczkę tuż przed moim ślubem?

– Obiecałam Ethanowi, że odwiedzę go jeszcze tego lata. A lato prawie się skończyło.

– Masz coś przeciwko jesieni? Jestem pewna, że jesienią Londyn jest jeszcze piękniejszy.

– Potrzebuję urlopu. Natychmiast.

– Dlaczego natychmiast?

– Po prostu muszę się stąd wydostać.

– Dlaczego?... Czy to ma coś wspólnego z Marcusem?

– Nie.

– Widziałaś się z nim?

– Nie.

– Dlaczego nie?

– Dobra. Może i ma to coś wspólnego z Marcusem... – kapituluję, pragnąc, żeby się po prostu zamknęła. – Chyba niczego między nami nie będzie. I może jestem trochę przybita. W porządku?

– Aha – odpowiada. – Naprawdę mi przykro, że wam nie wyszło.

Ostatnią rzeczą, jakiej potrzebuję, jest współczucie Darcy. Mówię, że tak naprawdę ma to raczej związek z pracą.

– Potrzebuję przerwy od Lesa.

– Ale jesteś mi tu potrzebna – jęczy. Wygląda na to, że dziesięć sekund współczucia dobiegło końca.

– Będzie tu Claire.

– To nie to samo. Ty jesteś moją pierwszą druhną!

– Darcy. Potrzebuję urlopu. Dobrze?

– Wygląda na to, że nie ma innego wyjścia. – Oczami wyobraźni widzę jej naburmuszoną twarz. – Zgadza się? – dodaje z nutą nadziei w głosie.

– Zgadza się.

Głośno wzdycha i próbuje innej taktyki.

– A nie możesz tam pojechać podczas mojego miesiąca miodowego, kiedy będę na Hawajach?

– Mogłabym – odpowiadam, wyobrażając sobie Darcy w jej nowej bieliźnie – gdyby moje życie obracało się wokół ciebie... ale przykro mi. Jest inaczej.

Nigdy nie mówiłam Darcy takich rzeczy. Lecz czasy się zmieniły.

– Dobra. W porządku. Ale spotkaj się ze mną w Bridal Party jutro w południe, żeby wybrać sukienki dla druhen... Chyba że zamierzasz wyskoczyć do Wenecji albo coś w tym rodzaju.

– Bardzo zabawne – kończę rozmowę i odkładam słuchawkę.

Zatem Dex dowie się, że jadę do Londynu. Zastanawiam się, co będzie czuł, kiedy usłyszy tę wiadomość. Może dzięki temu szybciej podejmie decyzję. Powie mi coś miłego, zanim polecę w siną dal.

Czekam i z każdą mijającą godziną czuję większą udrękę. Nie odzywa się. Nie dzwoni. Nie pisze. Nieustannie sprawdzam wiadomości, wypatrując migającego czerwonego światełka. Nic. Niezliczoną ilość razy przystępuję do wystukiwania jego numeru telefonu i komponuję długie e-maile, których ostatecznie nie wysyłam. Jakimś cudem jestem silna.

Jednak w ostatni wieczór przed moim wyjazdem dzwoni do mnie José.

– Przyszedł do ciebie Dex.

Czuję przypływ emocji. Ślub odwołany! Nagle moja szklanka jest nie tylko w połowie pełna, lecz nawet wypełniona po brzegi. Moją radość na chwilę przysłania myśl o Darcy. Co stanie się z naszą przyjaźnią? Czy Darcy wie o mojej roli w tej sprawie? Odpycham od siebie te pytania i skupiam się na uczuciach do Deksa. On jest teraz ważniejszy.

Kiedy jednak otwieram drzwi, jego mina wyraźnie sugeruje, że coś jest bardzo nie w porządku.

– Możemy porozmawiać? – pyta.

– Tak. – Mój głos przypomina szept.

Siedzę sztywno jak ktoś, kto spodziewa się usłyszeć, że zmarła osoba bardzo mu bliska. Równie dobrze mógłby być policjantem, który przyszedł do mnie z czapką w dłoni.

Siada obok mnie i zaczynają płynąć słowa. „To była naprawdę trudna decyzja... Naprawdę cię kocham... Po prostu nie mogę... Dużo o tym myślałem... Czuję się winny... Nie chciałem cię zwodzić... Nasza przyjaźń... Niesamowicie trudne... Za bardzo zależy mi na Darcy... Nie mogę jej tego zrobić... Jestem to winien jej rodzinie... Siedem lat... Tego lata wiele się wydarzyło... Mówiłem szczerze... Przykro mi... Przykro mi... Naprawdę mi przykro... Zawsze, zawsze będę cię kochał..."

Dex kryje twarz w dłoniach, a mnie przypominają się moje urodziny i to, jak bardzo podziwiałam jego dłonie podczas jazdy taksówką wzdłuż Pierwszej Alei. Tuż przed tym jak mnie pocałował. A teraz – proszę. Znaleźliśmy się u kresu. I już nigdy go nie pocałuję.

– Powiedz coś – prosi Dex. Ma szkliste oczy, mokre i bardzo czarne rzęsy. – Proszę, powiedz coś.

Słyszę, jak mówię, że rozumiem, że nic mi nie będzie. Nie płaczę. Skupiam się na oddychaniu. Wdech, wydech. Wdech, wydech. Znowu cisza. Nie ma nic więcej do powiedzenia.

– Powinieneś już iść – mówię.

Kiedy Dex wstaje i podchodzi do drzwi, mam ochotę krzyczeć, błagać go: Nie odchodź! Proszę! Kocham cię! Zmień zdanie! Ona cię zdradziła! Jednak zamiast tego patrzę, jak się oddala i nawet nie odwraca głowy, żeby po raz ostatni na mnie spojrzeć.

Długo wpatruję się w drzwi, wsłuchując się w głuchą ciszę. Mam ochotę płakać, żeby wypełnić czymś tę przerażającą, pustą przestrzeń, ale nie mogę. Cisza staje się jeszcze bardziej dominująca, kiedy zastanawiam się, co powinnam zrobić. Spakować się? Iść spać? Zadzwonić do Ethana albo Hillary? Przez jedną irracjonalną sekundę nawiedzają mnie myśli, do których nie przyznaje się większość ludzi – połknąć tuzin tabletek paracetamolu i popić je wódką. Naprawdę mogłabym ukarać Deksa, zrujnować ich wesele i położyć kres mojemu cierpieniu.

Nie wygłupiaj się. To tylko złamane serce. Wyjdziesz z tego. Myślę o wszystkich sercach, które są łamane w tej chwili na Manhattanie, na całym świecie. O tym całym przytłaczającym smutku. Wiedząc, że inni ludzie również cierpią katusze, czuję się mniej samotna. Mężowie opuszczają żony po dwudziestu latach małżeństwa. Dzieci wołają: „Nie opuszczaj mnie, tato! Proszę, zostań!". To, co czuję, z pewnością nie dorównuje takiemu bólowi. To tylko wakacyjny romans, myślę sobie. Nikt nie mówił, że potrwa dłużej niż do końca sierpnia.

Wstaję, podchodzę do mojej półki na książki i znajduję puszkę po cynamonowych pastylkach. Pozostał mi jeszcze cień nadziei. Jeśli wyrzucę podwójną szóstkę, być może Dex zmieni zdanie i do mnie wróci. Dmucham na kostki tak jak on, jak gdybym chciała je zaczarować. Potem potrząsam prawą dłonią i delikatnie, delikatnie rzucam. Podobnie jak za pierwszym razem, jedna z kostek zatrzymuje się wcześniej niż jej koleżanka. Leży szóstką do góry! Wstrzymuję oddech.

Przez krótką chwilę widzę wirujące kropki i myślę, że znowu trafiły mi się dwie szóstki. Klękam i wpatruję się w drugą kostkę.

To tylko piątka.

Wyrzuciłam jedenastkę. Jak gdyby ktoś się ze mną drażnił: Blisko, ale guzik z tego.

ROZDZIAŁ 21

Jestem gdzieś nad Oceanem Atlantyckim, kiedy postanawiam, że nie opowiem Ethanowi o wszystkich drastycznych i żałosnych szczegółach. Gdy samolot wyląduje na brytyjskiej ziemi, przestanę się tym zadręczać i rozczulać nad sobą. To będzie pierwszy krok do zapomnienia o Deksie i życia dalej. Podczas podróży daję sobie jednak czas na rozmyślanie o nim i o mojej sytuacji. O tym, jak sama skazałam się na porażkę. O tym, że nie warto podejmować ryzyka. Że lepiej być osobą, która widzi w połowie pustą szklankę. Że czułabym się znacznie lepiej, gdybym nie poszła tamtą drogą, narażając się na odrzucenie i rozczarowanie. Dając Darcy szansę pokonania mnie po raz kolejny.

Opieram głowę o okienko i czuję, że siedząca za mną dziewczynka kopie mój fotel: raz, drugi, trzeci. Słyszę słodki głos jej matki:

– Och, Ashley, nie kop fotela tej miłej pani. – Ashley kopie dalej. – Ashley! To wbrew zasadom. Żadnego kopania w samolocie – powtarza matka z nadmiernym spokojem, jak gdyby chciała pokazać wszystkim wokół, że bardzo kompetentny z niej rodzic. Zamykam oczy, podczas gdy samolot przemierza mrok, i otwieram je dopiero wtedy, gdy przychodzi stewardesa, proponując mi słuchawki.

– Nie, dzięki – mówię.

Nie potrzebuję żadnego filmu. Podczas kolejnych godzin będę zbyt zajęta rozmyślaniem o swoim nieszczęściu.

Mówię Ethanowi, żeby nie wyjeżdżał po mnie na lotnisko, że wezmę taksówkę i sama przyjadę do jego mieszkania. Ale mam nadzieję, że i tak się pojawi. Chociaż mieszkam na Manhattanie, inne wielkie miasta mnie onieśmielają. Zwłaszcza te zagraniczne. Nie licząc wyprawy z rodzicami do Rzymu z okazji dwudziestej piątej rocznicy ich ślubu, nigdy nie opuszczałam kraju. Chyba żeby uwzględnić wodospad Niagara po kanadyjskiej stronie, który raczej się nie liczy. Zatem czuję ulgę na widok Ethana, który czeka na mnie tuż za punktem odpraw: uśmiechnięty, chłopięcy i szczęśliwy jak nigdy. Ma na nosie nowe okulary w rogowej oprawie. Takie same jak Buddy Holly, tylko że brązowe. Podbiega do mnie i rzuca mi się na szyję. Obydwoje się śmiejemy.

– Tak dobrze cię widzieć! Daj. Wezmę twoją torbę – mówi.

– Ciebie też miło widzieć – odpowiadam z uśmiechem.
– Podobają mi się twoje okulary.

– Czy dzięki nim wyglądam na bardziej inteligentnego?
– Popycha okulary palcem i przybiera pozę naukowca, gładząc się po niewidzialnej brodzie.

– O tak. – Chichoczę.

– Bardzo się cieszę, że przyjechałaś!

– Bardzo się cieszę, że tu jestem!

Lato obfitowało w błędne decyzje, lecz w końcu podjęłam właściwą. Już sam widok Ethana działa na mnie kojąco.

– Najwyższy czas – mówi, lawirując w tłumie z moją torbą na kółkach. Wychodzimy na zewnątrz i idziemy w kierunku postoju taksówek.

– Nie mogę uwierzyć, że jestem w Anglii. To takie ekscytujące. – Po raz pierwszy oddycham brytyjskim powietrzem. Pogoda jest dokładnie taka, jak sobie wyobrażałam: jest szaro, mży i panuje lekki chłód. – Wcale nie żartowałeś, kiedy opowiadałeś mi o tutejszej pogodzie. To przypomina raczej listopad niż sierpień.

– Mówiłem ci... Tak naprawdę w tym miesiącu mieliśmy parę gorących dni. Ale teraz wszystko wróciło do normy. Taka pogoda trwa wiecznie. Przyzwyczaisz się. Musisz się tylko odpowiednio ubrać.

Kilka minut później siedzimy na tylnym siedzeniu czarnej taksówki, a u naszych stóp spoczywa mój bagaż. W porównaniu z żółtymi taryfami Nowego Jorku, taksówka jest elegancka i przestronna.

Ethan pyta, jak się czuję, i przez chwilę mam wrażenie, że ma na myśli Deksa, ale dochodzę do wniosku, że to standardowe pytanie, które zadaje się osobie po długiej podróży.

– Och, w porządku – odpowiadam. – Naprawdę strasznie się cieszę, że tu jestem.

– Zmęczona?

– Trochę.

– Pinta piwa postawi cię na nogi – mówi. – Żadnych drzemek. Mamy dużo do zrobienia w ciągu tego tygodnia.

– Na przykład co? – Śmieję się.

– Zwiedzanie. Upijanie się. Wspominanie. Czasochłonne, absorbujące sprawy... Boże, fajnie cię widzieć.

Docieramy do mieszkania Ethana w suterenie w Kensington. Oprowadza mnie po swojej sypialni, salonie i kuchni. Ma eleganckie nowoczesne meble, a na ścianach wiszą abstrakcyjne obrazy i plakaty muzyków jazzowych. To mieszkanie kawalera, ale pozbawione atmosfery pod tytułem: „Cały czas próbuję zaciągnąć kogoś do łóżka".

– Pewnie chcesz wziąć prysznic?

Mówię, że tak, czuję się trochę nieświeżo. Na korytarzu przed łazienką podaje mi ręcznik i prosi, żebym się pospieszyła, bo chce ze mną porozmawiać.

Gdy jestem już umyta i przebrana, od razu pyta:

– No więc jak wygląda sytuacja z Deksem? Domyślam się, że nadal są zaręczeni?

Nie przestałam o nim myśleć nawet na chwilę. Wszystko mi się z nim kojarzy. Logo piwa Newcastle – picie newcastle z Deksem w moje urodziny. Ruch lewostronny – Dex jest leworęczny. Deszcz – Alanis Morissette śpiewająca: „To jak deszcz w dniu twojego ślubu".

Jednak pytanie Ethana i tak wywołuje w moim sercu ostry ból. Coś ściska mnie w gardle i muszę się bardzo starać, żeby nie wybuchnąć płaczem.

– O Boże. Wiedziałem – mówi Ethan. Wyciąga rękę i bierze moją dłoń, ciągnąc mnie w stronę kanapy obitej czarną skórą.

– Co wiedziałeś? – pytam, nadal walcząc ze łzami.

– Że to całe trzymanie fasonu i udawanie twardzielki to tylko pozory. – Obejmuje mnie ramieniem. – Co się stało?

W końcu wybucham płaczem, opowiadając mu wszystko bez zatajania szczegółów. Mówię nawet o kostkach. I to by było tyle, jeśli chodzi o przysięgę złożoną nad Atlantykiem. Mój ból wydaje się teraz surowy, nagi.

Kiedy kończę, Ethan mówi:

– Cieszę się, że nie skorzystałem z zaproszenia na ślub. Chybabym tego nie zniósł.

Wydmuchuję nos, wycieram twarz.

– To samo powiedziała Hillary. Ona też nie idzie.

– Powinnaś postąpić podobnie, Rachel. Zbojkotuj to. To będzie dla ciebie zbyt trudne. Oszczędź sobie.

– Muszę iść.

– Dlaczego?

– Jak bym jej to wytłumaczyła?

– Powiedz, że musisz poddać się operacji, że muszą ci usunąć jakiś mało istotny organ...

– Na przykład jaki?

– Na przykład śledzionę. Ludzie mogą żyć bez śledziony, prawda?

– Z jakiego powodu usuwa się śledzionę?

– Nie wiem. Kamienie w śledzionie? Jakiś problem... wypadek, choroba. Kogo to obchodzi? Wymyśl coś. Przeprowadzę dla ciebie małe poszukiwania. Znajdziemy coś wiarygodnego. Tylko tam nie idź.

– Muszę tam być – upieram się. Znowu przestrzegam zasad.

Przez chwilę siedzimy w milczeniu, a potem Ethan wstaje, wyłącza dwie lampy i bierze portfel z małego stolika na korytarzu.

– Chodźmy.

– Dokąd?

– Do pobliskiego pubu. Ululamy cię. Wierz mi, pomoże.

– Jest jedenasta rano! – Jego entuzjazm mnie rozśmiesza.

– No i? Masz lepszy pomysł? – Splata ręce na chudej piersi. – Chcesz pozwiedzać? Myślisz, że Big Ben dobrze ci teraz zrobi?

– Nie – odpowiadam. Big Ben przypomni mi tylko o upływających minutach, które dzielą mnie od najpotworniejszego dnia w życiu.

– W takim razie chodź.

Idę z Ethanem do pubu o nazwie Brittania. Odpowiada moim wyobrażeniom o angielskim pubie – jest zatęchły i wypełniony starcami, którzy kopcą papierosy i czytają gazety. Ściany i dywan mają ciemnoczerwoną barwę, a wokół wiszą kiepskie olejne obrazy przedstawiające lisy, sarny i kobiety z epoki wiktoriańskiej. Równie dobrze mógłby być tysiąc dziewięćset pięćdziesiąty piąty. Jakiś palący fajkę mężczyzna w małym kapeluszu przypomina nawet Winstona Churchilla.

– Na co masz ochotę? – pyta mnie Ethan.

Na Deksa, myślę sobie, lecz decyduję się na piwo. Zaczynam dochodzić do wniosku, że pomysł z upiciem się jest całkiem niezły.

– Jakie? Guinness? Kronenbourg? Carling?

– Obojętnie. Byle nie newcastle.

Ethan zamawia dwa piwa. Jego jest o kilka tonów ciemniejsze niż moje. Siadamy przy stoliku w rogu. Wodząc wzrokiem po słojach drewna tworzącego blat, pytam, ile czasu zajęło mu zapomnienie o Brandi.

– Niewiele – odpowiada. – Kiedy dowiedziałem się, co zrobiła, zdałem sobie sprawę, że nie jest tą osobą, za którą ją uważałem. Nie było za czym tęsknić. Właśnie tak musisz myśleć. To nie był facet dla ciebie. Niech Darcy go sobie weźmie...

– Dlaczego ona zawsze wygrywa? – Mówię jak pięciolatka, ale sprowadzenie mojego nieszczęścia do tej prostej postaci jakoś mi pomaga: Darcy mnie pokonała. Znowu.

Ethan się śmieje, ukazując dołek w policzku.

– Wygrywa? Na przykład co?

– Choćby Deksa. – Ogarnia mnie rozpacz, kiedy wyobrażam sobie ich razem. W Nowym Jorku jest teraz poranek. Pewnie nadal leżą w łóżku.

– Dobra. Co jeszcze?

– Wszystko. – Przełykam piwo najszybciej, jak potrafię. Czuję, jak wpada do pustego żołądka.

– Na przykład?

Jak wytłumaczyć facetowi, co mam na myśli? To wydaje się takie płytkie: jest ładniejsza, lepiej ubrana, chudsza. Ale nie to jest najważniejsze. Darcy jest szczęśliwsza. Dostaje to, czego chce – cokolwiek by to było. Próbuję poprzeć tę opinię wiarygodnymi przykładami:

– No cóż, ma świetną pracę, zarabia kupę forsy, a musi jedynie organizować przyjęcia i ładnie wyglądać.

– Mówisz o tej jej niewydarzonej pracy? Litości.

– Jest lepsza niż moja.

– Lepsza niż bycie prawnikiem? Nie sądzę.

– Bardziej zabawna.

– Nie znosiłabyś jej.

– Nie o to chodzi. Ona uwielbia swoją pracę. – Wiem, że nie postępuję racjonalnie, udowadniając mu, jaka wspaniała jest Darcy.

– W takim razie też znajdź taką, którą pokochasz. Chociaż to już zupełnie inna historia. Zajmiemy się nią później... Ale w porządku, w czym jeszcze wygrywa?

– Cóż... Dostała się do Notre Dame – mówię, wiedząc, że to brzmi śmiesznie.

– Wcale nie!

– Owszem, tak.

– Nie. P o w i e d z i a ł a, że dostała się do Notre Dame. Kto wybrałby szkołę w Indianie zamiast Notre Dame?

– Mnóstwo ludzi. Dlaczego zawsze narzekasz na *college* w Indianie?

– Dobra. Posłuchaj. Notre Dame nie znoszę jeszcze bardziej. Mówię tylko, że jeśli składasz papiery na te dwie uczelnie i dostajesz się do obydwu, to prawdopodobnie obydwie cię interesują. W takim przypadku wybrałabyś Notre Dame. To lepsza uczelnia, prawda?

– Chyba tak. – Kiwam głową.

– Ale ona wcale się tam nie dostała. Wbrew temu, co powiedziała, nie zdobyła też trzystu pięciu punktów w testach końcowych. Pamiętasz tamtą bzdurę?

– Tak. Skłamała.

– Podobnie jak w sprawie Notre Dame. W i e r z m i... Czy kiedykolwiek widziałaś tamto pismo z uczelni?

– Nie. Ale... No cóż, może rzeczywiście się nie dostała.

– Boże, jesteś taka naiwna – mówi, celowo zniekształcając ostatnie słowo. – Zakładałem, że obydwoje o tym wiemy.

– To był delikatny temat. Pamiętasz?

– O tak. Pamiętam. Byłaś wtedy taka smutna – wspomina. – Powinnaś była świętować swoją ucieczkę ze Środkowego Zachodu. Oczywiście, potem wybrałaś drugą najbardziej okropną uczelnię w kraju i poszłaś do Duke... Znasz moją teorię o Duke i Notre Dame, prawda?

Uśmiecham się i mówię, że czasami miewam problemy z zapamiętaniem wszystkich jego teorii.

– O co w niej chodziło?

– Cóż, nie licząc ciebie i kilku innych wyjątków, te dwie uczelnie wypełniają okropni ludzie. Może tylko tacy składają tam papiery, a może te uczelnie przyciągają strasznych ludzi. Prawdopodobnie chodzi o jedno i drugie, te czynniki wzajemnie się wzmacniają. Nie obrażasz się, prawda?

– Jasne, że nie. Mów dalej – odpowiadam. Po części się z nim zgadzam. Z wieloma ludźmi z Duke, włączając mojego chłopaka, trudno było wytrzymać.

– Dobra. W takim razie dlaczego jest tam wyższy odsetek dupków? Co te dwie uczelnie mają wspólnego?

– Poddaję się.

– To proste. Dominują w najbardziej dochodowych dyscyplinach sportu. Futbol w Notre Dame i koszykówka w Duke. A do tego reputacja wybitnej uczelni. W rezultacie mamy znośnie zadowoloną z siebie studencką brać. Czy potrafisz wymienić jakąś inną uczelnię, która ma podobny zestaw cech?

– Michigan – mówię, myśląc o Luke'u Grimleyu z naszego liceum, który ciągle głędził o futbolu na Michigan. I nadal opowiada o tym, jak Rumeal Robinson obronił rzuty wolne podczas finałów NCAA.

– Aha! Michigan! Dobre. Nieźle. Ale to nie jest droga prywatna uczelnia. Walory publiczne ratują Michigan i sprawiają, że jej wychowankowie są nieco mniej okropni.

– Poczekaj chwilę! A co z twoją uczelnią? Stanford. Mieliście drużynę Tiger Woods. Świetnych pływaków. Debbie Thomas, ta łyżwiarka, czy ona przypadkiem nie zdobyła srebrnego medalu? Mnóstwo tenisistów. I świetne wyniki akademickie. Uczelnia prywatna i droga. Dlaczego w takim razie absolwenci Stanforda nie są aż tacy irytujący?

– To proste. Nie dominujemy w futbolu ani w koszykówce. Jasne, mieliśmy parę dobrych sezonów, lecz na pewno nie takich jak Duke w koszykówce czy Notre Dame w futbolu. Nie można się tak rozbrykać dzięki niskodochodowym sportom. To nas ratuje.

Uśmiecham się i kiwam głową. Jego teoria jest interesująca, lecz bardziej intryguje mnie myśl, że Darcy nie dostała się do Notre Dame.

– Nie będzie ci przeszkadzać, jeśli zapalę? – pyta Ethan, wyciągając pudełko papierosów z tylnej kieszeni. Wytrząsa z niego papierosa i obraca go między palcami.

– Myślałam, że rzuciłeś.

– Na chwilę.

– Powinieneś rzucić.

– Wiem.

– Dobra. W takim razie wróćmy do Darcy.

– Zgoda.

– Może i nie dostała się do Notre Dame, ale dostała Deksa. Pociera zapałkę o pudełko i unosi ją do ust.

– Co z tego? Niech go sobie zatrzyma. Facet jest tchórzem. Mówię szczerze, tak będzie dla ciebie lepiej.

– Nie jest tchórzem – mówię z nadzieją, że Ethan przekona mnie o swojej racji. Pragnę uczepić się jakiejś fatalnej w skutkach skazy i uwierzyć, że Dex nie jest tą osobą, za którą go uważałam. Co byłoby znacznie mniej bolesne niż świadomość, że nie jestem kobietą, której on pragnie.

– Dobra, może „tchórz" to zbyt mocne określenie. Jestem p r z e k o n a n y, że wolałby być z tobą, Rach. Po prostu nie wie, jak ją rzucić.

– Dzięki za wotum zaufania. Ale tak naprawdę myślę, że rzeczywiście doszedł do wniosku, że woli być z Darcy. Wybrał ją zamiast mnie. Wszyscy ją wybierają. – Jeszcze szybciej piję piwo.

– Wszyscy. Na przykład kto oprócz tchórzliwego Deksa?

– Dobra. – Uśmiecham się. – Ty ją wybrałeś.

– Wcale nie. – Posyła mi zdumione spojrzenie.

– Ha! – Prycham.

– Tak ci powiedziała?

Przez te wszystkie lata nigdy nie ujawniłam uczuć, jakie wzbudził we mnie ich dwutygodniowy romans w podstawówce.

– Nie musiała mi mówić. Wszyscy o tym wiedzieli.

– O czym ty gadasz?

– A ty?

– O zjeździe absolwentów? – pyta.

– O dziesiątej rocznicy ukończenia szkoły? – upewniam się, wiedząc, że nie było żadnego innego zjazdu. Pamiętam, jak bardzo byłam rozczarowana, gdy Les uparł się, żebym została w pracy. Wtedy nie umiałam jeszcze kłamać. Prychnął na mnie, kiedy powiedziałam, że nie mogę przyjść do pracy, bo muszę jechać na zjazd absolwentów.

– Tak. Nie mówiła ci, co się stało? – Pociąga długi łyk, a potem odwraca głowę i wypuszcza dym z dala ode mnie.

– Nie. A co się stało? – mówię, myśląc, że chyba zemdleję, jeśli oznajmi, że się z nią przespał. – Proszę, powiedz, że się z nią nie bzykałeś.

– Do cholery, nie – oburza się. – Ale próbowała.

Dopijając piwo i kradnąc kilka łyków piwa Ethana, słucham jego opowieści o zjeździe absolwentów. O tym, jak Darcy zaczepiła go na imprezie w ogródku Horace Carlisle. Powiedziała, że jej zdaniem powinni spędzić ze sobą jedną noc. Co to komu zaszkodzi?

– Żartujesz?

– Nie – odpowiada. – Zbyłem ją czymś w stylu: Darcy, d o d i a b ł a, nie. Masz chłopaka. O co ci, do cholery, chodzi?

– Czy to dlatego?

– Czy dlatego się z nią nie przespałem?

Kiwam głową.

– Nie, nie dlatego.

– W takim razie dlaczego? – Przez chwilę zastanawiam się, czy za chwilę nie wyzna, że jest gejem. Może jednak Darcy ma rację.

– A jak myślisz? To Darcy. Nie traktuję jej w ten sposób.

– Nie uważasz, że jest… piękna?

– Szczerze mówiąc, nie. Nie uważam.

– Dlaczego nie?

– Czy potrzebuję jakichś powodów?

– Tak.

– Dobra. – Wzdycha, patrząc w sufit. – Ponieważ nosi zbyt mocny makijaż. Ponieważ jest… sam nie wiem… jest zbyt ostra.

– Chodzi ci o ostre rysy? – podpowiadam.

– Tak. Ostre i… za bardzo wyskubane.

Wyobrażam sobie cieniutkie łuki jej brwi.

– Za bardzo wyskubane. Zabawne.

– Tak. I te kości biodrowe, które sterczą w twoim kierunku. Jest zbyt wychudzona. To mi się nie podoba. Ale nie w tym rzecz. Chodzi o to, chodzi o to, że to Darcy. – Wzdryga się i odbiera mi swoje piwo. – Zaczekaj. Pozwól, że kupię jeszcze jedną kolejkę. – Gasi papierosa i idzie do baru, skąd wraca z dwoma piwami. – Proszę bardzo.

– Dzięki – mówię i zabieram się do picia.

– Kurczę! Nie mogę pozwolić, żebyś pokonała mnie w piciu. – Śmieje się.

Grzbietem dłoni wycieram z ust pianę i pytam, dlaczego nie powiedział mi wcześniej o Darcy i zjeździe absolwentów.

– Hmm. Nie wiem. Bo to nic wielkiego. Była wstawiona. – Wzrusza ramionami. – Pewnie nawet nie wiedziała, co robi.

– Tak, jasne. Ona zawsze wie, co robi.

– Chyba masz rację. Możliwe. Po prostu to nie miało żadnego znaczenia.

Teraz jest już jasne, dlaczego myślała, że Ethan jest gejem. Odmówił jej – to musiało być jedyne wytłumaczenie, jakie przyszło jej do głowy.

– Wygląda na to, że twoja fascynacja Darcy w piątej klasie już minęła.

Śmieje się.

– Tak. Rzeczywiście, czasami się umawialiśmy. – Przy ostatnim słowie rysuje w powietrzu mały cudzysłów.

– Widzisz. Ty też wybrałeś ją zamiast mnie.

– O czym ty, do diabła, mówisz? – Uśmiecha się, ukazując dołek w policzku.

– O liściku. O liściku z prośbą o zaznaczenie właściwego pola.

– Co?

– O tym, który do ciebie wysłała. – Wzdycham. – Z pytaniem: „Chcesz chodzić ze mną czy z Rachel?".

– Niczego takiego tam nie było. Liścik w ogóle o tobie nie wspominał. Dlaczego miałaby pisać coś o tobie?

– Bo mi się podobałeś! – Z jakiegoś powodu to wyznanie mnie zawstydza, nawet po tych wszystkich latach. – Przecież wiedziałeś.

– Nie. Nie wiedziałem. – Zdecydowanie kręci głową.

– Musiałeś zapomnieć.

– Nie zapominam takich rzeczy. Mam cholernie dobrą pamięć. Twojego imienia n i e b y ł o w liściku. Widzisz, wiedziałbym o tym, bo wtedy ty też mi się podobałaś. – Zerka na mnie zza okularów i zapala następnego papierosa.

– Bzdura. – Czuję, że się rumienię. To tylko Ethan, powtarzam sobie. Jesteśmy już dorośli.

– Dobra. – Wzrusza ramionami i odwraca pudełko z zapałkami. Teraz i on wygląda na speszonego. – Możesz mi nie wierzyć.

– Mówisz poważnie?

– I to bardzo. Pamiętam, że zawsze pomagałem ci podczas gry w cztery kwadraty, żebyś mogła zostać królem. Kiedy byłaś królową, zawsze zbijałem króla. Nie mów, że nie zauważyłaś.

– Nie zauważyłam.

– Okazuje się, że jesteś znacznie mniej spostrzegawcza, niż kiedyś myślałem... Tak, podobałaś mi się. Podobałaś mi się przez całą szkołę średnią. A potem zaczęłaś umawiać się z Beamerem. Złamałaś mi serce.

To nie lada informacja, ale nadal nie mogę pogodzić się z faktem, że moje imię nie znalazło się w liściku.

– Przysięgam, myślałam, że Annalise go widziała.

– Annalise to słodka dziewczyna, ale straszna z niej naiwniara. Pewnie Darcy kazała jej powiedzieć, że w liściku było twoje imię. Albo tak ją omamiła, że naprawdę w to uwierzyła. A tak na marginesie, jak miewa się Annalise? Urodziła już dziecko?

– Nie. Ale termin się zbliża.

– Wybiera się na ślub?

– Jeśli akurat nie będzie na porodówce. Wybierają się wszyscy oprócz ciebie.

– I ciebie. Okropna historia z tą twoją śledzioną.

– Tak. Tragiczna. – Uśmiecham się. – Więc jesteś pewien, że w liściku nie było mojego imienia?

Skupiam się na dowodzie sprzed dwudziestu lat. To absurdalne, jednak przypisuję temu bardzo duże znaczenie.

– Jestem przekonany – mówi. – Prze-ko-na-ny.

– Cholera – dziwię się. – Co za suka.

– Nie miałem pojęcia, że chodzi o mnie. Myślałem, że wszystkie dziewczyny szaleją za Dougiem Jacksonem. – Śmieje się.

– Nie chodziło o ciebie. Wszystkie dziewczyny szalały za Dougiem Jacksonem – zgadzam się. – I właśnie w tym sęk: byłam jedyną dziewczyną, której ty się podobałeś. Ona mnie spapugowała. – Po raz kolejny zauważam, jak szczeniacko brzmią moje słowa, kiedy opisuję to, co czuję do Darcy.

– No cóż, niewiele straciłaś. Nasze „chodzenie ze sobą" ograniczyło się do podzielenia się kilkoma ciasteczkami. Nic szczególnego. Poza tym nadal pomagałem ci podczas gry w cztery kwadraty.

– W takim razie możliwe, że Dex też będzie mnie faworyzował podczas najbliższej wspólnej gry w cztery kwadraty – zauważam. – To byłoby naprawdę... – Nie mogę znaleźć odpowiedniego słowa. Czuję, że zaczynam się upijać.

– Sprytne? Błyskotliwe? Fantastyczne? – podpowiada Ethan.

– Wszystkie z powyższych. O tak. – Kiwam głową.

– Lepiej ci? – pyta.

Tak bardzo się stara. Dzięki jego wysiłkom i piwu czuję się nieco uleczona, przynajmniej chwilowo. Myślę o tym, że od Deksa dzielą mnie tysiące kilometrów. Od Dextera, który mógł wybrać moje imię, lecz zamiast tego zaznaczył pole obok imienia Darcy.

– Tak. Trochę lepiej. Tak.

– W takim razie podsumujmy. Ustaliliśmy, że nigdy nie wybrałem Darcy zamiast ciebie. I że ona nie dostała się do Notre Dame.

– Ale dostała Deksa.

– Zapomnij o nim. Nie jest tego wart – mówi Ethan, po czym zerka na *menu* nabazgrane kredą na tablicy ustawionej za naszymi plecami. – A teraz nakarmimy cię rybą i frytkami.

Jemy lunch: rybę, frytki i purée z groszku, które przypomina mi pokarm dla niemowląt. Zestaw pocieszenia. Poza tym wypijamy jeszcze kilka pint piwa. Potem proponuję, żebyśmy poszli na spacer i zobaczyli coś angielskiego. Ethan zabiera mnie do ogrodów Kensington i pokazuje pałac Kensington, w którym mieszkała księżna Diana.

– Widzisz tę bramę? Właśnie pod nią składali kwiaty i listy po jej śmierci. Pamiętasz te zdjęcia?

– O tak. To tutaj?

Kiedy dowiedziałam się o śmierci Diany, byłam akurat z Deksem i Darcy. Imprezowaliśmy w Talkhouse i gdy siedzieliśmy przy barze, podszedł do nas jakiś facet i powiedział:

– Słyszeliście, że Diana zginęła w wypadku samochodowym? – I chociaż mógł mieć na myśli tylko jedną Dianę, Darcy i ja zapytałyśmy chórem:

– Która Diana? – Facet powiedział, że księżna Diana. Potem dodał, że zginęła, uciekając przed paparazzi paryskim tunelem. Darcy od razu zaczęła beczeć. Jednak tym razem nie były to łzy mające zwrócić uwagę otoczenia. Były szczere. Naprawdę była zdruzgotana. Obydwie byłyśmy. Kilka dni później oglądałyśmy razem jej pogrzeb, obudziwszy się o czwartej nad ranem, żeby zobaczyć całą relację, podobnie jak szesnaście lat wcześniej, kiedy Diana brała ślub z księciem Karolem.

Pada mżawka, razem z Ethanem włóczymy się po ogrodach Kensington bez parasola. Nie przeszkadza mi, że moknę. Nie obchodzi mnie, że poskręcają mi się włosy. Mijamy miejsce przy bramie i okrążamy mały okrągły staw.

– Jak on się nazywa?

– Okrągły Staw – odpowiada Ethan. – Bardzo obrazowo, prawda?

Przechodzimy obok estrady i zbliżamy się do Albert Memorial, wielkiego pomnika z brązu przedstawiającego księcia Alberta na tronie.

– Podoba ci się?

– Ładny.

– Pogrążona w żałobie królowa Wiktoria kazała wznieść ten pomnik, kiedy Albert zmarł na tyfus.

– Kiedy to było?

– Około tysiąc osiemset sześćdziesiątego albo siedemdziesiątego któregoś. Fajnie, nie?

– Uhmm.

– Widocznie ona i Al byli ze sobą bardzo zżyci.

Królowa Wiktoria musiała być chyba smutniejsza niż ja teraz. Przychodzi mi do głowy myśl, że lepiej byłoby stracić Deksa w wyniku choroby niż za sprawą Darcy. Może zatem nie jest to prawdziwa miłość, skoro wolałabym widzieć go martwym... No dobra, wolałabym, żeby jednak nie był martwy.

Pada coraz mocniej. Nie licząc kilku japońskich turystów, którzy pstrykają zdjęcia u stóp pomnika, jesteśmy sami.

– Jesteś gotowa do powrotu? – Ethan wyciąga rękę w przeciwnym kierunku. – Hyde Park i Serpentine możemy zobaczyć innego dnia.

– Jasne, możemy już wracać – zgadzam się.

– W taką pogodę pewnie dokucza ci śledziona?

– Ethan! Muszę być na tym ślubie.

– Po prostu to olej.

– Jestem pierwszą druhną.

– A, j a s n e! Ciągle o tym zapominam – mówi, wycierając okulary w rękaw.

W drodze do jego mieszkania Ethan śmieje się pod nosem.

– O co chodzi?

– O Darcy – mówi, kręcąc głową.

– Co z nią?

– Właśnie sobie przypomniałem, jak napisała do Michaela Jordana i zaprosiła go na studniówkę.

Śmieję się.

– Naprawdę myślała, że przyjdzie! Pamiętasz, jak martwiła się o to, w jaki sposób powiedzieć o tym Blaine'owi?

– A Jordan jej odpisał. W każdym razie zrobili to jego ludzie. Ta część wydaje mi się mało prawdopodobna. Zawsze uważałem, że tak naprawdę nie dostała odpowiedzi. – Śmieje się. Bez względu na to, co mówi, wiem, że ma do niej słabość. Nawet wbrew sobie. Podobnie jak ja.

– Tak. Ale cóż, naprawdę jej odpisał. Nadal ma ten list.

– Widziałaś go?

– Tak. Nie pamiętasz, jak powiesiła go w naszej szafce?

– A mimo to – przypomina – nigdy nie widziałaś pisma z Notre Dame.

– Dobra. D o b r a. Może i masz rację. Ale dlaczego nie powiedziałeś mi o tym dwanaście lat temu?

– Jak już mówiłem, myślałem, że oboje o tym wiemy. Cała ta sprawa była dosyć oczywista... Wiesz co, jak na taką bystrą kobietę potrafisz być nieco tępa.

– O, dziękuję.

– Nie ma o czym mówić. – Uchyla niewidzialnego kapelusza.

Wracamy do mieszkania Ethana, gdzie w końcu przegrywam ze zmęczeniem po podróży. Kiedy się budzę, Ethan proponuje mi kubek herbaty Earl Grey i ciasteczko. Lunch w pubie, spacer dawnymi ścieżkami Diany, popołudniowa drzemka, podczas której ani razu nie śni mi się Dex, a potem herbata i ciasteczka w towarzystwie dobrego przyjaciela. Moja wyprawa dobrze się zaczęła. O ile cokolwiek może być naprawdę dobre dla człowieka ze złamanym sercem.

ROZDZIAŁ 22

Wieczorem spotykamy się z przyjaciółmi Ethana, Martinem i Phoebe, których poznał podczas pracy dla „Time Out". Sporo o nich słyszałam: wiem, że Martin jest bardzo dobrze wychowany, studiował w Oksfordzie i pochodzi z bardzo bogatej rodziny, a Phoebe wychowała się we wschodniej części Londynu, raz wyleciała z pracy, bo powiedziała szefowi, żeby się odwalił, i sypiała z wieloma mężczyznami.

Są dokładnie tacy, jak sobie wyobrażałam. Martin jest dobrze ubrany i atrakcyjny w mało seksowny sposób. Siedzi, zakładając nogę na nogę na wysokości kolana, często kiwa głową i marszczy brwi, a za każdym razem kiedy kogoś słucha, wydaje z siebie przeciągłe „hmmm", okazując wielkie zainteresowanie. Phoebe ma wzrost koszykarki i roztrzepane włosy koloru pomidorów. Nie mogę się zdecydować, czy pomarańczowa szminka gryzie się z tą barwą czy raczej ją uzupełnia. Nie jestem również pewna, czy Phoebe jest bardzo ładna, czy też po prostu dziwnie wygląda. Jej ciało jest zdecydowanie dalekie od ideału, lecz wcale nie próbuje tego ukrywać. Spomiędzy koszuli i dżinsów wyziera fałda wielkiego białego brzucha. Na Manhattanie nikt nie odsłoniłby w ten sposób brzucha, chyba że byłby on twardy jak skała. Kiedyś Ethan powiedział mi, że Brytyjki nie mają takiej obsesji na punkcie wyglądu i chudości jak Amerykanki. Pheoebe jest tego przykładem i stanowi miłą odmianę. Przez cały wieczór opowiada o jakimś kolesiu, którego zamierza przelecieć, i o innym kolesiu, którego już przeleciała. Cały czas mówi rzeczowym tonem, którym zazwyczaj opowiada się o męczącej pracy albo o tym, że ten ciągły deszcz zaczyna działać na nerwy. Podoba mi się jej szczerość, lecz Martin cały czas przewraca oczami i rzuca oschłe komentarze o jej prostactwie.

Po skończeniu dłuższej opowieści o Rogerze, którego „jaja zasługują na oblanie paliwem rakietowym", zwraca się do mnie ze słowami:

– Powiedz mi, Rachel, jak podobają ci się nowojorscy mężczyźni. Czy też są tak cholernie okropni jak Anglicy?

– O, dziękuję, kochana – wtrąca Martin z udawaną powagą.

Uśmiecham się do niego, po czym odpowiadam Phoebe.

– To zależy... Są bardzo różni – zaczynam. Nigdy nie myślałam o nich w kategoriach „amerykańskich mężczyzn". Znam przecież tylko takich.

– Jesteś teraz z kimś związana? – pyta, po czym wydmuchuje dym w stronę sufitu.

– Hmmm. Niezupełnie. Nie. Jestem... wolna.

Ethan i ja wymieniamy spojrzenia. Phoebe zaczyna się ekscytować.

– Co? Masz w zanadrzu jakąś historię. Wiedziałam.

Martin rozkłada splecione na piersi dłonie, macha nimi przed twarzą, odganiając dym, i czeka. Pheobe wykonuje gest, który ma oznaczać: „No, dalej, wyrzuć to z siebie".

– To nic takiego – zapewniam. – Nie ma o czym opowiadać, naprawdę.

– Powiedz im – zachęca mnie Ethan.

Zatem teraz nie mam już wyboru, ponieważ Ethan potwierdził, że rzeczywiście jest coś do opowiedzenia.

Nie chcę nikogo irytować długą sesją złożoną z „to nic takiego", „powiedz", „to naprawdę nic takiego", „daj spokój, p o w i e d z", a Phoebe nie wygląda na osobę, która będzie tolerować moje wykręty. Pod tym względem przypomina Hillary, która lubi mawiać: „W takim razie po co w ogóle zaczynałaś ten temat?". Tylko że tym razem poruszył go Ethan. W każdym razie nie mam wyjścia, więc mówię:

– Przez całe lato spotykałam się z facetem, który żeni się za... niecałe dwa tygodnie. Miałam nadzieję, że odwoła ślub. Ale nie odwołał. I proszę. Znowu jestem sama. – Opowiadam tę historię bez emocji, co napawa mnie dumą. Robię postępy.

Phoebe mówi:

– Zazwyczaj zaczynają zdradzać po ślubie. Koleś popełnił falstart, co? Jaka jest jego przyszła żona? Znasz ją?

– Tak. Można tak powiedzieć.

– Prawdziwa suka, nie? – pyta Phoebe zatroskanym tonem.

Martin odchrząkuje i jeszcze raz opędza się od dymu z jej papierosa.

– Może Rachel nie ma ochoty o tym rozmawiać. Pomyślałaś o tym?

– Nie, nie p o m y ś l e l i ś m y o tym – odpowiada mu, po czym zwraca się do mnie: – Masz coś przeciwko temu?

– Nie, w porządku – odpowiadam. I to chyba prawda.

– No więc wróćmy do tej dziewczyny, z którą ma się ożenić. Jak ją poznałaś?

– No cóż... – mówię. – Znamy się już bardzo długo.

Ethan wykłada kawę na ławę:

– Mówiąc w skrócie, Rachel jest pierwszą druhną. – Klepie mnie po plecach i kładzie dłoń na moim ramieniu, jak gdyby składał gratulacje. Jest wyraźnie zadowolony, że zapewnił znajomym odrobinę transatlantyckich rewelacji.

Pheobe wcale nie jest speszona. Jestem pewna, że słyszała o większych problemach.

343

– Cholerny bałagan – przyznaje ze współczuciem.

– Ale to już skończone – mówię. – Powiedziałam mu, co czuję. Kazałam odwołać ślub. A on wybrał ją. I to by było tyle. – Próbuję zatuszować fakt, że to ja zostałam odrzucona. I chyba dobrze mi to wychodzi.

– Fantastycznie sobie z tym radzi – chwali mnie Ethan.

– Tak. Wcale nie wydajesz się poruszona – zgadza się Phoebe. – Nigdy bym się nie domyśliła.

– Może powinna płakać do kufla z piwem? – pyta ją Martin.

– Ja bym płakała. Pamiętacie Oscara?

Ethan jęczy, a Martin się krzywi. Najwidoczniej pamiętają Oscara.

Wtedy Ethan dodaje, że, jego zdaniem, powinnam olać ten ślub. Phoebe chce dowiedzieć się czegoś więcej o pannie młodej, zatem Ethan pobieżnie opisuje Darcy, rzucając trochę światła na naszą przyjaźń. Przywołuje nawet historię o Notre Dame. Odpowiadam na kierowane do mnie pytania, lecz poza tym po prostu słucham, jak cała trójka dyskutuje o mojej trudnej sytuacji, jakby mnie przy nich nie było. Zabawnie jest słuchać, jak Martin i Phoebe wymawiają imiona Deksa i Darcy swoim brytyjskim akcentem, analizując ich postacie. Ludzie, którzy nigdy się nie spotkali i prawdopodobnie nigdy się nie spotkają. Dzięki temu udaje mi się spojrzeć na całą sprawę z pewnym dystansem. Prawie.

– W każdym razie na pewno nie chcesz już z nim być – stwierdza Phoebe.

– Mówię jej dokładnie to samo – oznajmia Ethan.

Martin wtrąca, że może Deksowi uda się jeszcze odwołać ślub.

– Nie – zaprzeczam. – W wieczór przed wyjazdem przyszedł do mnie i jednoznacznie oświadczył, że zamierza się żenić.

– Przynajmniej był szczery – stwierdza Martin.

– W końcu – dodaję, myśląc, że to rzeczywiście był jakiś plus. W przeciwnym razie nadal miałabym nadzieję. Deksowi należy się pewne uznanie, ponieważ powiedział mi to osobiście.

Nagle Phoebe wpada na genialny pomysł. Jej przyjaciel James niedawno rozstał się z dziewczyną i uwielbia Amerykanki. Mogłabym się z nim umówić i zobaczylibyśmy, co z tego wyjdzie.

– Ona mieszka w Nowym Jorku – mówi Martin. – Pamiętasz?

– I co z tego? To tylko mały problem logistyczny. Mogłaby się przeprowadzić. A przynajmniej obydwoje przyjemnie spędziliby czas. Może trafiłoby się jakieś dobre bzykanko.

– Nie każdy traktuje bzykanko jak terapię – ripostuje Martin.

Phoebe unosi jedną brew. Żałuję, że tak nie potrafię. Są chwile, do których ten gest pasuje wprost idealnie.

– Och, naprawdę? Powinieneś spróbować, Marty. – Odwraca się z powrotem do mnie, czekając na moją opinię.

– Dobre bzykanko nigdy nie zaszkodzi – przytakuję, żeby zaskarbić sobie jej sympatię.

– Właśnie o tym mówię. – Przeczesuje palcami potargane włosy i wygląda na zadowoloną.

– Co robisz? – pyta Ethan, kiedy Phoebe wyciąga z torebki telefon.

– Dzwonię do Jamesa – odpowiada.

– Jasna c h o l e r a, Pheebs! Odłóż komórkę – Martin unosi się. – Miej trochę taktu.

– Nie, wszystko w porządku – mówię, tłumiąc moje pruderyjne instynkty. – Możesz do niego zadzwonić.

– Tak. Nie mieszajcie się do tego, chłopcy. – Phoebe się rozpromienia.

I tak dzięki Phoebe już niebawem jem tajskie jedzenie na randce w ciemno z Jamesem Hathawayem. James jest przystojnym trzydziestoletnim niezależnym dziennikarzem. Wydaje się zupełnym przeciwieństwem Deksa. Jest raczej niski, ma niebieskie oczy, jasne włosy i jeszcze jaśniejsze brwi. Coś w jego postaci przypomina mi Hugh Granta. Z początku myślę, że chodzi o akcent, ale później zauważam, że podobnie jak Hugh ma w sobie pewien beztroski urok. I założę się, że tak jak on sypiał z wieloma kobietami. Może powinnam pozwolić mu dopisać mnie do tej listy.

Kiwam głową i śmieję się z cierpkiego komentarza na temat siedzącej obok pary, który właśnie rzucił James. Jest zabawny. Nagle dociera do mnie, że być może Dex nie jest zbyt zabawny. Oczywiście, zawsze byłam zdania, że jeśli mam ochotę się pośmiać, mogę obejrzeć powtórkę *Kronik Seinfelda* i nie muszę umawiać się z komikiem, ale zastanawiam się nad zmianą tego stanowiska. Może c h c ę mieć zabawnego faceta. Może Deksowi brakuje jakiejś ważnej cechy. Próbuję rozwinąć tę myśl, wyobrażając go sobie jako człowieka pozbawionego humoru, a nawet nudnego. Nie bardzo mi wychodzi. Ciężko samemu wyprowadzić się w pole. Dex jest w y s t a r c z a j ą c o zabawny. Jest dla mnie idealny. Nie licząc drobnej skazy w postaci zamiaru poślubienia Darcy.

Spostrzegam, że nie dosłyszałam tego, o czym mówił James. Miało to jakiś związek z Madonną.

– Lubisz ją? – pyta mnie.

– Niespecjalnie. Ale jest w porządku.

– Zwykle Madonna wywołuje silniejszą reakcję. Ludzie ją kochają albo jej nienawidzą... Grałaś kiedyś w tę grę? Kochasz czy nienawidzisz?

– Nie. Na czym to polega?

James uczy mnie zasad gry. Mówi, że trzeba rzucić jakiś temat, osobę albo cokolwiek i obydwaj gracze muszą zdecydować, czy to kochają, czy nienawidzą. Neutralna postawa nie jest dozwolona.

– A co, jeśli naprawdę masz neutralne zdanie? – pytam.

– Nie kocham Madonny a n i jej nie nienawidzę.

– Musisz wybrać jedno albo drugie. Wybieraj. Kochasz ją czy nienawidzisz?

Waham się, po czym mówię:

– Dobra. W takim razie nienawidzę.

– Dobrze. Ja też.

– Naprawdę? – pytam.

– No cóż, tak. Jest pozbawiona talentu. Teraz twoja kolej.

– Hmm... Nic nie przychodzi mi do głowy. Zapytaj jeszcze o coś.

– Dobra. Łóżka wodne.

– Są takie tandetne. Nienawidzę ich – w tym przypadku nie muszę się zastanawiać.

– Ja też. Twoja kolej.

– Dobra... Bill Clinton.

– Kocham go – mówi James.

– Ja też.

Gramy w tę grę, dopijając wino.

Okazuje się, że obydwoje nienawidzimy (a przynajmniej bardziej nienawidzimy, niż kochamy) ludzi, którzy hodują złote rybki, kulturystów i Rossa z *Przyjaciół*. Obydwoje kochamy (a przynajmniej bardziej kochamy, niż nienawidzimy) skrzydełka z kurczaka w KFC, implanty piersi (tutaj skłamałam, żeby wyjść na wyluzowaną dziewczynę, ale zdziwiłam się, że on nie skłamał w przeciwnym kierunku – może boi się, że je mam) i oglądanie golfa w telewizji. Różnimy się w kwestii muzyki rap (ja kocham – jego przyprawia o ból głowy), Toma Cruise'a (on kocha – ja nadal nienawidzę go za zostawienie Nicole) i rodziny królewskiej (ja kocham – on twierdzi, że jest republikaninem, cokolwiek to znaczy) i Las Vegas (on kocha – mnie kojarzy się z grą w kości i z Deksem).

Myślę sobie, że lubię (to znaczy kocham) tę grę. Skrajne opinie. Jasność sytuacji. Wszystko albo nic. Po cichu zastanawiam się nad Deksem, dwukrotnie zmieniając decyzję: nienawidzę, kocham, nienawidzę. Pamiętam, jak kiedyś moja matka powiedziała, że przeciwieństwem miłości nie jest nienawiść, lecz obojętność. Wiedziała, o czym mówi. Moim celem jest obojętność wobec Deksa.

Kończymy kolację, postanawiamy podarować sobie deser i pójść do niego. Ma przytulne mieszkanie – większe niż Ethan – pełne roślin i miękkich tapicerowanych mebli. Widać, że niedawno wyprowadziła się stąd kobieta. W dodatku połowa regału została ogołocona z książek. Cała lewa strona. Zakładając, że segregowali je od początku, co wydaje się wątpliwe, musiał przesunąć wszystko, co zostało, na jedną stronę. Może chciał zobaczyć, w jakim stopniu jego życie bez niej jest puste.

– Jak miała na imię? Twoja była? – pytam nieśmiało. Może nie powinnam o niej wspominać, ale jestem pewna, że James zakłada, iż Phoebe zapoznała mnie z jego sytuacją. Jestem również pewna, że przedstawiła mu moją.

– Katherine. Kate.

– Jak sobie radzisz?

– Trochę mi smutno. Lecz przede wszystkim czuję ulgę. Czasami wręcz euforię. Nasz związek skończył się już dawno temu.

Kiwam głową, jak gdybym rozumiała, chociaż moja sytuacja jest kompletnie inna. Może Deksa i mnie czekał podobny koniec i oszczędziliśmy sobie wielu lat starań i bólu.

– A ty? – pyta.

– Phoebe ci powiedziała?

Widzę, że ma ochotę skłamać, ale potem mówi:

– Mniej więcej… Tak… Jak się czujesz?

– W porządku – odpowiadam. – To była krótkotrwała sytuacja. W niczym nie przypominała twojego rozstania.

Jednak sama nie wierzę we własne słowa. Na chwilę przypomina mi się czwarty lipca i czuję przypływ naprawdę głębokiego smutku, który zbija mnie z tropu swoją intensywnością. Wpadam w panikę, myśląc, że za chwilę zacznę płakać.

Jeśli James zada mi jeszcze jedno pytanie dotyczące Deksa, z pewnością tak się to skończy. Na szczęście, wygląda na to, że poważne rozmowy nie są tym, co James lubi najbardziej. Pyta, czy mógłby zaproponować mi coś do picia.

– Herbatę? Kawę? Wino? Piwo?

– Z chęcią napiję się piwa – mówię.

Kiedy wychodzi do kuchni, biorę głęboki wdech i odganiam od siebie myśli o Deksie. Wstaję i rozglądam się po pokoju. Dostrzegam tylko jedno zdjęcie. Przedstawia Jamesa z jakąś atrakcyjną starszą kobietą, która wygląda na jego matkę. Zastanawiam się, ile zdjęć Kate i Jamesa zniknęło stąd po ich rozstaniu, czy je wyrzucił, czy też zachował. Ten fakt może o człowieku wiele powiedzieć. Żałuję, że nie mam zdjęć Deksa. Nie mam żadnego, na którym bylibyśmy razem – jedynie kilka przedstawiających go razem z Darcy. Jestem pewna, że po ślubie będzie ich znacznie więcej. Darcy zmusi mnie do zamówienia paru z nich, może nawet podaruje jedno oprawione w ramkę jako ślubną pamiątkę. Jak ja przez to wszystko przebrnę?

James wraca z lnianymi serwetkami, dwoma kuflami piwa i małą miseczką mieszanki orzechowej. Wszystko zgrabnie umieszczone na prostokątnej cynowej tacy. Kate dobrze go wyszkoliła.

– Dzięki – mówię i zaczynam sączyć swoje piwo.

Siedzimy blisko siebie na kanapie i rozmawiamy o mojej pracy, jego pisaniu. Nie jest idealnie, ale z drugiej strony nie ma tragedii. Prawdopodobnie dlatego że obydwoje znaleźliśmy się w sytuacji przypominającej ślepy zaułek. Nie będzie drugiej randki, więc nie musimy się starać. Żadnych oczekiwań. Nigdy nie będziemy musieli zmagać się z tym okropnym okresem, który następuje po omówieniu wszystkich „zapoznawczych" tematów. Z chwilami milczenia, które zazwyczaj przydarzają się na drugiej randce, kiedy to obydwie osoby muszą zdecydować, czy brnąć w stronę bezpiecznej strefy, czy też dać za wygraną. Rzecz jasna, ja i Dex nie mieliśmy tego problemu. Kolejna wspaniała rzecz związana z Deksem. Na początku byliśmy przyjaciółmi. Nie myśl o Deksie. Myśl o tym, co jest teraz, myśl o Jamesie!, strofuję się.

James pochyla się i mnie całuje. Trochę za bardzo angażuje język – wykonuje nim gorączkowe koliste ruchy – i jego oddech lekko pachnie papierosami, co wydaje mi się dziwne, bo tego wieczoru w ogóle nie palił. Może puścił dymka w kuchni. Mimo wszystko oddaję mu pocałunek, udając entuzjazm. W pewnej chwili nawet cichutko mruczę. Nie mam pojęcia dlaczego.

Ile razy będę musiała znosić całowanie kogoś po raz pierwszy? Chociaż Darcy twierdzi, że będzie jej brakowało tego elementu panieńskiego życia, ja wcale go nie lubię. Wyjątek stanowi mój pierwszy prawdziwy pocałunek z Deksem, który był absolutnie fantastyczny. Zastanawiam się, czy James myśli o Kate równie intensywnie, jak ja o Deksie. Po odpowiednio długiej chwili ręka Jamesa sunie ku mojej koszuli. Nie stawiam oporu. Jego dotyk wcale nie jest nieprzyjemny i myślę sobie: Czemu nie? Niech zobaczy, czym jest amerykańska pierś.

Po półgodzinie mniej lub bardziej intensywnego obmacywania James prosi mnie, żebym spędziła u niego noc. Mówi, że nie chce się ze mną przespać – no cóż, w sumie to chce, ale nie będzie próbował. I prawie się zgadzam, lecz wtedy okazuje się, że James nie ma płynu do soczewek. Nie mogę spać w szkłach kontaktowych, a okulary zostawiłam w domu. To tyle. Zabawne, że taka błahostka powstrzymuje mnie od aktu rozwiązłości.

Całujemy się jeszcze trochę, słuchając płyty Barenaked Ladies. Te piosenki przywodzą mi na myśl ukończenie prawa, randki z Nate'em i jego odejście. Wsłuchuję się w słowa i przypominam sobie tamten smutek.

Piosenki i zapachy przenoszą człowieka w czasie bardziej niż cokolwiek innego. To zadziwiające, ile można sobie przypomnieć dzięki kilku dźwiękom albo odrobinie zapachu unoszącego się w pokoju. Piosence, na którą wtedy nie zwracało się nawet uwagi, i miejscu, którego woń była kiedyś ledwie wyczuwalna. Zastanawiam się, co pewnego dnia przypomni mi o Deksie i wspólnie spędzonych miesiącach. Może dźwięk głosu Dido. Może zapach szamponu, którego używałam przez całe lato.

Kiedyś bycie z Deksem wyda mi się odległym wspomnieniem. To również mnie zasmuca. Jak wtedy gdy umiera ktoś bliski i pierwsza faza smutku wydaje się najgorsza. Jednak w pewnym sensie smutniejsze jest to, że wraz z upływem czasu spostrzegasz, jak bardzo brakuje go w twoim życiu. Na świecie.

Kiedy James odprowadza mnie do mieszkania Ethana, odwraca się do mnie i mówi:

– Chciałabyś pójść ze mną jutro do zamku Leeds? Ze mną i z Ethanem?

– Co to takiego ten zamek Leeds? – pytam, zdając sobie sprawę, że to pewnie tak, jakbym pytała, czym jest Empire State Building.

– Ten zamek był normandzką twierdzą i królewską rezydencją sześciu średniowiecznych królowych. Jest naprawdę uroczy. Niedaleko mieści się teatr na otwartym powietrzu. Sporo tam turystów, ale przecież ty też jesteś turystką, prawda?

Zaczynam zauważać, że Brytyjczycy umieszczają na końcu każdego zdania małe pytanie, czekając na potwierdzenie. Zatem potwierdzam:

– Jestem turystką. Masz rację.

Potem mówię, że wizyta w zamku Leeds to świetny pomysł. Bo brzmi nieźle. I ponieważ wszystko, co robię, i każda poznawana osoba tworzą między mną i Deksem pewien dystans. Czas leczy rany, zwłaszcza jeśli wypełni się go mnóstwem różnych rzeczy.

– Zapytaj Ethana, co o tym myśli. I zadzwoń do mnie.

– Zapisuję numer swojego telefonu na odwrocie papierka od gumy do żucia, który znajduję w torebce. – Będę czekał.

Dziękuję mu za miły wieczór. Znowu mnie całuje, składając dłonie na moim karku.

– Obcałowywanie się z nowo poznaną osobą tuż po wielkim rozstaniu. Kochasz czy nienawidzisz? – pyta.

– Kocham. – Śmieję się.

– Zgadzam się. – James posyła mi znaczący uśmieszek.

Otwieram drzwi do mieszkania Ethana, zastanawiając się, czy James również skłamał.

Nazajutrz zaspany Ethan wchodzi do kuchni, w której nalewam sobie szklankę soku pomarańczowego bez miąższu.

– No i? Zakochałaś się w Jamesie?

– Szaleńczo.

– Poważnie? – Drapie się po głowie.

– Nie. Ale było zabawnie.

Zdaję sobie sprawę, że nie potrafię nawet dokładnie przypomnieć sobie wyglądu Jamesa. Zamiast niego ciągle mam przed oczami pewnego faceta z zajęć z podatku dochodowego.

– Chce się z nami dzisiaj spotkać. Wybrać się razem do jakiegoś pałacu albo zamku.

– Hmmm. Pałac albo zamek w Anglii. Bardzo precyzyjne określenie.

– Leeds czy coś w tym rodzaju.

– Tak. – Ethan kiwa głową. – Zamek Leeds jest fajny. Chcesz tak spędzić dzisiejszy dzień?

– Nie wiem. Czemu nie?

Dalsze rozmowy z Jamesem wydają mi się stratą czasu i będą wymagały wielkiego wysiłku, ale mimo to do niego dzwonię i w końcu wszyscy wybieramy się do zamku Leeds. Phoebe i Martin dołączają do nas. Wygląda na to, że wszyscy przyjaciele Ethana sami decydują o swoich godzinach pracy, ponieważ żadne z nich nie zastanawia się dwa razy nad urwaniem się z roboty w tę przypadkową środę. Myślę o tym, jak bardzo różni się od tego moje życie w Nowym Jorku, z Lesem, którego widmo wisi nade mną nawet w weekendy.

Dzień jest ciepły – jak na londyńskie standardy prawie upalny. Zwiedzamy zamek i jego okolicę, urządzamy sobie piknik na trawie. W pewnej chwili Phoebe głośno pyta, czy polubiłam Jamesa. Spoglądam na niego, a on patrzy na Phoebe, przewracając oczami. Potem uśmiecham się i równie głośno, jak ona odpowiadam, że jest całkiem fajny, ale szkoda, że nie mieszka w Nowym Jorku. Dochodzę do wniosku, że taki komplement nikomu nie zaszkodzi. Jeśli naprawdę mnie polubił, zrobi mu się miło. A jeśli nie, to dzięki tej odległości będzie się czuł bezpiecznie.

– Dlaczego w takim razie nie przeprowadzisz się do Londynu? – pyta. – Ethan mówi, że zdecydowanie nienawidzisz swojej pracy. Może przeprowadzisz się tutaj i poszukasz czegoś na miejscu? Byłaby to miła zmiana otoczenia, prawda?

Śmieję się i mówię, że nie mogę tego zrobić. Kiedy jednak siedzimy nad spokojnym jeziorem i podziwiamy bajkowy zamek na angielskiej wsi, zaczynam myśleć, że to rzeczywiście dobry pomysł. Może po tym, jak rzucisz kostkami i przegrasz, trzeba po prostu je pozbierać i rzucić jeszcze raz? Wyobrażam sobie chwilę, w której wręczam Lesowi wypowiedzenie. To dałoby mi niesamowitą satysfakcję. I nie musiałabym regularnie widywać Deksa i Darcy. Zastanawiam się, jak dobry terapeuta określiłby takie posunięcie – ucieczka czy może nowy, zdrowy start?

Ostatniego wieczoru w Londynie znowu idę z Ethanem do jego ulubionego pubu, który zaczynam już traktować jak bar obok mojego domu. Pytam go, co sądzi o pomyśle z moją przeprowadzką do Londynu. W ciągu piętnastu minut wszystko jest już zorganizowane. Ethan ma dla mnie mieszkanie do wynajęcia, pracę i kilku facetów, jeśli James nie jest moim ideałem. Każdy z nich może się pochwalić prostymi białymi zębami (zwróciłam uwagę na kiepski stan uzębienia Brytyjczyków). Mówi: „Zrób to. Po prostu to zrób". W jego ustach to wszystko brzmi tak prosto. To jest proste. Ziarno nie tylko zostało zasiane. Ono rośnie i wypuszcza mały pączek.

Ethan ciągnie dalej:

– Powinnaś oddalić się od Darcy. Od tej toksycznej przyjaźni. To niezdrowe. A jeśli będziesz musiała ich widywać po ślubie, wasz związek będzie jeszcze bardziej destrukcyjny.

– Wiem – zgadzam się, przepychając frytkę przez purée z zielonego groszku.

– I myślę, że nawet jeśli zostaniesz w Nowym Jorku, koniecznie powinnaś zakończyć tę przyjaźń. Tak naprawdę to nawet nie jest przyjaźń, jeśli ona chce być jedynie lepsza od ciebie.

– Wcale nie jest taka złośliwa, jak mówisz – oświadczam, zastanawiając się, dlaczego jej bronię.

– Masz rację. Jej nie chodzi jedynie o to, żeby cię pokonać. Myślę, że po prostu bardzo cię szanuje i chce cię pokonać, aby zyskać twoje uznanie... Zauważ, że nie wysila się tak bardzo, aby narobić wstydu Annalise. Chodzi tylko o ciebie. Ale czasami myślę, że ty też dajesz się w to wciągnąć i wasze wzajemne stosunki zaczynają bardziej przypominać rywalizację niż przyjaźń. – Posyła mi znaczące rodzicielskie spojrzenie.

– Myślisz, że Dex podoba mi się z tego samego powodu? Że chcę rywalizować z Darcy? Tak?

Odchrząkuje i wyciera usta serwetką, po czym odkłada ją z powrotem na kolana.

– No cóż? Czy to możliwe? – pyta.

– Nie ma mowy. – Kręcę głową. – Nie można wmówić sobie uczuć, których doświadczam. Doświadczałam – poprawiam się.

– W porządku. To była tylko teoria.

– Absolutnie nie. To działo się naprawdę.

Kiedy jednak zasypiam w łóżku Ethana (uparł się, że przez cały tydzień będzie spał na kanapie), zastanawiam się nad tą jego teorią. Czy to możliwe, że dreszczyk, który czułam, całując się z Deksem, wiązał się raczej z podnieceniem związanym z byciem niegrzeczną dziewczynką, z łamaniem zasad, posiadaniem czegoś, co należy do Darcy? Może romans z Deksem był wyrazem buntu przeciwko rozważnym wyborom, Darcy i wszystkim latom poczucia niższości? Ta myśl nie daje mi spokoju, bo nikt nie lubi uważać się za niewolnika własnych podświadomych dążeń. Jednak taki pomysł jednocześnie mnie pociesza. Jeśli lubiłam Deksa z tych powodów, to ostatecznie wcale go nie kocham. I zapominanie o nim powinno być o wiele łatwiejsze.

Jednak następnego dnia, kiedy Ethan jedzie ze mną metrem do stacji Paddington, znowu jestem pewna, że naprawdę kocham Deksa i prawdopodobnie będę go kochać jeszcze bardzo długo. Kupuję bilet na Heathrow Express. Napisy na tablicy informują nas, że następny pociąg odjedzie za trzy minuty, więc idziemy na wskazany peron.

– Wiesz, co robić, prawda? – upewnia się Ethan.

Przez chwilę myślę, że pyta o moje życie, lecz później zdaję sobie sprawę, że miał na myśli podróż powrotną.

– Tak. Ten pociąg jedzie bezpośrednio do Heathrow, prawda?

– Zgadza się. Po prostu wysiądź przy trzecim terminalu. To łatwe.

Ściskam Ethana i dziękuję mu za wszystko. Mówię, że wspaniale się bawiłam.

– Nie mam ochoty wyjeżdżać.

– W takim razie zamieszkaj tutaj... Powinnaś to zrobić. Nie masz nic do stracenia.

Ma rację. Nie mam nic do stracenia. Niczego bym tam nie zostawiła. Przygnębiająca myśl.

– Zastanowię się nad tym – i postanawiam sobie, że po powrocie do domu, zamiast ślepo popadać w dawną rutynę, naprawdę o tym pomyślę.

Ściskamy się jeszcze raz, a potem wsiadam do pociągu i przez kolorową szybę w oknie patrzę, jak Ethan macha mi na pożegnanie. Ja również mu macham, myśląc, że nie ma nic lepszego niż starzy przyjaciele.

Docieram na trzeci terminal i przechodzę odprawę, kontrolę, a na końcu czekam na wejście na pokład. Mam wrażenie, że lot trwa w nieskończoność, i pomimo usiłowań nie mogę zasnąć. Choć mam za sobą cały tydzień atrakcji, wcale nie czuję się lepiej niż podczas podróży do Londynu. Nawet widok Nowego Jorku z tej wysokości, na który zazwyczaj czekam z niecierpliwością, nie poprawia mi nastroju. Gdzieś pomiędzy tymi budynkami jest Dex. Czułam się lepiej, kiedy dzielił nas Ocean Atlantycki.

Kiedy samolot ląduje, przechodzę kontrolę paszportową, odbieram bagaż, zaliczam kontrolę celną i w końcu staję w długiej kolejce do taksówek. Na zewnątrz jest paskudnie gorąco, a kiedy wsiadam do taksówki, okazuje się, że klimatyzacja w tylnej części samochodu ledwie działa.

– Czy mógłby pan podkręcić klimatyzację? – pytam kierowcę. Pali papierosa, dopuszczając się wykroczenia, które mogłoby go kosztować sto pięćdziesiąt dolarów. Ignoruje mnie i kręci kierownicą jak opętany. Co dziesięć sekund zmienia pas.

Jeszcze raz interweniuję w sprawie klimatyzacji. Nic. Może zagłusza mnie wycie radia. A może facet nie mówi po angielsku. Zerkam na „Kartę praw pasażera". Mam prawo do kulturalnego, mówiącego po angielsku kierowcy, który zna kodeks drogowy i przestrzega jego przepisów... do klimatyzacji na żądanie... do podróży w ciszy... czystego powietrza... czystego bagażnika.

Może chociaż bagażnik jest czysty.

Proszę. Ciągle te niskie wymagania.

Na tylnym siedzeniu robi się coraz goręcej, więc opuszczam szybę i znoszę powiew brudnego powietrza, które rozwiewa mi włosy i bije nimi o twarz. W końcu jestem z powrotem w domu. Płacę mojemu niezbyt grzecznemu kierowcy za przejazd i dodaję napiwek (chociaż treść wywieszki wyraźnie mówi, że mogę nie dawać napiwku, jeśli nie zostały uszanowane moje prawa). Zabieram bagaż z tylnego siedzenia.

Jest piąta trzydzieści. W sobotę o tej porze Darcy i Dex będą już małżeństwem. Wcześniej pomogę Darcy ubrać suknię i owinę jej lilie moją koronkową chusteczką – coś pożyczonego. Tysiąc razy zapewnię ją, że nigdy nie wyglądała równie pięknie, że wszystko jest w porządku. Podejdę do Deksa, nie patrząc w jego stronę. Cóż, przynajmniej będę się starała nie patrzeć, ale być może dostrzegę ulotny wyraz jego oczu, mieszankę poczucia winy i litości. Ściskając w spoconych dłoniach platynową obrączkę Deksa, wytrzymam te bolesne pół minuty, podczas których Darcy w pełni chwały będzie kroczyła w kierunku ołtarza. Za sześć dni najgorsze będzie już za mną.

– Witam, Rachel! – mówi José, kiedy zamykam drzwi taksówki. Potem zwraca się do kogoś ukrytego w korytarzu.
– Wróciła!

Zamieram w bezruchu, spodziewając się Darcy z jej ślubnym katalogiem, gotowej wyszczekać żądania pod moim adresem. Jednak to nie ona czeka na mnie w korytarzu, siedząc na samotnym skórzanym fotelu typu uszak.

ROZDZIAŁ 23

To Dex. Siedzi tam, a ja się na niego gapię. Ma na sobie dżinsy i szarą koszulkę z napisem „Hoyas"*. Jest bardziej opalony niż w przeddzień mojego wyjazdu. Mam do niego żal o te zdrowe rumieńce i spokój na twarzy.

– Cześć – mówi, robiąc krok w moją stronę.

– Cześć. – Zamieram w bezruchu, czując, jak sztywnieje moje ciało. – Skąd wiedziałeś, kiedy wracam?

– Ethan podał mi szczegóły twojego lotu. Znalazłem jego numer w książce adresowej Darcy.

– Aha... Czego chcesz? Co tutaj robisz? – pytam. Nie chcę, aby w moim głosie pobrzmiewała gorycz, ale tak właśnie jest.

– Pozwól mi wejść na górę. Muszę z tobą porozmawiać – prosi cicho, lecz zdecydowanie. José nadal promienieje, nie mając bladego pojęcia, co się dzieje.

Wzruszam ramionami i wciskam guzik windy. Droga na górę ciągnie się w nieskończoność i upływa nam w milczeniu. Spoglądam na niego, kiedy czeka, aż wyjdę pierwsza. Po jego minie widzę, że przyszedł, aby jeszcze raz mnie przeprosić. Nie może znieść tego, że jest złym facetem. Cóż, nie za-

---

* Drużyny sportowe reprezentujące Uniwersytet Georgetown (przyp. tłum.).

mierzam dać mu tej satysfakcji. I nie pozwolę się potraktować jak idiotka. Jeśli znowu zacznie mnie zapewniać, jak bardzo mu przykro, po prostu przerwę mu w pół zdania. Może nawet powiem o Jamesie. Oznajmię, że nic mi nie jest i że będę na ślubie, ale potem chcę mieć z nim jak najmniej kontaktu i oczekuję, że mi w tym pomoże. I żeby wszystko było jasne, powiem, to już koniec naszej przyjaźni.

Przekręcam klucz w zamku i otwieram drzwi. Wejście do mieszkania przypomina otwarcie rozgrzanego piekarnika, pomimo że pamiętałam o opuszczeniu rolet. Zwiędły wszystkie rośliny. Powinnam była poprosić Hillary, żeby je podlewała. Włączam klimatyzację i zauważam, że nie chce pracować na pełnych obrotach. Za każdym razem kiedy temperatura na zewnątrz przekracza trzydzieści pięć stopni, celowo zostaje zmniejszone natężenie prądu w całym mieście. Tęsknię za Londynem, gdzie nie trzeba mieć klimatyzacji.

– Siada prąd – mówi Dex.

– Widzę – odpowiadam.

Przechodzę obok niego obojętnie, opadam na kanapę, splatam ręce na piersi i próbuję unieść jedną brew tak jak Phoebe. Unoszą się obydwie.

Dex siada obok bez pytania. Próbuje wziąć mnie za rękę, lecz ją odsuwam.

– Po co tu przyszedłeś, Dex?

– Właśnie go odwołałem.

– Co takiego? – pytam. Z pewnością się przesłyszałam.

– Ślub został odwołany. Ja... się nie żenię.

Jestem oszołomiona i przypominam sobie, jak po raz pierwszy usłyszałam, że ludzie szczypią się, kiedy myślą, że śnią. Miałam wtedy cztery lata i potraktowałam to dosłownie: mocno uszczypnęłam się w ramię, na wypadek gdybym nadal była dwulatką i śniła o drugiej połowie życia. Pamiętam, że kiedy zabolało, poczułam ulgę.

Dex ciągnie dalej spokojnym i cichym głosem. Wpatruje się w swoje złożone na kolanach pięści i zerka na mnie pomiędzy kolejnymi zdaniami.

– Kiedy cię nie było, cały czas myślałem, że zwariuję. Tak bardzo za tobą tęskniłem. Tęskniłem za twoją twarzą, zapachem, nawet za twoim mieszkaniem. Ciągle odtwarzałem to wszystko w myślach. Nasz wspólnie spędzony czas, wszystkie rozmowy. Studia prawnicze. Twoje urodziny. Czwarty lipca. Wszystko. I zwyczajnie nie potrafię sobie wyobrazić, że już nigdy nie będziemy razem. To takie proste.

– Co z Darcy? – pytam.

– Zależy mi na niej. Chcę, żeby była szczęśliwa. Uważałem, że postąpię słusznie, żeniąc się z nią. Byliśmy razem siedem lat i przez większość tego czasu czuliśmy się dosyć szczęśliwi. Nie chciałem jej ranić.

Ja też nie chcę jej ranić, myślę.

– Ale to było przed tobą – ciągnie dalej. – I po prostu nie mogę się z nią ożenić, gdy tak bardzo mi na tobie zależy. Nie mogę. Kocham cię. A to dopiero początek… Jeśli nadal mnie kochasz.

Jest tyle słów, które chciałabym powiedzieć, lecz jakimś cudem nie mogę wydobyć z siebie głosu.

– Powiedz coś.

Silę się na pytanie:

– Powiedziałeś jej o nas?

– O nas nie. Lecz powiedziałem, że jej nie kocham i poślubianie jej nie byłoby w porządku.

– Jak zareagowała? – pytam. Muszę znać każdy szczegół, zanim uwierzę, że to prawda.

– Spytała, czy jest ktoś inny. Powiedziałem, że nie… Że po prostu coś między nami nie gra.

– Jak ona się czuje?

– Jest przygnębiona. Ale najbardziej smuci ją to cholerne wesele i to, co pomyślą sobie ludzie. Przysięgam, że właśnie te sprawy gnębią ją najbardziej.

– Gdzie ona teraz jest? – pytam. – Nie zostawiła mi żadnych wiadomości.

– Chyba poszła do Claire.

– Na pewno myśli, że zmienisz zdanie.

Ja też tak myślę. Zmieni zdanie, a kiedy już to zrobi, wszystko będzie jeszcze bardziej okrutne.

– Nie – zaprzecza. – Wie, że mówiłem poważnie. Zadzwoniłem do rodziców i o wszystkim ich poinformowałem. A dzisiaj wieczorem razem dzwonimy do jej rodziców. Chce, żebym to ja im powiedział... A potem będziemy dzwonić do wszystkich pozostałych. – Łamie mu się głos i przez chwilę zastanawiam się, czy przypadkiem się nie rozpłacze.

Mówię, że mi przykro. Nie wiem, co innego mogłabym powiedzieć. Nie potrafię wystarczająco szybko przeanalizować tej informacji. Chcę go pocałować, podziękować mu, uśmiechnąć się. Ale nie umiem. To nie wydaje się właściwe.

Kiwa głową, przeczesuje włosy palcami, a potem znowu kładzie dłonie na kolanach.

– Jest ciężko, ale czuję, jak spada ze mnie ten ogromny ciężar. Robię to, co powinienem.

Spogląda na mnie, wytrzymuję jego spojrzenie, a potem go całuję. To się dzieje naprawdę, myślę, kiedy mnie obejmuje. Następnie powoli się odprężam, czując spełnienie i szczęście po raz pierwszy od czasu, który wydaje się wiecznością. Wcześniej zawsze brakowało mi tego głębokiego spokoju, nawet podczas naszego wspólnego weekendu z okazji czwartego lipca. Teraz mamy czas. Mnóstwo czasu. Może nawet całą wieczność.

Zastanawiam się, jak to będzie, gdy ze sceny zniknie Darcy. Czy seks stanie się inny? Za chwilę się o tym przekonam, bo Dex właśnie rozpina moją koszulę. Łomocze mi serce, kiedy przenosimy się na łóżko i rozbieramy.

– Tęskniłem za tobą, Rachel – mówi. Czuję, jak jego serce bije tuż przy moim.

I wtedy przerywa nam José, dzwoniąc domofonem: raz, drugi. Idę odebrać, zakładając, że to jakaś przesyłka, ubra-

nia z pralni albo coś, o czym zapomniał mi powiedzieć. Po-
informuję go, że cokolwiek to jest, zjadę po to później. Ale to
nie jest żadna przesyłka. To Darcy. W dodatku słyszała mój
głos przez interkom.

– Powiedz jej, że zaraz zjadę na dół! – mówię.

– Jest już w drodze na górę! – José prawie wyśpiewuje
tę wiadomość. Najwidoczniej nie ma pojęcia, że przybycie
Darcy oznacza zgubę dla mnie i mojego pierwszego gościa.
Chociaż z drugiej strony, może o wszystkim wie. Może dozorcy, nawet ci, którzy udają przyjaciół, w głębi ducha cieszą się
z każdego lokatorskiego dramatu.

– O cholera! – Zrywam się na nogi i rozglądam wokół.
– Jedzie na górę! Cholera!

Dex jest spokojny. Wkłada bokserki. Szybko podchodzi do
mojej bieliźniarki i otwiera jej drzwiczki, trzymając w dłoni
dżinsy i koszulkę. Całą szafę wypełniają półki. Niedobrze.

– Wejdź do drugiej. Do drugiej szafy! – Wskazuję ją gorączkowym gestem z szaleństwem w oczach.

Skręca za róg i otwiera drugą szafę. W tej jest miejsce. Kuca
obok kosza na bieliznę, trzymając swoje ubrania. Zamykam
drzwi szafy w chwili, w której rozlega się pukanie Darcy.

– Już idę! – krzyczę.

Pospiesznie wkładam bieliznę i otwieram drzwi.

– Przepraszam, właśnie się przebierałam.

– O Boże. Jak to dobrze, że wróciłaś – mówi.

Pytam, co się stało, lecz po chwili zdaję sobie sprawę, że
wygląda i zachowuje się normalnie. Żadnych zapuchniętych
oczu, rozmazanej mascary, nieobecnego spojrzenia. Darcy
wchodzi do środka, a ja mamroczę, że właśnie wróciłam
i chciałam włożyć coś wygodniejszego. Ubieram parę szortów i koszulkę.

Darcy nadal milczy.

– No więc zostało tylko sześć dni. Pewnie masz tu urwanie
głowy! – Śmieję się nerwowo. – Cóż, wróciłam i teraz mogę ci

pomóc. Jestem do twojej dyspozycji. Załatwię wszystkie pilne sprawy przed twoim weselem.

– Nie będzie żadnego wesela. – Prycha.

– Co takiego? – Wydaję z siebie stłumiony okrzyk, wytrzeszczam oczy i podchodzę bliżej. Już mam zaoferować pełne współczucie, lecz wtedy przypominam sobie, że oficjalnie nie wiem, kto odwołał ślub. Zatem pytam.

– Obydwoje.

– Obydwoje? – pytam nieco głośniej.

Prowadzę Darcy na moje łóżko i siadam. Obok stoi szafa. Chcę, żeby Dex wszystko słyszał. Obydwoje? Dex powiedział, że to on odwołał ślub. Gdyby zrobili to razem albo gdyby ona powiedziała to pierwsza, być może nie miałoby to takiego znaczenia, jak wcześniej myślałam. Oczywiście i tak będę szczęśliwa. Ale chcę, żeby to była decyzja Deksa. Chcę być jej powodem.

– No cóż. Technicznie rzecz biorąc, to wyszło od Deksa. Dziś rano powiedział, że nie może tego zrobić. Że chyba mnie nie kocha. – Przewraca oczami i posyła mi ironiczny uśmieszek. Szkoda, że Dex nie widzi wyrazu jej twarzy. Darcy nie wierzy, że mógłby jej nie kochać, podobnie jak nie wierzy w to, że ja mogłabym ukrywać w szafie półnagiego Deksa.

– Żartujesz? To jakieś szaleństwo. Jak się czujesz?

Darcy spuszcza wzrok na stopy. Teraz zacznie płakać. A ja ją pocieszę i powiem, że wszystko będzie dobrze. Potem zaproponuję, żebyśmy poszły na mały spacer. Zaczerpnąć świeżego powietrza, mimo że na zewnątrz jest paskudnie gorąco. Może zaproponuję kolację. Ona wybierze miejsce. Burger i frytki, skoro nie ma już sukienki, w którą trzeba się zmieścić.

Lecz Darcy nie płacze. Bierze głęboki oddech.

– Rachel... Muszę ci coś powiedzieć. – Mówi spokojnym głosem. Nie działa według scenariusza pod tytułem „Właśnie dostałam kosza". Coś się święci. Przez chwilę myślę, iż zaraz oznajmi, że o wszystkim wie, że rozumie, bo prawdziwa miłość musi zwyciężyć, i że wyraźnie widzi, iż ja i Dex powinniśmy być razem.

– Tak? – pytam zdezorientowana.

– Bardzo trudno mi o tym mówić. Nawet trudniej niż wtedy, kiedy dostałam się do Notre Dame – ciągnie.

Poruszyła temat Notre Dame po raz pierwszy od czasu *college*'u – co, wziąwszy pod uwagę moje ostatnie wnioski z tej sprawy, wydaje się zupełnym szaleństwem. Ta rozmowa zdecydowanie nie ma sensu. Może zamierza mi wyznać, że jej również nie przyjęto. Że rywalizowała ze mną przez całe życie. I że ostatecznie przyznaje się do porażki.

– Pamiętasz, jak ci powiedziałam, że zgubiłam pierścionek?

– Tak?

– Że zgubiłam go w mieszkaniu kolegi z pracy?

Teraz jestem naprawdę zdezorientowana. Dex musi być zdezorientowany jeszcze bardziej. Cieszę się, że nie powiedziałam mu o tym, w jakich okolicznościach naprawdę zgubiła pierścionek. Odwołał ślub nawet bez tej informacji.

– Że przespałam się z kolegą z pracy i zgubiłam pierścionek?

To wszystko przypomina scenę z *Three's Company*, w której Jack rozmawia z Chrissy, a Janet podsłuchuje z ukrycia tę pełną niedopowiedzeń i podtekstów rozmowę. Pamiętam zbliżenia twarzy Janet, wstrząśniętej i wściekłej. Ale w moim mieszkaniu nie ma żadnych wątpliwości. Słowa Darcy mają tylko jedno znaczenie i Dex dobrze je rozumie: przespała się z innym facetem. „Dlaczego mi nie powiedziałaś? – zapyta mnie, może nawet oskarżycielskim tonem. – To znacznie ułatwiłoby całą sprawę" – powie. Odrzeknę, że moim zdaniem wywieranie takiego nacisku nie byłoby w porządku. Może dzięki temu wydam mu się szlachetna, a Darcy jeszcze bardziej nieodpowiednia dla niego.

– No cóż, tak naprawdę wcale nie przespałam się z kolegą z pracy. – Mówi powoli, dokładnie wymawiając każdą sylabę.

– Nie zgubiłaś pierścionka?

Czy zamierza się przyznać do oszustwa ubezpieczeniowego?

– Facet, z którym wtedy byłam, to nie żaden kolega z pracy. To ktoś inny.

– Kto taki?

– Marcus.

– Marcus? – Zamurowało mnie.

– Tak, twój Marcus.

Oczywiście. Mój Marcus. Musiałam przelecieć nad całym Atlantykiem, żeby o nim zapomnieć.

– Nienawidzisz mnie? – pyta z żalem w głosie. – Proszę, powiedz coś.

– Byłaś z Marcusem tego dnia, kiedy zgubiłaś pierścionek? Zgubiłaś go w jego mieszkaniu? – wyjaśniam sytuację na użytek własny i Deksa.

Kiwa głową. Przez krótką chwilę patrzy na mnie z ukosa – w jej oczach widać jakiś błysk, a kąciki ust lekko się unoszą. To ją bawi. Teraz może szokować. Szokować i lśnić. Wygrać po raz kolejny.

Daję jej to, czego chce. Udaję pokonaną. Znowu jestem uprzejmą frajerką.

– Spałaś z nim? – pytam nieco oskarżycielskim tonem, z lekką domieszką żalu.

– Tak.

– Więcej niż raz?

– Tak – szepcze tak cicho, że Dex z pewnością nie może jej słyszeć.

Zatem pytam głośno i wyraźnie:

– Naprawdę?

– Tak – mówi.

Udaję, że to wszystko analizuję. Naprawdę to robię. Jednak na poziomie nieznanym Darcy.

– No cóż – szukam słów. – Cóż...

Nie proszę o dalsze wyjaśnienia, lecz i tak je przedstawia:

– To wszystko zaczęło się podczas weekendu czwartego lipca. Wróciliśmy z Talkhouse, pijani. I od słowa do słowa...

– Czwartego lipca? – pytam.

Coraz lepiej.

– Tak, ale on czuł się okropnie. I przysięgliśmy, że to nigdy więcej się nie powtórzy. Tylko że bardzo się sobie spodobaliśmy. To było strasznie silne... Po prostu nie mogliśmy się rozstać. Zaczęliśmy umawiać się na lunch i czasami po pracy. Za każdym razem czuliśmy się podle ze względu na Deksa i na ciebie. Ale potem robiliśmy to znowu i znowu... Nienawidzisz mnie?

Mam dylemat. Nie wiem, jak powinnam to rozegrać. Co poradziłby mi Ethan? Udać, że wpadam we wściekłość? Tak, nienawidzę cię. Wyjdź stąd. Wynoś się! To byłoby jedno rozwiązanie. A może ciche, przygnębione: Jak mogłabym cię nienawidzić? Jesteś moją najlepszą przyjaciółką. Albo: Nie wiem, co o tym myśleć. Potrzebuję czasu.

Kiedy zastanawiam się nad odpowiedzią, dodaje, że musi mi powiedzieć coś jeszcze. To coś poważnego.

– To jeszcze nie wszystko?

– Nie. Jest jeszcze coś. – Mówi słabym głosem, ale zdradza ją mina. Zdecydowanie ją to bawi.

Wpatruję się w stopy.

– Słucham.

– Mój okres spóźnia się kilka dni. A wiesz, że zawsze mam idealne dwudziestoośmiodniowe cykle. – Czule dotyka brzucha. Nadal jest zupełnie płaski.

– Jesteś w ciąży? – Ściska mnie w żołądku.

– Chyba tak. Tak.

Boję się zapytać, kto jest ojcem. Jeśli Dex, mogę to wszystko stracić.

– Zrobiłam test… wynik był pozytywny.

– Pozytywny wynik oznacza, że jesteś w ciąży?

– Tak. Dwie różowe kreseczki. Jestem w ciąży.

Wstrzymuję oddech, modlę się i zawieram układ z Bogiem. Już nigdy nie poproszę o nic więcej, jeśli tylko…

– Kto jest ojcem? – Pytanie wypełnia pokój, okrąża nas i płynie w stronę drzwi szafy.

– Marcus.

Wypuszczam powietrze, czując taką ulgę, że aż kręci mi się w głowie.

– Jesteś pewna?

– Tak. Absolutnie. Po raz ostatni kochałam się z Deksem jeszcze przed poprzednim okresem. Całe wieki temu.

– Czy on wie?

– Kto? Marcus?

– Tak. Czy Marcus wie?

– Tak, ale Dex nie. Jeszcze nie.

Już wie.

– Najpierw chciałam porozmawiać z tobą.

Kiwam głową i nadal próbuję to wszystko przetrawić.

– Co w takim razie zamierzasz zrobić?

– Co masz na myśli?

– Urodzisz je?

– Tak. Chcę tego dziecka. – Pociera brzuch małymi kolistymi ruchami. – Chcę wyjść za Marcusa i urodzić jego dziecko. Wiem, że to brzmi jak szaleństwo, ale czuję, że właśnie tak powinnam postąpić.

– Jesteś pewna, że Marcus chce się żenić?

– Absolutnie.

– Myślisz, że Dex coś podejrzewa? – pytam cicho. Z jakiegoś powodu nie chcę, żeby usłyszał to pytanie.

– Nie. Ale szczerze mówiąc, myślę, że czuł, jak bardzo się od niego oddaliłam. Pewnie dlatego odwołał ślub. Wiesz, powiedział, że mnie nie kocha… bo czuł, że ja pierwsza się od niego odwróciłam.

– Rozumiem.

– Jestem wstrząśnięta twoim spokojem. Dziękuję, że mnie nie znienawidziłaś.

– Tak... Nie znienawidziłam cię.

– Mam nadzieję, że Dex przyjmie to równie dobrze. Przynajmniej jeśli chodzi o Marcusa. Przez jakiś czas będzie go nienawidził. Ale Dex jest racjonalistą. Nikt nie zrobił tego celowo, żeby go zranić. Po prostu stało się.

I kiedy już myślę, że ta historia kończy się równie zgrabnie i gładko jak epizod z *Mamy towarzystwo*, gdzie ostatecznie wszyscy są zadowoleni, spostrzegam, że Darcy wpatruje się w jakiś punkt za moimi plecami. Widząc jej minę, zaczynam podejrzewać, że Dex wyłonił się z kryjówki. Odwracam się, absolutnie pewna, że go zobaczę. Ale nie, drzwi szafy nadal są zamknięte. Znowu spoglądam na Darcy. Ciągle wpatruje się w ten punkt z kamienną twarzą. Wygląda, jakby była w transie.

I wtedy pyta:

– Dlaczego zegarek Deksa leży na twoim stoliku nocnym?

Ponownie podążam za jej wzrokiem. Rzeczywiście, nie ma żadnych wątpliwości: jego zegarek leży na moim stoliku. Zegarek Deksa. Mój nocny stolik. Nie ma drogi ucieczki. Przynajmniej takiej, którą potrafiłabym znaleźć.

Wzruszam ramionami i jąkając się, mówię, że nie wiem. Jeśli do tej pory były jakieś niejasności co do tego, czy potrafię wymyślić coś na poczekaniu, teraz wszystko staje się jasne. Mamroczę:

– Och, to nie jest jego zegarek. Mam taki sam... Kupiłam go w Anglii. – Drży mi głos. Jestem pogrążona w totalnym chosie. Zdychające cielę pośród gradowej burzy.

Darcy zeskakuje z łóżka, chwyta zegarek, przewraca go na drugą stronę i czyta inskrypcję: „W dowód miłości. Darcy". Potem patrzy na mnie z czystą nienawiścią, pokazując, jak powinnam była zareagować na wieści o Marcusie.

– Co to jest, kurwa? – pyta. To zimne ostre pytanie. Mruży oczy. – Co to jest, kurwa! – krzyczy znowu, ale tym razem to stwierdzenie. A to oznacza, że nie muszę odpowiadać.

Stoję, a ona przepycha się w kierunku łazienki. Idę za nią i widzę, jak brutalnie odsuwa zasłonkę od prysznica. Znajduje jedynie dwie brązowe butelki szamponu, różową plastikową golarkę i rozpuszczającą się kostkę mydła.

Zaczynam układać historyjkę: Dex przyszedł powiedzieć mi o rozstaniu. Zdjął zegarek, z żalem w głosie odczytał inskrypcję. Ze smutku omal nie wyszedł z siebie. Pocieszyłam go, a potem poszedł na samotny spacer po parku.

Jednak jest już za późno na wyjaśnienia. Trzydziestosekundowa szansa na wyjaśnienia przepadła. Długie chude palce Darcy chwytają klamkę szafy.

– Darcy, nie rób tego – mówię, wyraźnie wskazując, że jej były narzeczony znajduje się za drzwiami numer dwa. Zagradzam jej drogę, zasłaniając drzwi plecami.

– Odsuń się! – wrzeszczy. – Wiem, że on tam jest!

Odsuwam się, bo cóż innego mogłabym zrobić? Ma rację. Obydwie wiemy, że on tam jest. Kiedy jednak otwiera drzwi, jakaś część mnie naprawdę ma nadzieję, że Dex znalazł sposób, aby skulić się jeszcze bardziej i wcisnąć w róg mojej szafy. Może wyszedł i jakimś cudem uciekł w ciągu tych czterech sekund, podczas których ja i Darcy stałyśmy jak wryte w łazience. A może za sprawą jakiegoś cudu znalazł tajemne przejście jak w *Opowieściach z Narnii: Lew, czarownica i stara szafa*.

Ale nie, jest tutaj, przycupnięty w tym samym miejscu, w którym widziałam go po raz ostatni, trzymając swoje dżinsy i koszulę, ubrany w granatowe bokserki w paski, i wlepia w nas wzrok. Wstaje.

– Ty kłamco! – krzyczy Darcy, wbijając palec w jego pierś.

Ignoruje ją i spokojnie się ubiera, wkładając jedną nogę w nogawkę dżinsów, a następnie drugą. Pokój wypełnia dźwięk zapinanego rozporka.

– Okłamałeś mnie!

– Chyba żartujesz – Dex mówi cichym i powściągliwym głosem, odnajdując rękawy koszuli. – Pieprz się, Darcy.

Twarz Darcy robi się czerwona i wrzeszczy, bryzgając kropelkami śliny:

– Mówiłeś, że nie ma nikogo innego! A p i e p r z y s z moją najlepszą przyjaciółkę.

– Darcy. Darcy. Darcy. – Jękliwie powtarzam jej imię jak zepsuta płyta.

Ignoruje mnie, wpatrując się w Deksa. Czekam, aż zacznie nas bronić, rzuci światło na fakty, powie, że nie chodziło tu o żadne pieprzenie. Nie wydarzyło się absolutnie nic aż do dzisiejszego dnia, kiedy przyszedł do mnie w poszukiwaniu pocieszenia. Ale Dex mówi spokojnie:

– Przyganiał kocioł garnkowi, co, Darcy? Ty i Marcus? Spodziewacie się dziecka? Myślę, że należą się gratulacje.

Oczekuję, że Darcy wygłosi jakąś mowę o lojalności, miłości i przyjaźni. Spodziewam się, że oskarży nas o to, iż zdradziliśmy ją pierwsi. Jednak ona tylko patrzy na mnie, a potem na Deksa, i mówi, że wiedziała o tym od samego początku i że bardzo nas obydwoje nienawidzi. Zawsze będzie nas nienawidzić. Podchodzi do drzwi.

– Och, Darcy? – mówi Dex.

– Co? – Wykrzykuje to słowo, lecz patrzy na niego błagalnie, wyczekująco.

– Czy mógłbyś oddać mi zegarek?

Ciska w niego dowodem winy. Wyraźnie zamierza zrobić mu krzywdę. Jednak pudłuje. Zegarek odbija się od ściany i ślizgając się po parkiecie, ląduje u jej stóp, inskrypcją do góry. Darcy spogląda na wygrawerowany napis, a potem na mnie.

– A ty! Nie chcę cię widzieć nigdy więcej! Jesteś dla mnie martwa!

Trzaska drzwiami i znika.

ROZDZIAŁ 24

Darcy nie traci czasu i od razu rozpowszechnia swoją wersję wydarzeń. Najwidoczniej zaczyna od José. Kilka minut po wyjściu Darcy mijamy mojego dozorcę, opuszczając budynek. Tym razem się nie uśmiecha. Wpuszczenie kogoś bez pytania może oznaczać dla dozorcy utratę pracy. Wygląda na zmartwionego.

– Cześć, José – mówimy chórem.

– Oj, kurczę, naprawdę mi przykro, że wpuściłem ją na górę – tłumaczy się. – Ja, eee... nie wiedziałem... no wiecie...

– Nic nie szkodzi. Naprawdę – mówię. – Nie przejmuj się, José.

– Zdała ci relację? – radośnie pyta Dex, jak gdyby cała historia była tylko małym szalonym nieporozumieniem, a nie kluczowym wydarzeniem w życiu co najmniej czterech osób.

José uzyskał ciche pozwolenie na ponowne uśmiechanie się.

– Eee... można powiedzieć, że się nasłuchałem. He, he. Ale nie martwcie się – śmieje się. – Nie wierzę w to, co o was powiedziała... przynajmniej w większość tych rzeczy.

Przybijają z Deksem piątkę jak dobrzy kumple, którymi chyba powoli się stają. Odprowadzam Deksa na róg. Jedzie do domu, aby uratować tyle dobytku, ile zdoła zmieścić w walizce – obydwoje uważamy Darcy za dziewczynę skłonną do siania zniszczenia, najzupełniej zdolną do tego, aby chwycić za nożyczki i splądrować jego szafę.

– Wrócę jak najszybciej – obiecuje.

Kiwam głową.

– Jesteś pewna, że mogę zamieszkać u ciebie na kilka dni?

Pyta o to już po raz trzeci.

– Oczywiście. Możesz u mnie mieszkać, jak długo zechcesz – zapewniam go, myśląc, że teraz nie tylko mnie pragnie, lecz również p o t r z e b u j e. Dobrze się czuję, będąc potrzebna Deksowi.

Stoimy tak przez chwilę, patrząc sobie w twarz, po czym Dex zatrzymuje taksówkę i pochyla się, żeby mnie pocałować. Bez zastanowienia odwracam głowę i podsuwam mu policzek. Potem przypominam sobie, że nie musimy się już ukrywać. Odwracam głowę w drugą stronę i nasze usta spotykają się w świetle dnia.

Wracam do mieszkania w stanie połowicznego szoku. Czuję, że powinnam zrobić coś uroczystego. Napisać coś w pamiętniku, którego nie dotykałam od miesięcy (nigdy nie mogłam się zmusić do pisania o Deksie, bojąc się, co by było, gdyby coś mi się stało). Tańczyć po całym mieszkaniu. Płakać. Zamiast tego skupiam się na przyziemnych sprawach, z którymi nieźle sobie radzę. Biorę prysznic, rozpakowuję się, podlewam rośliny, przeglądam pocztę, wyciągam z szafy dwa wiatraczki i podłączam je w pobliżu łóżka, a potem zjadam kilka batoników zbożowych.

Dex wraca godzinę później z całym kompletem brązowych walizek Hartmanna i dwiema czarnymi sportowymi torbami Nike. Wszystkie wypchane są wrzucanymi na oślep ubraniami, butami, dokumentami, kosmetykami, a nawet kilkoma oprawionymi w ramkę zdjęciami.

– Misja ratunkowa wykonana – mówi. – Nie było jej w domu.

– Jak ci się udało tak szybko je spakować? – Przyglądam się walizkom.

– Nie było łatwo – przyznaje, ocierając pot z czoła. Jego szara koszulka jest mokra pod pachami i na piersi.

– Możesz powiesić garnitury we fronowej szafie – mówię, nadal skupiając się na kwestiach praktycznych, ponieważ nie jestem w stanie tego wszystkiego pojąć, chociaż obecność rzeczy Deksa trochę mi w tym pomaga.

– Dzięki. – Wyjmuje kilka ciemnych garniturów i białych koszul, po czym spogląda na mnie. – Nie bój się. Nie wprowadzam się do ciebie.

– Nie boję się – odpowiadam, patrząc, jak wiesza ubrania. Jednak tak naprawdę ogarnia mnie nagły niepokój. Co teraz? Co teraz będzie? Nigdy tego nie planowałam: nowe warunki mieszkaniowe, koniec przyjaźni z Darcy, dziwna i nagła zmiana *status quo*. – Po prostu nie mogę w to uwierzyć.

– W co nie możesz uwierzyć? – Obejmuje mnie.

– We wszystko. W każdą z tych rzeczy. W nas.

Zamykam oczy i właśnie wtedy dzwoni telefon. Podskakuję jak oparzona.

– Cholera. Myślisz, że to ona? – Prawie boję się Darcy i tego, co może zrobić.

– Wątpię. Jest teraz z Marcusem. Na sto procent.

Podnoszę słuchawkę.

– Czy to prawda? – pyta moja matka głosem pełnym paniki. – To, co usłyszałam od pani Rhone? Powiedz, że nie, Rachel. P r o s z ę, p o w i e d z!

– To zależy od tego, co słyszałaś. – Starannie dobieram słowa, a potem bezgłośnie poruszając ustami, informuję Deksa, że to moja matka.

Robi śmieszną minę i chwyta oparcie kanapy, jak gdyby szykował się na uderzenie meteoru w moje mieszkanie. Wolałabym meteor niż tę rozmowę.

– Słyszałam, że Dex odwołał ślub.

– Zgadza się.

– I że ty jesteś w jakiś sposób z w i ą z a n a z Deksem...
Powiedziałam, że to musi być jakaś pomyłka, ale mama Darcy
była pewna. Wydawała się bardzo smutna. Ja i twój ojciec nie
wiedzieliśmy, co powiedzieć.

– Mamo, to skomplikowane – mówię, co oczywiście oznacza przyznanie się do winy.

– Ra-chel. Jak m o g ł a ś? – Nigdy nie była mną równie rozczarowana. Cała moja ciężka praca, wszystkie osiągnięcia, lata bycia dobrą córką zostały przekreślone. – Darcy to twoja
najstarsza przyjaciółka! Jak mogłaś?

Mówię matce, że być może zechciałaby wysłuchać mojej
wersji wydarzeń, zanim zacznie wydawać sądy. Chyba nie
trzeba skończyć studiów prawniczych, żeby rozumieć ideę
„domniemania niewinności".

Zgadza się i prosi, żebym ją przedstawiła. Widzę, jak kręci głową i drepcze po kuchni w oczekiwaniu na wyjaśnienie,
chociaż żadne nie wyda jej się wystarczające.

Jestem zbyt wściekła, aby cokolwiek jej tłumaczyć. Jak może brać stronę Darcy, skoro nawet nie usłyszała mojej wersji?

– Nie jestem w nastroju, żeby teraz z tobą o tym rozmawiać
– mówię. Potem dodaję: – Ani z tatą. – Wiem, że użyje go jako
ostatecznej broni, tak jak robiła za czasów mojego dzieciństwa.
„Poczekaj, aż tata wróci do domu". Groźba stosowana wobec
wielu dzieci w naszym domu miała nieco inny wydźwięk. Była
to zapowiedź zszargania mojej reputacji jako idealnej córecz-
ki tatusia. Surowe spojrzenie ojca było gorsze niż jakakolwiek
kara i moja mama doskonale o tym wiedziała.

– Twój ojciec jest w garażu, dosłownie wychodzi z siebie
– dodaje, nie mogąc się zdecydować, jaki przyjąć ton: surowy
czy spokojny. – Chyba nie byłby w stanie rozmawiać, nawet
gdybyś go o to poprosiła. Czy choć raz pomyślałaś o Darcy albo o państwu Rhone?

Kiedy się zakochiwałam? Nie, nie pomyślałam! Nie pomyślałam też o twoim klubie brydżowym ani o nauczycielce z trzeciej klasy!

– Mamo, to nie jest twoje życie. Ani taty... Słuchaj, muszę już kończyć.

Żegnam się i odkładam słuchawkę, zanim ma szansę się odezwać. Poczekajmy, aż zrobi jej się przykro, kiedy dowie się o tym, że Darcy spodziewa się dziecka innego mężczyzny. Niech sobie policzy i odejmie miesiące. Może wtedy zadzwoni do mnie, przeprosi i rzuci jedno ze swoich ulubionych powiedzonek: „Przyjrzyj się sobie, zanim zaczniesz krytykować innych”.

Po odłożeniu słuchawki zastanawiam się, czy nie powinnam zadzwonić do Annalise, zanim zrobi to rzecznik prasowy. Nie chcę jednak obciążać kobiety w ciąży tą całą historią.

– Domyślam się, że wieści dotarły już na Środkowy Zachód? – pyta Dex.

– Tak. Pani Rhone zadzwoniła do mojej mamy.

– Co za bzdura – denerwuje się. – Darcy jest w c i ą ż y z innym mężczyzną! Czy podzieliła się tą nowiną z całym sąsiedztwem?

– Najwidoczniej nie.

– Myślisz, że powinienem zadzwonić do pani Rhone?

– Nie... Po prostu bądźmy cicho, dopóki wszystko się nie wyda. Pieprzyć ich.

– Masz rację – mówi i uderza pięścią w otwartą dłoń. – Darcy! Cholera, ona jest n i e s a m o w i t a.

– Wiem.

Obydwoje milczymy. Czuję jakiś niepokój. Przez krótką chwilę zastanawiam się, czy teoria Ethana nie jest przypadkiem prawdziwa – może chciałam Deksa jedynie po to, żeby pokonać Darcy, a teraz, kiedy już go mam, nie jestem pewna, co robić. Ale nie. Pod warstwami lęku spoczywa niedające się z niczym pomylić uczucie miłości. Po prostu musi upłynąć trochę czasu, zanim znowu zaczniemy zachowywać się normalnie. Co zakrawa na ironię, ponieważ tak naprawdę n i g d y nie zachowywaliśmy się normalnie.

– Może zamówimy kolację? – pyta Dex, przerywając milczenie.

– Nie jestem głodna. Chyba się położę – odpowiadam, chociaż dopiero wybiła ósma. – Jestem trochę zmęczona po podróży. Zresztą w taki upał nie chce się jeść.

Chyba wie, jaka jest prawdziwa przyczyna mojego braku apetytu.

– Ja też nie jestem głodny – mówi.

Patrzę, jak apatycznie porządkuje swoje rzeczy i wyciąga maszynkę do golenia. Potem bierze prysznic, podczas gdy ja myję zęby, zamykam mieszkanie i wdrapuję się do łóżka. Mój umysł cały czas pracuje, usiłując przesłać sercu jasną wiadomość. To okropne: targa mną tyle uczuć, a nie potrafię określić dominującej emocji. Czy jestem przede wszystkim szczęśliwa? Smutna? Wystraszona? Nie wiem. Myślę o Ethanie. O tym, jaki będzie zaskoczony. Okazało się, że tchórzliwy Dex nie jest aż takim tchórzem. Potem myślę o Jamesie. Czy całowałam się z nim w chwili, kiedy Dex szukał sposobu, aby ze mną być? Czy powinnam mieć poczucie winy? Czy powinnam powiedzieć Deksowi?

Potem myślę o naszej czwórce: Marcus był nielojalny wobec Deksa. Ja byłam nielojalna wobec Darcy. Dex był nielojalny wobec Darcy. Tylko Darcy wyrządziła krzywdę dwojgu ludziom: mnie i Deksowi. Tylko ona była podwójnie nielojalna. Myślę o mojej poplecznniczce z ławy przysięgłych. Triumfuje, wskazuje ten fakt, zwracając się do Kostiumu od Chanel: „A nie mówiłam?".

Patrzę na Deksa, który wyciera się ręcznikiem, wkłada białe bokserki i podchodzi do mnie. Stoi obok łóżka. Przesuwam się, zajmując jego miejsce. Może powinniśmy zmienić dotychczasowych układ, upamiętniając zwrot w naszym związku i uznając jego nowy status.

Wyłącza lampkę i odnajduje moje ciało pod kołdrą. Obejmuje mnie. Potem dwa razy całuje mnie w ucho. Ale żadne z nas nie rozpoczyna niczego więcej. Może on również kontempluje doniosłość tego, co się stało.

– Dobranoc, Dex.

– Dobranoc, Rachel.

Długo wsłuchuję się w jego oddech. Kiedy jestem już pewna, że zasnął, cicho wymawiam jego imię.

– Tak? – odzywa się, nadal w pełni rozbudzony.

– Dobrze się czujesz? – pytam.

– Tak... A ty?

– Tak – mówię.

Wydaje z siebie jakiś odgłos. Z początku brzmi to jak płacz. Potem z ulgą rozpoznaję, że się śmieje.

– O co chodzi?

– O ciebie. – Naśladuje mój głos: – „Kupiłam ten zegarek w Londynie". – Śmieje się jeszcze głośniej.

Pozwalam sobie na jeden mały uśmiech.

– Nie byłam w stanie myśleć!

– Nie da się ukryć.

– To ty zostawiłeś go na nocnym stoliku.

– Wiem... Cholera. Przypomniałem sobie o nim w chwili, w której wpuściłaś ją do mieszkania. Potem pomyślałem, że może go nie zauważy. Wtedy usłyszałem jej pytanie... i czekałem, aż wymyślisz jakieś dobre wytłumaczenie. Nie spodziewałem się czegoś takiego jak: „Kupiłam go w Londynie". Siedziałem w tej szafie i kręciłem głową, myśląc sobie, że jesteśmy ugotowani.

– Może to i lepiej... Teraz wszystko wyszło na jaw. W końcu i tak by się dowiedziała.

Jednak tak naprawdę wcale nie jestem o tym przekonana. To „w końcu" byłoby lepsze niż dzisiaj. I może nigdy by się nie dowiedziała, że coś działo się między nami jeszcze latem, kiedy nadal była z Deksem.

– Tak. Zaręczyny i dwie przyjaźnie *finito* – stwierdza.

Zastanawiam się, co zasmuca go bardziej. Mam nadzieję, że koniec przyjaźni z Marcusem.

– Naprawdę myślisz, że już nigdy nie będziesz się przyjaźnił z Marcusem?

Wzdycha i poprawia poduszkę.

– Zdecydowanie wątpię, żebyśmy w najbliższym czasie mieli wyskoczyć na piwo.

– I to cię zasmuca?

– Po co się smucić? – pyta. – Teraz jesteśmy razem.

Chcę mu powiedzieć, że go kocham, ale dochodzę do wniosku, że to może poczekać do jutra. A może nawet dzień dłużej.

Dwanaście godzin później jestem w drodze do gabinetu Hillary. Na korytarzu zaczaja się na mnie Les.

– Dobrze. Wróciłaś. Musimy porozmawiać.

Tak, miałam cudowny urlop. Dzięki, że spytałeś.

– Teraz? – pytam.

– Tak, teraz. Przyjdź do mojego gabinetu. Migiem.

Mam ochotę powiedzieć, że normalni ludzie nie używają słowa „migiem", chyba że żartują albo grają w scrabble.

– Muszę pójść po notes – mówię. I to by było tyle, jeśli chodzi o gładki powrót do dawnej rutyny.

Kilka sekund później siedzę w jego pachnącym cebulą gabinecie i zaciekle notuję instrukcje dotyczące trzech nowych spraw. Wszystkie są czasochłonnymi, ogłupiającymi i popieprzonymi projektami badawczymi o chorych terminach realizacji. To moja kara za urlop. Les kieruje do mnie agresywny potok słów i przybiera protekcjonalny ton za każdym razem, kiedy odważę się przerwać i zadać jakieś trafne pytanie. Przyglądając się jego kartoflowatemu nosowi, myślę sobie, że wcale tego nie potrzebuję. Przypominam sobie, jaka wolna czułam się w Londynie, z dala od tego miejsca. Fantazjuję o odejściu, zdobyciu nowej pracy w Nowym Jorku albo o przeprowadzce do Londynu wraz z Deksem. Złożę wymówienie w połowie prac nad zadaniami przydzielonymi przez Lesa. Zostawię go na lodzie. Kiedy będę już wychodzić, powiem mu, co o nim myślę. Dodam, że naprawdę powinien coś zrobić z tymi włosami w nosie.

Po godzinnej niewoli (podczas mojego wyroku Les przeprowadza trzy długie rozmowy telefoniczne) zostaję wypuszczona na wolność. Kieruję się prosto do gabinetu Hillary, który bardziej niż zwykle przypomina pole bitwy. Na każdym centymetrze kwadratowym podłogi piętrzą się stosy dokumentów. Obydwa krzesła dla gości są zawalone papierami, a biurko ugina się pod teczkami, traktatami i starymi gazetami.

Hillary obraca się na krześle:

– Cześć, Rachel! Siadaj. Opowiedz mi o swojej wycieczce!

– Gdzie mam usiąść?

– Oj. Po prostu gdzieś to rzuć... Jak było w Anglii? Jak się czujesz?

– No cóż – zaczynam, robiąc miejsce na jednym z krzeseł. – W Anglii było świetnie. Zrobiłam pewne postępy w zakresie zapominania o Deksie... Ale wczoraj wieczorem wróciłam do domu i dowiedziałam się, że w końcu odwołał ślub.

Posyła mi zdziwione spojrzenie: „Odwołał go? Jesteś pewna?".

Opowiadam jej całą historię. Chłonie każde słowo, a na końcu wygląda jak jedna z tych osób, które otwierają drzwi i widzą Eda McMahona z wielkim czekiem, w towarzystwie ekipy telewizyjnej. Zasłania oczy dłońmi, śmieje się, kręci głową, a potem okrąża biurko i mocno mnie ściska. Jej reakcja wcale mnie nie dziwi. Nie oczekiwałam, że przejmie się bardziej subtelnymi elementami tej historii – faktem, że Darcy i ja nie jesteśmy już przyjaciółkami, że moi rodzice są przygnębieni, a wieść o zdradzie, jakiej się dopuściłam, przemierza całą Indianę z prędkością światła.

– To wspaniała, naprawdę wspaniała wiadomość. Jestem winna Deksowi przeprosiny. Cholera. Naprawdę spisałam go na straty jako kolejnego ślicznego kobieciarza.

– On taki nie jest.

– Widzę... Tak bardzo cieszę się twoim szczęściem.

– A co działo się tutaj? – Uśmiecham się.

– Och, niewiele. To samo stare gówno... Mieliśmy z Julianem pierwszą poważną kłótnię.

– Co takiego? Dlaczego?

– Wdaliśmy się w spór, który przybrał na sile. – Wzrusza ramionami.

– O co poszło?

– To długa historia... Ale generalnie rzecz biorąc, stosujemy zasadę pełnej szczerości. Nie mamy przed sobą żadnych tajemnic.

– Tajemnic dotyczących przeszłości?

– Tak. I w ogóle wszystkiego. W każdym razie na imprezie rozmawiał z pewną dziewczyną i przedstawił mi ją. Wszyscy troje długo gadaliśmy o wielu sprawach. A potem zapytałam, skąd ją zna... Powiedział, że poznał ją w wakacje, dwa lata temu... I tyle. Potem, wygłupiając się, zapytałam: „Spałeś z nią?". A on tylko na mnie popatrzył... Spał!

Nie próbuję ukryć znaczącego uśmieszku.

– Wściekłaś się z powodu byłej dziewczyny?

– Nie. Wściekłam się dlatego, że musiałam go pytać, czy z nią spał. To on powinien był o tym powiedzieć! Coś takiego było sprzeczne z duchem naszego porozumienia. Więc oczywiście zaczęłam się martwić, że nie jest taki uczciwy, jaki się wydaje.

– Masz obsesję. Jesteś taka uparta. – Kręcę głową.

– On też... Nie odzywamy się do siebie prawie od dwudziestu czterech godzin.

– Hill! Daj spokój, musisz do niego zadzwonić!

– Nie ma szans. Przecież jego palcom też nic nie dolega.

Jej słowa i postawa emanują odwagą i bezczelnością, lecz po raz pierwszy widzę, jaka jest krucha. Zdradzają ją oczy.

– Myślę, że powinnaś do niego zadzwonić – mówię. – To niemądre.

– Możliwe. Nie wiem. Z drugiej strony, możemy nie być tak idealnie dobrani, jak mi się wydawało.

– Z powodu jednej kłótni?

Wzrusza ramionami.

– Hillary, chyba przesadzasz. Podnieś słuchawkę i zadzwoń do niego.

– Nie ma mowy. – Ale widząc, jak zerka na telefon, zgaduję, że powoli mięknie.

Myślę sobie, że kiedy człowiek się zakocha, czasami musi zapomnieć o dumie, a innym razem musi walczyć, żeby ją zachować. To pewna równowaga. Ale kiedy jesteś we właściwym związku, ta równowaga sama się ustala. Jestem pewna, że Hillary i Julianowi się uda.

Po powrocie do gabinetu wystukuję numer jedynego bezwarunkowego sprzymierzeńca, który pozostał mi oprócz Hillary. Wiem, że Ethan nie przeoczy komplikacji związanych z moim obecnym położeniem – być może dlatego że zna Darcy lepiej niż Hillary. Pod pewnymi względami rozumie ją lepiej niż ja.

Kiedy opowiadam mu całą historię, ani razu nie przerywa.

– Podejrzewałeś coś? Kiedy Dex zadzwonił i wypytywał o szczegóły mojego lotu? – pytam na koniec.

– Miałem taką nadzieję... Dlatego powiedziałem mu to, o co pytał. Ale w nic nie wnikałem. Po prostu zacisnąłem kciuki.

– Miałeś nadzieję? Naprawdę? Myślałam, że go nie lubisz.

– Oj, po prostu nie lubiłem go za to, że zwodził cię przez całe lato. Teraz go lubię. To znaczy naprawdę go p o d z i - w i a m. Nie wybrał najłatwiejszej drogi. Bardzo go za to szanuję. Wielu ludzi pozwala się po prostu porwać atmosferze zaręczyn i nie stawiając oporu, biorą ślub. Dex się zbuntował. Ma moje uznanie. Naprawdę.

– Cieszę się, że ślub odwołał Dex, a nie Darcy po odkryciu ciąży. W przeciwnym razie zawsze bym się zastanawiała, no wiesz, czy nie jestem dla niego tylko pocieszeniem.

– No więc jak się teraz czujesz? – Zadaje to pytanie ostrożnym głosem i wiem, że chodzi mu o Darcy.

Mówię, że jestem oczywiście szczęśliwa, ale czuję się zdruzgotana utratą Darcy, świadomością, że już nigdy nie będzie częścią mojego życia. Chociaż prawdę mówiąc, chyba to jeszcze do mnie nie dotarło.

– Nie można tego nazwać bajkowym zakończeniem – puentuję.

– Nie, zakończenia nigdy takie nie są.

– Wszystko stało się tak szybko. W jednej chwili myślałam, że w sobotę jadę na ślub. Potem okazało się, że ślubu nie będzie. Ja jestem z Deksem, Darcy jest z Marcusem i spodziewa się jego dziecka. To szalone.

– Nie mogę uwierzyć, że jest w ciąży… Cholera! Co za dziewczyna! – W jego głosie słychać rozbawienie.

– Wiem.

– Nie można się przy niej nudzić.

– Wiem… Chyba będzie mi tego brakować.

– Tak. No cóż. Może jeszcze wróci.

– Może.

Odchrząkuje.

– Chociaż wątpię.

– Ja też.

– Zatem Marcus i Darcy. – Gwiżdże. – To naprawdę wielka odmiana.

– Tak. Nie musisz mi mówić! Ale teraz zaczynam to rozumieć… To ma sens. Zawsze narzekała, że Dex za dużo pracuje. A Marcus ma zupełnie inne podejście.

– A ty bardziej przypominasz Deksa.

– Tak. I to by było tyle, jeśli chodzi o teorię „przyciągających się przeciwieństw".

– Zdaje mi się, że ta zmiana może wyjść wszystkim na dobre. Nie licząc Jamesa. On będzie zdruzgotany.

– Tak, jasne.

– Poza tym ja też jestem odrobinę rozczarowany.

– Dlaczego?

– Myślałem, że przeprowadzisz się do Londynu.

– Kto wie? Może mimo to się przeprowadzę.

– I zostawisz Deksa?

– Może pojechać ze mną.

– Myślisz, że to zrobi?

– Możliwe.

Może kocha mnie wystarczająco mocno, żeby pojechać za mną dokądkolwiek.

Odkładam słuchawkę i zabieram się do zleceń. Loguję się do bazy Lexis, a potem przeglądam i zaznaczam kolejne sprawy. Ciągle sprawdzam skrzynkę i czekam na dźwięk telefonu. Z początku myślę, że oczekuję wieści od Deksa, lecz potem sama podnoszę słuchawkę i do niego dzwonię, a mimo to nadal wypełnia mnie bolesne uczucie pustki. Wtedy zdaję sobie sprawę, że czekam na rozmowę z Darcy. Spodziewam się, że zadzwoni lada chwila. Nawrzeszczy na mnie, powie podłe rzeczy, jednak się odezwie. W jakiś sposób nawiąże kontakt. Mimo to nikt nie dzwoni, kiedy pracuję w porze lunchu. Około czwartej rozlega się sygnał telefonu.

– Rachel? – wrzeszczy w słuchawkę Claire.

– Cześć, Claire. – Przewracam oczami.

– Co się, u diabła, dzieje? – pyta, udając, że nie zna szczegółów.

Wiem, że do wykonania tego telefonu namówiła ją Darcy. Może nawet przysłuchuje się rozmowie. To w jej stylu. Myślę o licznych przypadkach z czasów liceum, kiedy namawiała mnie i Annalise do robienia tego typu rzeczy.

Nie połykam haczyka. Radosnym głosem mówię Claire, że za pół godziny muszę być w sądzie i nie mam czasu, żeby teraz o tym rozmawiać.

– Dobra… – Wyczuwam jej rozczarowanie brakiem pikantnych szczegółów. – Zadzwoń do mnie, kiedy będziesz mogła…

Nie licz na to.

– Po prostu strasznie mi was obu szkoda. Tak długo się przyjaźniłyście… – Jej słowa ociekają fałszywym współczuciem. Delektuje się nową rolą najlepszej przyjaciółki Darcy. Wyobrażam je sobie z naszyjnikami w kształcie serduszka. Jeśli ktokolwiek może sprawić, aby znowu stały się modne, to tylko Darcy i Claire.

– Uhmm. – Nie silę się na wyjaśnienia. Jedyną korzyścią z mojego rozstania z Darcy jest to, że nie muszę już udawać, że lubię Claire.

Jest środa wieczorem. Trzy dni po konfrontacji. Leżymy z Deksem skuleni na łóżku, gdy dzwoni telefon. To pewnie Darcy, myślę. Jednocześnie pragnę i boję się tej rozmowy – rozmowy, która może nigdy się nie odbędzie.

Odbieram, czując zdenerwowanie.

– Słucham?

– Cześć, Rachel.

To Annalise. Sprawia wrażenie zmęczonej i przez chwilę myślę, że to dlatego iż Darcy wtajemniczyła ją w naszą sagę. Szykuję się na nieśmiały bojaźliwy wykład w stylu Annalise. Zamiast tego słyszę, jak gdzieś w tle niemowlę uderza w płacz.

– To dziewczynka – mówi Annalise. – Mamy dziewczynkę!

Darcy miała rację, to moja pierwsza myśl. Potem ogarnia mnie rozrzewnienie. Jestem oszołomiona tą nowiną. Moja przyjaciółka została matką.

– Gratulacje. Kiedy?

– Dwie godziny temu. O ósmej czterdzieści dwie. Waży trzy kilogramy i osiemset gramów.

– Jak ma na imię?

– Hannah Jane… Jane po tobie i Darcy.

Przyjaźń z Annalise i drugie imię Jane to dwie ostatnie rzeczy, które nadal łączą mnie z Darcy.

– Annalise, jestem b a r d z o wzruszona – wyznaję. – Nigdy mi nie mówiłaś, że zastanawiasz się nad Jane.

– To miała być niespodzianka.

– Hannah Jane. Piękne imiona.

– Ona j e s t piękna.

– Podobna do ciebie?

– Nie wiem. Moja mama mówi, że tak. Ale moim zdaniem ma nos i stopy Grega.

– Nie mogę się doczekać chwili, kiedy ją zobaczę.

– Kiedy przyjedziesz do domu?

– Niedługo. Obiecuję.

Przez moment myślę, że Darcy naprawdę powstrzymała się od wtajemniczania Annalise w niedawny skandal. Lecz wtedy Annalise mówi:

– Rachel, musicie pogodzić się z Darcy. Zatelefonowała wczoraj wieczorem. Miałam do ciebie zadzwonić, ale tuż po naszej rozmowie odeszły mi wody.

Tylko Darcy potrafi wywołać akcję porodową.

– Cokolwiek się stało, zawsze można to naprawić, prawda? – pyta.

Chcę zapytać, co wie, co powiedziała jej Darcy. Jednak nie zamierzam rozmawiać teraz o Darcy. To nie pora na zagłębianie się w naszą operę mydlaną.

– Racja – odpowiadam. – Nie martw się o to… Teraz ty jesteś znacznie ważniejsza. Urodziłaś dziecko!

– Urodziłam dziecko!

– Jesteś czyjąś matką!

– Wiem. To takie przyjemne uczucie.

– Powiedziałaś już Darcy?

– Jeszcze nie. Zaraz do niej zadzwonię…

Myślę sobie, że jeśli Darcy odkryje, iż Annalise najpierw zadzwoniła do mnie, wpadnie w jeszcze większy szał.

– Tak, wiem, że musisz wykonać mnóstwo telefonów. Przekaż Gregowi moje gratulacje. I rodzicom… Tak bardzo cieszę się twoim szczęściem.

– Dziękuję, Rachel.

– Kocham cię, Annalise. – Czuję, jak do oczu napływają mi łzy.

– Ja ciebie też.

Odkładam słuchawkę ogarnięta emocjami, które nie do końca rozumiem. Wiedziałam, że prędzej czy później dziecko przyjdzie na świat. Mimo to porusza mnie realność tego, co się właśnie stało. Annalise jest matką. Ma córkę. To chwila, o której ona, Darcy i ja rozmawiałyśmy jako małe dziewczynki. Teraz Darcy też oczekuje dziecka, ale kiedy je urodzi, nawet do mnie nie zadzwoni. Dowiem się o tym od kogoś innego. Nie tak miało być. Dziecko Annalise sprawia, że ostatnie zmiany wydają się jeszcze bardziej tragiczne. Dobre nowiny nigdy nie miały tak cierpkiego smaku.

– Annalise urodziła dziecko? – pyta Dex, kiedy wracam do łóżka.

– Tak. Dziewczynkę… Hannah Jane – mówię, a potem wybucham płaczem. Po raz pierwszy w obecności Deksa. Takim, podczas którego twarz staje się cała obrzmiała, brzydka i mokra, nie można oddychać przez nos, a głowę rozsadza ciśnienie. Wiem, że jeśli za chwilę nie przestanę, rano będę miała migrenę. Ale nie potrafię. Odwracam się od Deksa i szlocham. On mocno mnie przytula i wydaje z siebie odgłosy pocieszenia, lecz nie pyta, dlaczego właściwie płaczę. Może rozumie. Może wie, że to nie pora na zadawanie pytań. Bez względu na okoliczności nigdy nie kochałam go bardziej niż teraz. Pozwalam, żeby mnie pocałował. Ja również go całuję. Kochamy się po raz pierwszy od czasu rozstania z Darcy.

ROZDZIAŁ 25

Następnego dnia Darcy w końcu kontaktuje się z Deksem. On natychmiast do mnie dzwoni, żeby przekazać najświeższe informacje.

Serce zamiera mi w piersi. Nie pozbyłam się obawy, że Darcy w jakiś sposób odzyska Deksa, odkręci sprawę ciąży, zmieni zdanie, przeinaczy całą historię.

– Opowiedz wszystko – mówię.

Dex streszcza ich rozmowę, a raczej żądania Darcy: ma zabrać resztę swoich rzeczy w ciągu tygodnia – w godzinach pracy – bo w przeciwnym razie Darcy wyrzuci je do śmieci. Musi zostawić klucze. Meble zostają, z wyjątkiem stołu, do którego kupienia ją „zmusił", komody, która stanowiła „jego wkład w ten absurdalny związek", i „brzydkich lamp" od matki Dextera. Musi zapłacić jej rodzicom za suknię ślubną i oddać bezzwrotne zaliczki na poczet ślubu, które obejmują wszystko i łącznie przekraczają sumę pięćdziesięciu tysięcy dolarów. Darcy zajmie się zwrotem ślubnych prezentów. Zatrzyma diamentowy pierścionek, który wymieniła zaledwie kilka dni przed ich rozstaniem.

Czekam, aż skończy, a potem mówię:

– To dosyć popieprzone warunki, nie sądzisz?

– Można tak powiedzieć.

– Powinniście podzielić się kosztami – zauważam. – Przecież ona jest w ciąży z innym facetem!

– Nie musisz mi mówić.

– A ściśle rzecz biorąc, pierścionek jest twój – dodaję. – Zgodnie z prawem Nowego Jorku. Nie pobraliście się. Kobieta zatrzymuje pierścionek dopiero po ślubie.

– Nie dbam o to – zapewnia. – Nie warto się kłócić o coś takiego.

– A co z mieszkaniem? Przecież na początku należało do ciebie.

– Wiem... Ale teraz nawet go nie chcę. Ani mebli – dodaje.

Cieszę się, że podchodzi do tego w ten sposób. Nie wyobrażam sobie, abym kiedykolwiek mogła go odwiedzać w dawnym mieszkaniu Darcy.

– Dokąd zamierzasz się przeprowadzić?

– Po prostu zamieszkam z tobą.

– Naprawdę?

– Żartowałem, Rach... Poczekamy z tym jeszcze jakiś czas.

– Aha... no tak. Jasne. – Śmieję się.

Jestem trochę zawiedziona, ale przede wszystkim czuję ulgę. Mam wrażenie, że mogłabym od razu zamieszkać z Deksem, ale chcę, żeby nam wyszło, żeby wszystko było w porządku, i nie widzę powodu, aby cokolwiek przyspieszać.

– Rano zadzwoniłem w kilka miejsc... Znalazłem jednopokojowe mieszkanie w East End. Może po prostu zaryzykuję.

Zaryzykujesz. Dokładnie tak jak ze mną.

– Jak Darcy zdoła sama opłacić czynsz? – pytam raczej z ciekawości niż troski, chociaż pewna część mnie martwi się o jej dobro, o to, jak sobie poradzi i co się stanie z nią i dzieckiem. Nie mogę tak po prostu wyłączyć programu troszczenia się o Darcy po tylu latach dbania o nią.

– Może wprowadzi się do niej Marcus – zauważa Dex.

– Tak myślisz?

– W końcu oczekują d z i e c k a.

– Chyba tak. Myślisz, że wezmą ślub? – pytam.

– Nie mam pojęcia. Nic mnie to nie obchodzi – odpowiada.

– Marcus się nie odezwał, prawda?

– Nie... A do ciebie?

– Nie.

– Pewnie tego nie zrobi.

– Zadzwonisz do niego?

– Może kiedyś. Teraz nie.

– Hmm... – mówię, myśląc, że może i ja zadzwonię pewnego dnia do Darcy. Chociaż nie wyobrażam sobie, aby miało to nastąpić w najbliższym czasie. – I to wszystko? Wspomniała coś o mnie?

– Nie. Byłem w szoku. Jak na nią to wielka powściągliwość. Pewnie ostro trenuje.

– Nie żartuj. Powściągliwość nie jest w jej stylu.

– Ale dosyć już o Darcy – proponuje Dex. – Zapomnijmy o niej na chwilę.

– Zapomnę, jeśli ty też to zrobisz – obiecuję.

– Co chcesz robić dziś wieczorem? – pyta Dex. – Chyba zdołam się stąd wyrwać o przyzwoitej godzinie. Co masz w planach?

Jest piąta, a mnie zostały jeszcze co najmniej cztery godziny pracy, ale mówię, że mogę wyjść, kiedy zechcę.

– Spotkamy się o ósmej?

– Jasne. Gdzie?

– Przygotujmy kolację u ciebie w domu. Jeszcze nigdy tego nie robiliśmy.

– Dobrze, ale... nie potrafię gotować – wyznaję.

– Owszem, potrafisz.

– Nie, naprawdę nie umiem. Mówię poważnie.

– Gotowanie jest łatwe – odpowiada. – Człowiek uczy się tego dzięki praktyce.

– To potrafię. – Uśmiecham się.

W końcu ostatnio robię właśnie coś takiego.

Godzinę później wychodzę z kancelarii, nie dbając o to, czy natknę się na Lesa. Zjeżdżam windą do głównego holu, a potem dwoma rzędami ruchomych schodów do Grand Central Station. Przystaję, żeby popodziwiać wspaniały główny terminal, tak znajomy i tak bardzo kojarzący się z pracą, że podczas zwykłych dni nie dostrzegam jego piękna. Przyglądam się marmurowym schodom po obu stronach hali, oknom zwieńczonym łukami, białym kolumnom i strzelistemu turkusowemu sufitowi usianemu konstelacjami gwiazd. Obserwuję ludzi, przeważnie w służbowych strojach, którzy przemieszczają się w różnych kierunkach: ku pociągom zmierzającym na przedmieścia i docierającym do każdego zakątka Nowego Jorku i ku niezliczonym wyjściom prowadzącym na ruchliwe ulice miasta. Zerkam na zegar w rogu terminalu, chłonę wzrokiem jego skomplikowaną tarczę. Jest dokładnie szósta. Wcześnie.

Idę powoli w kierunku Grand Central Market, hali spożywczej złożonej z osobnych, oferujących różne smakołyki stoisk, które mieszczą się na wschodnim krańcu kompleksu. Często przemierzałam ten korytarz z Hillary, kupując od czasu do czasu trufle do kawy Starbucks. Jednak tego wieczoru mam ważniejszą misję. Przemieszczam się od stoiska do stoiska, obładowując się delikatesami: twardymi i miękkimi serami, świeżym pieczywem, sycylijskimi zielonymi oliwkami, włoską pietruszką, świeżym oregano, doskonałą cebulą, czosnkiem, oliwami i przyprawami, makaronem o czerwonej, zielonej i żółtej barwie, drogim chardonnay i dwoma wyśmienitymi ciastami. Wychodzę z holu na Lexington, przechodząc obok prowizorycznego postoju taksówek i chmary udręczonych mieszkańców śródmieścia. Postanawiam iść do domu. Torby są ciężkie, ale to mi nie przeszkadza. Nie niosę teczki pełnej prawniczych książek i opisów spraw. Niosę kolację dla siebie i Deksa.

Po powrocie do mieszkania mówię José, żeby wpuścił Deksa, gdy tylko przyjedzie.

– Od tej pory nie musisz już dzwonić, żeby go zapowiadać.

– Ooo. Zatem to coś poważnego. Miła sprawa. – Puszcza do mnie oczko i wciska przycisk windy.

– Miła sprawa – powtarzam za nim jak echo, uśmiechając się.

Chwilę później rozkładam zakupy na kuchennym blacie – moje mieszkanie jeszcze nigdy nie widziało takiej ilości jedzenia naraz. Wkładam chardonnay do lodówki, puszczam klasyczną muzykę i szukam książki kucharskiej, którą matka podarowała mi co najmniej cztery Wigilie temu. Nigdy wcześniej z niej nie korzystałam. Przerzucam lśniące dziewicze strony, aż w końcu znajduję przepisy na sałatkę i makaron, które uwzględniają zakupione wcześniej produkty. Potem odnajduję fartuszek – kolejny nietknięty prezent – i zabieram się do obierania, siekania i podsmażania. Zaglądam do książki po wskazówki, lecz nie stosuję się do wszystkich instrukcji. Zastępuję bazylię pietruszką, pomijam odsączone kapary. Kolacja nie będzie doskonała, ale uczę się, że doskonałość nie jest najważniejsza. Tak naprawdę doskonałość może cię zniszczyć, jeśli na to pozwolisz.

Przebieram się, wybierając białą sukienkę na ramiączkach z różowymi haftowanymi kwiatami. Potem nakrywam do stołu, zaczynam gotować wodę na makaron, zapalam świeczki i otwieram butelkę chardonnay, po czym nalewam wina do dwóch kieliszków i upijam odrobinę z mojego. Zerkam na zegarek. Zostało jeszcze dziesięć minut. Dziesięć minut, aby usiąść i zastanowić się nad moim nowym życiem i nad tym, jak to jest być prawowitą i jedyną miłością Deksa. Sadowię się na kanapie, zamykam oczy i głęboko wciągam powietrze. Dobre zapachy są piękne, moje mieszkanie wypełniają czyste dźwięki. Ogarniają mnie spokój i błogość, kiedy dostrzegam brak wszelkich złych emocji: nie jestem zazdrosna, nie martwię się, nie boję, nie jestem sama.

Dopiero wtedy dociera do mnie, że to, co czuję, może być właśnie prawdziwym szczęściem. Nawet radością. W ciągu kilku ostatnich dni, kiedy początki tej emocji zaczynały wkradać się w moje serce, przyszło mi do głowy, że klucza do szczęścia nie powinno się odnajdywać w mężczyźnie. Że niezależna silna kobieta powinna odkrywać pełnię w sobie samej. Może i rzeczywiście tak jest. Miło jest myśleć, że znalazłabym zadowolenie w życiu nawet bez Deksa. Ale prawda wygląda tak, że czuję się bardziej wolna z nim niż wtedy, kiedy byłam sama. Przy nim czuję się bardziej sobą niż bez niego. Może tak wygląda prawdziwa miłość.

Kocham Deksa. Kochałam go od samego początku, jeszcze na studiach, kiedy udawałam przed samą sobą, że nie jest w moim typie. Kocham go za jego inteligencję, wrażliwość, odwagę. Kocham go całkowicie, bezwarunkowo i bez zastrzeżeń. Kocham go wystarczająco mocno, żeby podejmować ryzyko. Wystarczająco mocno, żeby poświęcić przyjaźń. Żeby zaakceptować własne szczęście, korzystać z niego i w zamian uszczęśliwiać również Deksa.

Rozlega się pukanie do drzwi. Wstaję i otwieram je. Jestem gotowa.

ROZDZIAŁ 26

Jest sobota, która miała być dniem ślubu Darcy i Dextera. Jestem z Deksem w 7B – barze, gdzie to wszystko się zaczęło w przeddzień moich trzydziestych urodzin. Siedzimy w tym samym boksie. To ja zaproponowałam, żeby tu przyjść. Powiedziałam to żartobliwym tonem, ale tak naprawdę czułam silną potrzebę powrotu i przypomnienia sobie, jak się czułam, zanim to wszystko się zaczęło. Mam ochotę zapytać Deksa, czy odczuwa odrobinę smutku, jednak zamiast tego opowiadam mu o Lesie, który napadł na mnie na korytarzu za to, że nie wymieniłam stron cytatów w streszczeniu sprawy.

– Mam wrażenie, że ten facet to jakaś żałosna ludzka istota... Nie możesz pracować z kimś innym?

– Nie, jestem jego osobistą niewolnicą. Ma monopol na mój czas, a teraz żadni inni wspólnicy nie poproszą mnie o współpracę, bo Les nieuchronnie nadużyje kompetencji, żeby zostawić ich na lodzie. Jestem w pułapce.

– Czy myślisz o zmianie kancelarii?

– Czasami. Szczerze mówiąc, zaczęłam dzisiaj poprawiać moje CV. Może w ogóle pożegnam się z prawem, chociaż nie mam pojęcia, co innego miałabym robić.

– Byłabyś dobra w wielu dziedzinach – zapewnia lojalnie Dex i kiwa głową.

Dodaję „wsparcie" do rosnącej listy rzeczy, za które go kocham.

Myślę o tym, żeby przedstawić mu pomysł tymczasowej przeprowadzki do Londynu, zastanawiając się, czy pojechałby ze mną. Ale dzisiejszy wieczór nie jest odpowiedni na tę rozmowę. Mamy wystarczająco dużo pilniejszych spraw na głowie. On musi o niej myśleć, zastanawiać się: Co by było gdyby? Jak mogłoby być inaczej?

– Idę wybrać kilka piosenek z szafy grającej – mówię.

– Chcesz, żebym poszedł z tobą?

– Nie. Zaraz wracam.

– Wybierz coś dobrego, zgoda?

Posyłam mu spojrzenie mówiące: zaufaj mi. Podchodzę do szafy grającej, mijam parę, która w milczeniu pali papierosy. Wsuwam w szparkę sfatygowaną pięciodolarówkę. Maszyna wypluwa banknot trzy razy, ale ja jestem cierpliwa i wygładzam krawędzie na udzie, aż w końcu banknot ląduje w środku. Przeglądam piosenki, starannie rozważając każdą z nich. Wybieram utwory, które lubi Dex, i takie, które przypominają mi nasze pierwsze wspólne lato. Oczywiście, decyduję się na *Thunder Road*. Zerkam na Deksa, który wygląda na pogrążonego w myślach. Nagle patrzy na mnie i macha z głupkowatym uśmiechem na twarzy. Wracam do niego i siadam na miejscu obok. Kiedy mnie obejmuje, nagły przypływ emocji sprawia, że brak mi tchu.

– Cześć – mówi tonem sugerującym, że dokładnie wie, jak się czuję.

– Cześć – odpowiadam w ten sam sposób.

Jesteśmy jedną z tych par, które dawniej obserwowałam, myśląc sobie, że ja nigdy nie przeżyję nic tak wyjątkowego. Pamiętam, jak pocieszałam się wtedy, że to wszystko prawdopodobnie wygląda lepiej, niż dzieje się w rzeczywistości. Cieszę się, że nie miałam racji.

Uśmiecham się do Deksa i zatrzymuję wzrok na maleńkim punkciku na jego lewej brwi, pustym miejscu, w którym powinny chyba rosnąć trzy lub cztery włoski.

– Co ci się stało? – pytam, wyciągając dłoń w kierunku tej brwi. Koniuszki moich palców lekko dotykają tego miejsca.

– A, to. To blizna. Upadłem podczas gry w hokeja, kiedy byłem dzieckiem. Od tamtej pory nie rosną tam już włosy.

Zastanawiam się, dlaczego nigdy wcześniej tego nie zauważyłam, i zdaję sobie sprawę, że nie wiedziałam o tym, iż grał w hokeja. Jest tyle rzeczy, których nadal o nim nie wiem. Ale teraz mamy czas. Przed nami rozciąga się nieskończoność. Przyglądam się jego twarzy spragniona kolejnych spostrzeżeń, aż w końcu zawstydzony Dex wybucha śmiechem. Ja również się śmieję, lecz po chwili nasze uśmiechy jednocześnie gasną. Pijemy piwo Newcastle w błogim milczeniu.

– Dex? – pytam po dłuższej chwili.

– Tak?

– Tęsknisz za nią?

– Nie – odpowiada zdecydowanie. Jego oddech ogrzewa mi ucho. – Jestem z tobą. Nie.

Czuję, że to prawda.

– I nie jesteś dziś ani trochę smutny?

– Ani odrobinę. – Całuje mnie w bok głowy. – Czuję teraz wiele rzeczy. Smutek nie jest jedną z nich.

– Dobrze – mówię. – Cieszę się.

– A jak ty się czujesz? Tęsknisz za nią? – pyta.

Zastanawiam się nad tymi pytaniami. Przede wszystkim jestem szczęśliwa, ale towarzyszy temu odrobina nostalgii i wspomnień tych wszystkich rzeczy, które dzieliłam z Darcy. Aż do tej pory nasze losy były tak bardzo ze sobą splecione – Darcy była moim punktem odniesienia dla wielu wydarzeń. Razem uderzałyśmy w bębenki podczas parady na dwusetlecie powstania miasta. Zawiązywałyśmy żółte wstążki wokół drzewa na moim podwórku podczas kryzysu w Teheranie. Patrzyłyśmy, jak Challenger spada z nieba, ludzie burzą mur berliński i rozpada się Związek Radziecki. Razem dowiadywałyśmy się o śmierci księżnej Diany i o losie, który spotkał Johna F. Kennedy'ego. Rozpaczałyśmy po jedenastym września. Przez cały ten czas Darcy przy mnie była. Poza tym są jeszcze nasze osobiste historie. Wspomnienia, które dzielimy tylko my dwie. Sprawy, których nikt inny nie byłby w stanie zrozumieć.

Dex wpatruje się we mnie w skupieniu, czekając na odpowiedź.

– Tak – mówię w końcu, nieco skruszona. – Tęsknię za nią. Nic na to nie poradzę.

Kiwa głową, jak gdyby rozumiał. Zastanawiam się, dlaczego mnie jej brakuje, a Deksowi nie. Może dlatego że ja znałam ją znacznie dłużej. A może chodzi o samą naturę przyjaźni i intymnego związku. Tworząc z kimś związek, masz świadomość, że to może się skończyć. Możecie się od siebie oddalić, spotkać kogoś innego albo po prostu się odkochać. Jednak przyjaźń nie jest grą o wszystko albo nic i dlatego zakładasz, że będzie trwała wiecznie, zwłaszcza jeśli to stara przyjaźń. Traktujesz jej trwałość jako coś oczywistego i może właśnie to stanowi o jej wartości. Nawet kiedy Dex wyrzucił te podwójne szóstki, nie wyobrażałam sobie końca przyjaźni z Darcy.

Myślę o niej i zastanawiam się, co w tej chwili czuje. Czy ją też ogarnia taka melancholia? A może po prostu jest zła? Jest z Marcusem czy z Claire? A może sama, ze smutkiem przerzuca strony albumu z liceum i przegląda stare zdjęcia Deksa? Czy ona też za mną tęskni? Czy kiedykolwiek będziemy jeszcze przyjaciółkami, ostrożnie zgadzając się na spotkanie przy kawie albo podczas lunchu, aby stopniowo odbudować to, co nas łączyło? Może będziemy się śmiały z tego szalonego lata, podczas którego jedna z nas nadal była dwudziestoparolatką. Ale wątpię w to. Tego nie da się naprawić, zwłaszcza jeśli nadal będę z Deksem. Nasza przyjaźń prawdopodobnie skończyła się już na zawsze – może to i lepiej. Może Ethan miał rację i nadeszła pora, żebym przestała traktować Darcy jak miernik własnej wartości.

Przesuwam dłońmi po kieliszku, dziwiąc się, jak wiele się zmieniło w tak krótkim czasie. Jak bardzo zmieniłam się ja sama. Dawniej byłam grzeczną córeczką i lojalną przyjaciółką. Dokonywałam bezpiecznych, ostrożnych wyborów i miałam nadzieję, że wszystko jakoś się ułoży. Potem zakochałam się w Deksie, lecz nadal traktowałam to jako coś, co zwyczajnie mi się przydarzyło. Miałam nadzieję, że on wszystko naprostuje albo że zadba o to los. Nauczyłam się jednak, że sami tworzymy własne szczęście i że sięgnięcie po coś, czego pragniemy, oznacza również utratę czegoś innego. A kiedy gra toczy się o wysoką stawkę, strata może być bardzo dotkliwa.

Długo rozmawiam z Deksem, wspominając chwile tego lata, porządkując je – te dobre i te złe. Przeważnie się śmiejemy i tylko raz zbiera mi się na płacz, kiedy docieramy do momentu, w którym oznajmił mi, że zamierza poślubić Darcy. Opowiadam mu, jak po jego wyjściu rzuciłam kostkami. Mówi, że jest mu przykro. Odpowiadam, że nie ma powodu, aby było mu przykro – nie było go wtedy i z pewnością nie ma teraz.

A potem, tuż przed północą, rozlega się ten słodki dźwięk harmonijki, która z początku gra cicho, a potem nabiera rozpędu, i Bruce śpiewa: „Słychać trzask drzwi i faluje suknia Mary".

Twarz Deksa rozjaśnia uśmiech, jego oczy błyszczą i wydają się bardziej zielone niż zwykle. Przytula mnie do piersi i mówi na ucho:

– Cieszę się, że nie jemy teraz tortu.

– Ja też – szepczę.

Tuli mnie, kiedy wsłuchujemy się w głos Bruce'a, w słowa, które mają dla nas szczególne znaczenie:

Hej, cóż innego możemy teraz zrobić
Poza opuszczeniem szyb, aby wiatr zmierzwił nam włosy?
Noc właśnie się zaczyna,
A te dwa pasy zaprowadzą nas, dokąd tylko zechcemy.

Zaczynam rozumieć, że dzisiejsza noc jest jednocześnie końcem i początkiem. Jednak w tej chwili godzę się na jedno i drugie. Bar wypełniają ostatnie słowa *Thunder Road*: „I wyjeżdżam stąd po to, żeby wygrać".

– Chcesz już iść? – pytam Deksa.

– Tak. – Kiwa głową.

Wstajemy i idziemy przez zadymiony bar, opuszczając 7B, zanim zacznie się następna piosenka. Jest piękną, bezchmurna noc, a w powietrzu czuć lekki chłód. Zbliża się jesień. Biorę Deksa za rękę i powoli idziemy Aleją B, wypatrując żółtej taksówki, która zmierza we właściwym kierunku.

PODZIĘKOWANIA

Chciałabym podziękować moim rodzicom, siostrze, rodzinie i przyjaciołom za ich miłość i wsparcie.

Jestem wdzięczna mojej agentce Stephany Evans i redaktorce Jennifer Enderlin za to, że we mnie wierzą.

Mam ogromny dług wdzięczności wobec moich pierwszych czytelniczek: Sarah Giffin, Mary Ann Elgin i Nancy LeCroy Mohler za ich niestrudzony wkład w pracę nad każdą roboczą wersją maszynopisu.

A najbardziej dziękuję Buddy'emu Blaha – za wszystko.

Wydawnictwo Otwarte sp. z o.o.,
ul. Kościuszki 37, 30-105 Kraków. Wydanie II, 2009.
Druk: Colonel, ul. Dąbrowskiego 16, Kraków.